IL GIALLO MONDADORI

VALERIO
VARESI

REO CONFESSO

UN'INDAGINE DEL COMMISSARIO SONERI

MONDADORI

I edizione Il Giallo Mondadori luglio 2021

ISBN 978-88-04-73738-4

La citazione di pag. 270 è tratta da:
Charles Dickens, *Visioni padane*, Diabasis, Reggio Emilia 2000.

Anno 2021 - Ristampa 1 2 3 4 5 6 7

librimondadori.it

REO CONFESSO

1

Solo lasciandosi avviluppare dalla noia è possibile sperimentare il sussulto vitale dello stupore. Camminando nel parco Cittadella, Soneri rimuginava questo pensiero osservando la città dall'alto dei bastioni come dalla merlatura di un castello. Era lo stupore a rendergli ancora sopportabile il mestiere di poliziotto. Scaturiva dal praticare quella sorta di chirurgia della vita altrui che viola l'epidermide dell'apparenza irrompendo di colpo nell'intimo svelato nella nudità della morte. Benché niente lo annoiasse come la semplice contabilità dei cadaveri, la quale rinvigoriva in lui l'idea della vanità di ogni redenzione, tutte le volte che il dovere d'ufficio gli imponeva di procedere nella sdrucciolevole impresa di ricostruire una vita spezzata, si sorprendeva di quel sentimento misteriosamente sopravvissuto alla stanchezza ripetitiva. Forse perché la morte era di suo stupefacente, consistendo in un'aporia: annullando tutto, annullava anche il pensiero con cui la si immagina, dunque se stessa.

Quel groviglio di idee si presentava puntualmente all'apparire di un cadavere. Sorgeva immediato ancor prima di un sussulto di pena o moralità. Lo provò per qualche secondo anche quella mattina, quando si imbatté in un uomo steso su una panchina in una posa che pareva davvero quella di un cadavere. Era vestito con abiti piuttosto leggeri visti il clima e la nebbia che sgocciolava dagli alberi. Stette per un po' a osservare quella specie di fagotto, insospettito da tanta immobilità. Poi decise di avvicinarsi, spinto più dalla curiosità che da un dovere professionale. Il tizio era appoggiato su un fianco, col viso rivolto allo schienale e il capo quasi del tutto coperto da un cappuccio. Sugli abiti si erano depositate piccole gocce che assomigliavano a sudore. Il commissario gli posò una mano sulla spalla e scrollò con brevi mosse rapide. L'uomo si destò girandosi pigramente sulla schiena tra i gemiti dei listelli di legno. Aprì gli occhi ma non mostrò né sorpresa né spavento. Al contrario, sorrise guardando davanti a sé.

«Sta bene?» chiese Soneri.

L'uomo si rizzò a sedere.

«Bene» si limitò a dire mentre la sua espressione divenne più seria. «Stavo congelando» aggiunse poi percorso da un brivido.

«Non è una gran trovata mettersi a dormire su una panchina in ottobre» considerò il commissario, ricordandosi in quel momento del suo ragionare di cadaveri.

«È la prima persona che si è interessata a me» balbettò trasognato l'uomo dando l'idea di parlare a se stesso.

«Non c'è un gran viavai» constatò Soneri.

«Oh, ne è passata di gente...»

«Quindi lei non dormiva.»

L'altro non rispose subito. Poi disse con tono ambiguo: «Avrei voluto».

«Meglio la sala d'aspetto della stazione» riprese il commissario supponendo fosse un barbone.

«Se è per quello ne avrei di posti!» replicò l'uomo alzando un braccio e lasciandolo poi ricadere sulle ginocchia.

«Allora è curioso che sia qui.»

«Nessuno si interessa più degli altri» proseguì l'uomo seguendo ancora il filo dei suoi pensieri come se non avesse sentito. «Viviamo in un mondo sordo» aggiunse sottovoce. E prima che Soneri intervenisse, proseguì: «Non è nemmeno sempre per cattiva volontà o indifferenza. Forse per imbarazzo. Credo che sia così. Molte volte è timidezza e imbarazzo. S'è creato come un velo fra le persone che le mostra sfocate e impedisce che si riconoscano».

«Direi che è diffidenza» tagliò corto il commissario.

L'altro non parve granché convinto.

«Resta da capire perché sfida l'assideramento in un parco» insistette.

L'uomo scrollò la testa senza rispondere. Poi girò lo sguardo e per la prima volta lo fissò in faccia.

«La prenda come una prova. Per gli altri e per me.»

«Che genere di prova?»

«Capire il valore di un uomo. Mi sono chiesto quanto tempo si può stare qui come un cadavere prima che qualcuno si decida a intervenire. Quanto si può resistere all'indifferenza, alla timidezza o all'imbarazzo altrui?»

Il commissario cominciò a pensare di avere a che fare con uno squilibrato. Ma al tempo stesso la situazione

suscitava in lui quello stupore che sempre si accompagna all'inconsueto.
«E qual è la conclusione?»
«Be', lei si è fermato.»
«Basta a riconciliarla con il genere umano?»
«Sono qui da tre ore» sogghignò l'uomo dando un'occhiata all'orologio.
«Troppe per assolvere il prossimo?»
«Oh, qualcuno deve aver chiamato l'ambulanza. Un infermiere è venuto a controllarmi, ma gli ho detto che non avevo bisogno. Comunque tutto ciò che è fatto per dovere non conta.»
L'uomo stava tremando.
«Sarà meglio trovarci un posto caldo» stabilì Soneri.
L'altro assentì.
«Abbiamo tutti bisogno di conferme, non trova?» riprese qualche istante dopo.
«E lei le cerca in questo modo?»
«È estremo, lo so. Ma è così che si possono misurare compassione e pietà. Solo riducendosi a un fagotto gettato in un angolo. Tutti soccorrerebbero un potente in difficoltà per poi trarne vantaggio, ma un fagotto in mezzo ai piedi chi lo aiuterebbe? Più facile che gli diano fuoco.»
«Qualcuno ha chiamato l'ambulanza... L'ha detto lei» obbiettò Soneri sempre più addentro a quella situazione surreale.
«La sto tediando?» intervenne l'uomo intercettando la perplessità del commissario.
«Tutt'altro» lo rassicurò quest'ultimo.
Stava pensando che gli erano sempre risultate sim-

patiche le persone eccentriche. Gli offrivano l'opportunità di guardare alle cose in una prospettiva sghemba e quasi sempre sorprendente. Anche quello era un modo per sfuggire alla noia.

L'uomo gli stava accanto silenzioso fissando davanti a sé la staccionata e la strada più in basso. Di colpo ricominciò a tremare con brevi scosse febbrili.

«Venga, c'è un bar qui di fronte» disse Soneri.

L'altro lo seguì docilmente. Scesero la rampa dei bastioni e varcarono l'entrata su un piccolo ponte che scavalcava il fossato del parco, una ex fortezza farnesiana. Pochi minuti dopo erano seduti in un bar di via Solferino. L'uomo sembrò rilassarsi ma continuò a restare in silenzio. Osservava svogliatamente l'incrocio con i viali e la fermata delle corriere in corrispondenza della vecchia barriera daziaria della città. Si capiva che qualcosa lo turbava e che quel qualcosa doveva avere a che fare con la strana trovata di sdraiarsi su una panchina al freddo. Soneri ordinò un calice di Malvasia rivolgendo poi un'occhiata interrogativa all'uomo.

«Cosa prende?»

L'altro sembrò non aver udito. Continuava a fissare l'andirivieni dell'incrocio senza dar l'idea di seguire niente in particolare. Il cameriere scambiò un cenno con il commissario prima di chiedere a sua volta: «Signore, desidera?».

L'uomo finalmente si girò e fece segno di no con la testa. Quando il cameriere se ne andò disse: «Ha notato che arrivano sempre per le ordinazioni nel momento in cui uno sta pensando una cosa importante o sta per dire qualcosa a cui tiene? Magari è proprio quella per cui eri lì, quella che non riuscivi a esprimere e finalmente...».

«Non credo che fosse il nostro caso. O mi sbaglio?» domandò il commissario.

«Ha ragione. Lei non è la persona giusta. Nemmeno la conosco» si giustificò. «Se sono qui è forse per il fatto che si è interessato a me. Mi sono sentito qualcuno vicino.»

«Certe volte è necessario, ma, come ha detto lei, forse non sono la persona giusta.»

«No, non lo è. Però capita che sia più facile confidarsi a un estraneo che a qualcuno con cui si ha familiarità. Non si corre il rischio di mostrarsi diversi da quello che si è sempre stati. È spiacevole infrangere l'immagine che si è fatto chi ci conosce.»

«Mi dà l'idea che abbia un bel peso sullo stomaco» azzardò Soneri.

Aveva parlato d'impulso non reggendo più l'ambiguità di quelle mezze frasi.

L'uomo assentì, poi provò a sconfiggere l'imbarazzo. «Non so come spiegare...» cominciò, ma fu subito interrotto dall'arrivo del cameriere con il calice di Malvasia per il commissario. A quel punto tornò a guardare fuori attraverso le vetrate del bar.

«Ha proprio ragione, i camerieri arrivano sempre a interrompere sul più bello, come la pubblicità nei film» stabilì il commissario. «Dunque, cosa voleva dirmi?»

L'altro era tornato a immergersi in un gregge di pensieri. Alzò le spalle senza girare lo sguardo. Soneri assaggiò la Malvasia. Si era dimenticato di chiedere che gliela servissero secca anziché dolce. Quella piccola contrarietà lo distrasse dalla conversazione. Osservò il bar semivuoto nell'ora morta del mattino, il traffico fuori, più quieto dopo la sfuriata delle otto, e la nebbia che continuava a rimanere sospesa alla stessa altezza, inamovibile da giorni.

Improvvisamente l'uomo si riscosse dall'apatia e si girò verso Soneri con un mezzo sorriso che poteva essere di disponibilità.

«Se ha qualcosa da dirmi lo faccia adesso, sto per andarmene» lo incalzò lievemente spazientito il commissario, alzandosi. In quel momento, da una chiesa poco distante si udirono i rintocchi lenti delle campane a morto.

Fu allora che l'altro disse con sorprendente serenità: «Ho ucciso un uomo».

2

«Come vede sono la persona giusta» esordì il commissario.

Erano seduti l'uno di fronte all'altro nell'ufficio della Mobile. L'uomo l'aveva seguito remissivo senza porre obiezioni, e quando furono davanti alla questura, indicando l'edificio con un rapido gesto, aveva sussurrato: «Prima o poi ci sarei venuto da solo qui».

Il piantone all'ingresso di borgo della Posta li aveva fatti passare, riconoscendo Soneri. Una volta nel corridoio, nel viavai di agenti e funzionari, tutto era sembrato un incontro di routine. Fin dal primo momento in cui il commissario si era presentato, l'uomo era apparso deluso.

«Dunque anche lei l'ha fatto per dovere» borbottò. «Perché era la persona giusta.»

«Non mi pare importante in questo momento» replicò il commissario. «A meno che non stia giocando» aggiunse lievemente minaccioso.

«Invece lo è. Sarà l'indifferenza a sopraffarci. Poco per volta ci allontaneremo l'uno dall'altro fino a divenire ostili e a uccidere per paura.»

Il commissario continuava a dibattersi incerto tra l'interpretare le parole dell'uomo come una confessione o come il delirio di un visionario.

«E lei di chi ha avuto paura?» domandò.

«Il mio caso è diverso» si schermì l'altro. «La mia è stata...» s'interruppe per cercare la definizione esatta. «È stata parecchie cose insieme. Direi una profonda indignazione.»

Soneri lo osservò senza replicare. Sconcertato, si rifugiò nella prassi, come se si trattasse di un interrogatorio vero, cosa di cui dubitava.

«Cominciamo dal suo nome» tagliò corto senza convinzione.

«Roberto Ferrari» rispose. «È un nome così comune da essere banale, non trova?»

Il commissario fece cenno di lasciar perdere.

«Età? Luogo di nascita?» continuò con tono distratto divagando tra le informazioni anagrafiche.

«Ho sessantotto anni e sono parmigiano del sasso» precisò con un certo orgoglio.

Soneri sentì finalmente qualcosa di familiare in quella definizione che significava essere nati e vissuti in città. Il sasso voleva dire il selciato, non la terra e l'erba di chi viene al mondo tra le vacche.

«Borgo Montassù» aggiunse dopo una pausa. «Anni fa mi divertivo a far credere che fosse un paese di montagna.»

«La gente crede a tutto, se la sai raccontare» replicò quasi sottovoce Soneri. «Se lo sta facendo anche con me l'avverto che non la passerà liscia» ribadì.

Ferrari s'impettì rizzandosi di colpo contro lo schienale. Il caldo torrido degli uffici della Mobile l'aveva eccitato come un ramarro.

«Non riuscirei mai a convincere uno scettico come lei.»

«Fa parte del mio mestiere non dare nulla per scontato. Ho ascoltato più imbonitori io del tirassegno alla fiera.»

«Crede che anch'io lo sia?»

«Non lo so, ma sarei falso se dicessi che non lo sospetto.»

«Cosa le fa pensare che finga?»

«Ogni circostanza inconsueta genera incredulità. L'ho provata fin dal primo momento che l'ho notata su quella panchina.»

«E ciò le fa supporre che io sia un pazzo, un visionario o un millantatore?»

«No, però mi fa essere guardingo.»

«Cosa dovrei fare per convincerla?»

«Quello che fanno tutti quelli seduti nel posto in cui si trova lei ora: raccontare. O se preferisce, confessare.»

Ferrari tirò un gran sospiro: «Non so da dove cominciare».

Il commissario sentì crescere l'irritazione dentro di sé, ma cercò di contenersi. Ciò che lo innervosiva non era tanto quel tergiversare ozioso, ma la sorprendente serenità dell'uomo.

«Ha detto che ha ucciso» tagliò corto. «Cominci da qui: chi ha ammazzato?»

«Si chiama Giacomo Malvisi, ma lo chiamavano James.»

«E perché l'ha ammazzato?»

L'altro non rispose subito. Si prese una lunga pausa.

«L'ho ritenuto un atto di giustizia.»

Soneri scosse la testa: «Dipende a che giustizia ci si riferisce».

«Ci ho pensato mille volte, ma alla fine l'indignazione, la rabbia… È stata una rivolta.»

«Rivolta? E contro chi?»

Ferrari alzò un braccio di scatto.

«I reati non sono solo quelli che perseguite voi. I vostri sono una minima parte e almeno hanno una punizione a norma di legge. Ma gli altri? Quelli per cui non c'è un articolo, un comma o un paragrafo che possa esprimere una condanna?»

L'uomo si era definitivamente animato, irrequieto da parere un pulcino appena infranto il guscio.

«Se ha ucciso qualcuno siamo tra quella minima parte» stabilì Soneri.

«Voglio dire che non c'è nessuna legge che tuteli dai soprusi, dalle prepotenze, dall'approfittare del prossimo. Si può essere dei delinquenti senza aver mai commesso un reato» riprese Ferrari.

«Certo, il mondo è pieno di rispettabili criminali. Delinquenti a norma di legge» ammise il commissario.

L'altro gli stava di fronte fremente ma muto. Soneri attese un tempo sufficiente a perdere la pazienza, ma ancora una volta si contenne. Il suo tono persino più pacato del solito, sorprese anche lui: «Ho cambiato idea: non sono la persona giusta se desiderava chiacchierare con qualcuno».

Di nuovo l'altro si impettì. Questa volta con indignazione, rizzando la testa fieramente: il pulcino si era trasformato di colpo in un gallo da combattimento.

«Non la sto prendendo in giro» reagì con puntiglio.

«Le panchine sono lì apposta per fare flanella, e se non ci si distende può essere che qualcuno si sieda vicino e attacchi bottone» sibilò Soneri sentendosi uno stupido ad aver dato corda a quel tizio. Per fortuna Juvara era fuori e i colleghi non avrebbero saputo niente, altrimenti sarebbe partita una di quelle romanze a presa di culo che tutti avrebbero cantato per mesi su e giù per il palazzo della questura.

«Lo trovate in via Carmignani 8» buttò lì freddamente l'uomo.

Quell'indirizzo ridestò l'attenzione del commissario. Forse non si trattava di un mitomane, benché la sua espressione serafica rendesse tutto cedevole e fluttuante tra realtà e fantasia. Conosceva molto bene quella via nel popolare quartiere Montanara, alla periferia sud di Parma. Ci era cresciuto in quella specie di confine tra case e campi, dove chi scendeva al capolinea dei bus restava qualche secondo a chiedersi se quello fosse l'ultimo lembo di campagna o il primo avamposto di città. Lungo le vie crescevano condomini di edilizia economica coi cortili pieni di bambini accanto a case coloniche inghiottite dall'avanzare dei piani regolatori. Le accompagnavano, in via d'estinzione, scampoli di filari, arginature di gelsi e portici dove persisteva l'odore di stallatico.

«Cosa dovremmo trovare?» domandò senza capire, ridestandosi da quel momentaneo torpore di ricordi.

«Il corpo di Malvisi.» Soneri fissò l'uomo. Un attimo prima avrebbe voluto cacciarlo, ora tornava a provare curiosità. Posò la mano sulla cornetta per telefonare, ma all'ultimo esitò. Lo colse di nuovo lo stupore.

«Via Carmignani 8, al pianterreno. C'è una targa sul cancello di una palazzina a due piani e un viottolo con un'entrata privata» spiegò Ferrari imperturbabile.

Il commissario si decise infine a sollevare il telefono, fissando l'uomo con sguardo diffidente. Allo stupore si abbinava una buona dose di incredulità. Poi compose il numero di Musumeci.

«Fai un giro in via Carmignani 8. Dovrebbe esserci una targa con un nome: Giacomo Malvisi. Ha lo studio al piano terra.»

«Cosa devo fare?» domandò l'ispettore.

«Qui c'è uno che dice di averlo ammazzato.»

Musumeci emise un mugugno che avrebbe voluto essere un'esclamazione. «C'è qualcuno là? Chi l'ha trovato?»

«Non c'è nessuno. Dovrebbe essere morto nel suo ufficio» rispose Soneri cercando conferme con lo sguardo da Ferrari.

«Se è chiuso e devo portarmi il fabbro, ci vorrà un'autorizzazione» ipotizzò l'ispettore.

Il commissario coprì il ricevitore con la mano e si rivolse di nuovo a Ferrari: «È sicuro che sia lì? Se mi fa passare dei guai glieli ricambio a prezzo d'usura» avvertì.

L'uomo annuì, per nulla spaventato.

«Portati il fabbro ed entra, pare sia lì davvero.»

Quando riattaccò si mise comodo sulla poltrona e osservò di nuovo Ferrari con severità: «Fra poco saprò se lei dice il vero o mi prende per il culo» affermò perentorio.

«Le pare che verrei fin qui per raccontarle una balla?»

Soneri lo studiò ancora sospettoso, senza capire. Prese il sigaro che aveva lasciato spegnere nel portacenere e l'accese. Ferrari lo guardava con la solita flemma.

«Mi considera così stupido?» chiese l'uomo. «Matto, forse?»

Il commissario tirò una boccata e solo dopo si rese conto di infrangere la legge.

«Le dà fastidio?» si scusò mostrando il Toscano.

L'altro sorrise e fece cenno di no. Allora Soneri si alzò e aprì la finestra che dava sul cortile interno. Rimase nello spiraglio, soffiando il fumo fuori mentre l'aria fredda lo investiva.

«Lei ama i compromessi» sorrise Ferrari accennando alla finestra semiaperta. «Anche per un commissario la legge si può accomodare.»

«Nel suo caso pare l'abbia infranta del tutto.»

«Sono un tipo radicale, io» disse l'uomo. «Non mi piacciono le mezze misure. O sto da una parte o dall'altra. È tutto più semplice, senza equivoci. Una cosa può essere bianca o nera. Di grigi ce n'è troppi. È per questo che ci si fraintende. Tutto diventa opinabile, incerto, sfocato, incomprensibile.»

«Mi sembrano ragionamenti da adolescente» giudicò Soneri. «Non le ha suggerito niente l'età?»

«Crede di offendermi? Al contrario. Avessimo tutti il nitore di pensiero degli adolescenti.»

Soneri tirò un'ultima boccata, quindi chiuse la finestra e posò di nuovo il sigaro sul portacenere lasciandolo in un'agonia di braci.

«Come l'avrebbe ammazzato?» domandò poi riprendendo il filo di quella bizzarra confessione.

«Con una specie di coltello» rispose Ferrari.

«Una specie? Era un coltello o cos'altro?»

«Forse un tagliacarte appuntito.»

«Se l'era portato dietro?»

Ferrari scosse la testa: «L'ho trovato sulla scrivania di James».

«Deduco che lo conoscesse bene se lo chiama in quel modo.»

«Purtroppo» dichiarò l'altro con aria grave.

«Avete avuto una discussione?»

«Una delle tante.»

L'uomo sembrava imperturbabile. Rispondeva col tono di un testimone offeso anziché come un reo confesso. Soneri ne aveva visti tanti e mai si era imbattuto in un tipo così freddo, tranquillo e sereno. Pareva persino compiaciuto.

«E quindi perché l'avrebbe ammazzato?» domandò.

«Non è ancora convinto, vero?» sorrise Ferrari. «Ce ne mette il suo collega» aggiunse dopo qualche istante alludendo a Musumeci.

Il commissario alzò le spalle rassegnato. Una rabbia impotente gli ronzava dentro, ne percepiva la leggera pressione tra le tempie. Si sentiva stupido per essersi infilato in quella storia. Se Musumeci non avesse trovato niente, sarebbe diventato davvero lo zimbello della questura. Ma a quel punto non poteva più tornare indietro. Era vittima del suo stupore. A causa di esso era finito dentro a quella che aveva l'aria di una trappola. Ferrari gli appariva l'esca, con tutte le sue stranezze.

«Non ha risposto. Perché l'ha fatto?» ribadì con rabbia Soneri spazientito.

«Soldi. Banale, vero? È tutto banale, come il mio nome.»

«Le ha fregato i risparmi? Affari?»

«Affari non ne faccio» si schermì Ferrari. «Certo, i risparmi. Mi sono fidato e non avrei dovuto.»

Il commissario si sentì deluso. Da una storia bizzarra come quella si sarebbe aspettato qualcosa di sorprendente, com'era stato sorprendente svegliare un tizio su una panchina e trovarsi di fronte un assassino.

«In realtà non è per i soldi» riprese l'uomo ridestando la curiosità di Soneri. «Non dico che non c'entrino, ma è tutto il resto. Sa com'è... I vecchi muoiono sempre per una malattia, ma solo perché l'età le ha spianato la strada. È quella a far precipitare tutto. S'immagini anni di raggiri, furberie... Non c'è niente di peggio che tradire la fiducia di chi ti aiuta. È molto più grave che rubare. Il ladro ti priva di qualcosa ma non ti getta addosso lo scherno e l'umiliazione. E invece il tradimento presuppone la peggiore umiliazione: quella di farti sentire inetto.»

«Per quello parla di rivolta?»

«Lo sa che anche l'uomo più determinato non resiste alla tortura? Non creda a chi racconta che c'è riuscito e magari passa per eroe: se non ha ceduto è perché è morto prima.»

«Lei, invece, ha ceduto...»

«Puoi essere il più mite sulla terra ma non puoi restare a lungo indifferente alle offese. Anche perché non si muore per quelle.»

Di tanto in tanto un agente bussava ed entrava nell'ufficio porgendo carte da firmare. Ormai tutti sapevano di quell'uomo nella stanza del commissario da quasi mezz'ora. Per questo Soneri provava fastidio, persino un po' di vergogna. Immaginava il chiacchiericcio alla macchinetta del caffè, i sogghigni, le insinuazioni.

Li sentiva già: "Hai saputo del capo della Mobile? S'è fatto prendere per il culo mezza giornata...". Poi tutto quell'impasto lievitato nei corridoi sarebbe salito come un rampicante fino agli uffici del questore. Nemmeno avrebbe potuto denunciare Ferrari perché a quel punto la storia sarebbe schizzata fuori intera di botto come il tappo dello spumante.

«Sembra un padre fuori dalla sala parto» disse a un certo punto Ferrari osservandolo.

Il commissario posò gli avambracci sulla scrivania e si piegò in avanti. Era come se gli avessero sferrato un pugno al fegato. Un ex pugile che aveva arrestato per rapina, gli aveva detto che era il punto più doloroso dopo la mascella, quello che ti taglia il fiato.

«Non sta bene? C'è quell'influenza terribile in giro» chiese premuroso Ferrari.

Soneri si rialzò cercando di dissimulare. Fece un cenno con la mano per dire che era tutto a posto, anche se mentiva. Gli era crollato addosso all'improvviso tutto uno scaffale di memoria che da anni cercava di sistemare in equilibrio senza mai riuscirvi. Si rivedeva all'ospedale in un'attesa che si era protratta per ore di silenzio angosciante. Pensava che sarebbero tornati a casa in tre, lui Ada e una culla. Invece gli era toccato di uscire da solo in compagnia delle sue lacrime.

«Non sarà facile aprire quella porta» lo riscosse la voce di Ferrari, mentre Soneri pensava che purtroppo una porta si era aperta sul suo passato e quel che aveva scorto gli faceva ancora molto male.

«L'aveva fatta mettere blindata perché erano troppi quelli che non gli volevano bene» continuò l'uomo.

Il commissario, ancora un po' stordito, alzò le spalle. «Ho tempo» sussurrò. «Anche lei, mi pare. È in pensione, vero?»

«Da non molto. E comunque ho continuato a lavorare.»

«Qual è il suo mestiere?»

«Quello che facevo o quello in cui mi sentivo me stesso?»

Soneri batté la scrivania col palmo lasciando ricadere la mano come per dire che ci rinunciava. La tortuosità della mente dell'uomo lo irritava sempre più.

«Prima di andare in pensione ho tenuto la contabilità per un ente religioso, ma la mia vocazione è la fotografia.»

«È sposato?»

«Le pare che se fossi sposato avrei fatto quello che ho fatto?»

«Niente di più facile. Spesso gli assassini non fanno nemmeno tanta strada: uccidono la moglie, che è più a portata di mano» disse il commissario.

«Con una moglie e magari dei figli non l'avrei fatto, ma quando uno è solo non è responsabile che per se stesso.»

«Se è vero quel che mi ha raccontato, dovrà scordarsi la macchina fotografica.»

«Ormai...» strinse le spalle Ferrari. «Non mi va più di viaggiare. Il mondo è diventato pericoloso. Ci sono terroristi e bande di sequestratori ovunque.»

L'uomo accavallò le gambe, intrecciò le dita delle mani e con esse si aggrappò al ginocchio sollevato. Guardò fuori con aria impaziente, come se aspettasse lui una risposta anziché il commissario.

«Devono usare per forza la fiamma» disse poi. «Quella porta non si apre senza fiamma.»

In quel momento squillò il cellulare di Soneri.

«L'abbiamo trovato» lo investì la voce un po' ansimante di Musumeci.

«Non muoverti di lì, ti mando una pattuglia» raccomandò il commissario. «C'è un'arma intorno al cadavere?»

«Non mi pare» rispose l'ispettore. «A occhio l'hanno accoltellato, ho notato molto sangue sotto il corpo.»

Per la seconda volta si udirono campane a morto.

«Commissario» intervenne Ferrari con ironia intuendo la conversazione, «cosa le ho detto? C'è in giro una terribile influenza che si porta via vecchi e giovani.»

3

La prima sensazione di Soneri fu di sollievo. Per qualche minuto scacciò il sospetto di essere vittima di una beffa e che Ferrari fosse uno dei tanti mitomani che giravano in città. Ma immediatamente dopo si ritrovò a fare i conti con quella persistente incredulità che aveva accompagnato la vicenda fin dal primo momento. Insomma, non era un'inchiesta come un'altra e forse non la sarebbe mai diventata.

Appena riagganciato il telefono, fissò Ferrari per alcuni istanti e si sentì in dovere di chiedergli scusa. Tuttavia non lo fece. Fu invece l'altro a parlare dando prova di aver capito.

«Non le ho raccontato balle» affermò tranquillo.

Il commissario annuì alzandosi. Mise in bocca il sigaro spento e s'infilò il montgomery. Quando ebbe allacciato anche l'ultimo alamaro, disse: «Non si muova da qui».

«Conosco la procedura. Dovrete interrogarmi, no?» ammise con naturalezza Ferrari. Sembrava fosse lì per svolgere un lavoro.

Soneri lo fissò per qualche istante dallo stipite, sempre più sorpreso. Allora fu l'altro a congedarlo. «Non la invidio, uscire con questo tempo... Le toccherà stare in piedi al freddo. Gli avevano tolto il gas a James: non pagava le bollette da mesi» aggiunse.

Il commissario richiuse la porta con sollievo e s'incamminò verso l'Alfa Romeo Giulietta di servizio parcheggiata in cortile. Guidò fino a Barriera Repubblica e svoltò in viale San Michele, passò davanti allo stadio Tardini dove file di tifosi ai botteghini compravano i biglietti per la partita: si ricordò che era in programma lo scontro con la Juventus, la squadra più odiata. Sfiorò la Cittadella in cui poco prima aveva incontrato Ferrari e s'immise sul Lungoparma. Al ponte Dattaro girò a destra e oltrepassò il torrente inoltrandosi in un'altra città: l'ex dormitorio dei poveri, il luogo d'incontro tra gli immigrati del Sud e i derelitti del boom economico ammassati nelle case tutte uguali costruite coi fondi Gescal. Era la *caput mundi*, la *finis terrae* giacimento della forza lavoro che ogni giorno si dirigeva coatta a cuocere nei forni delle vetrerie o accanto a crogioli di ghisa fusa. Chi ci abitava, salendo sul bus al capolinea, diceva "andiamo in centro", nella candida consapevolezza d'essere periferia, abitanti della marginalità lontana dai marmi dell'Antelami e dai colori del Correggio, dimenticati persino dai santi.

Parcheggiò in via Carmignani e si sforzò di non guardare troppo attorno. Il cancelletto di accesso allo studio era aperto e già una piccola folla di curiosi si era radunata sul marciapiede. Soneri percorse un viottolo che costeggiava una palazzina di due piani. Era l'ultima a essere stata costruita nella via. Ricordava ancora che al suo posto c'era un prato incolto da cui provenivano enormi ratti capaci di intimidire anche i più selvaggi tra i ragazzi sottoproletari che abitavano i capannoni convertiti a case di via Navetta. La porta d'ingresso era spalancata e dentro faceva quasi più freddo che fuori: la prima conferma del racconto di Ferrari. Musumeci gli venne incontro con aria grave.

«Di qua» disse scortando Soneri oltre una porta che immetteva in una stanza abbastanza grande dov'erano piazzati una scrivania colma di scartoffie, un computer e un'imponente poltrona girevole. Il resto era composto da scaffali di legno, un tavolo con due sedie e un divano. Il cadavere era proprio ai piedi del tavolo, in parte sotto di esso, come se l'uomo avesse cercato disperatamente un rifugio.

«Hai dato un'occhiata?» domandò il commissario accennando al morto.

L'ispettore assentì. «La pancia è piena di asole più di un doppiopetto.»

«Profonde? Tutte mortali?»

«Non lo so, ma c'è molto sangue. La lama deve avere fatto strazio.»

«L'avete trovata?»

«Macché! L'avrà gettata da qualche parte una volta fatto il lavoro.»

«Un tagliacarte, ha detto» spiegò il commissario ispezionando la scrivania.

In quel momento comparve Nanetti, il capo della Scientifica, con accanto due agenti già in tuta bianca.

«Puntuali a complicare il mio lavoro?» esordì. «Mi raccomando, toccate ovunque, calpestate, fate come a casa vostra.»

«Per chi ci hai presi? Per metronotte?» replicò Soneri.
«Magari! Quelli hanno più rispetto.»
I due in tuta si erano già messi al lavoro. Il commissario fece per uscire dando un'ultima occhiata al cadavere. James, malgrado avesse sui quarant'anni, sembrava più vecchio. Era quasi calvo, salvo qualche ricciolo biondo sulla nuca, visibilmente sovrappeso e con la pelle grinzosa, forse bruciata da troppe lampade. Da come andava vestito, dava l'idea di uno che si ostina a voler passare per un ragazzo. Ai piedi aveva stivaletti da cowboy col tacco e sotto la giacca sportiva indossava una camicia a colori vivaci con disegni di cavalli in corsa.
Una volta fuori il commissario si rivolse a Musumeci.
«Che idea ti sei fatto?»
«Un lavoro brutale di uno che aveva in corpo tanto odio. Ma è solo un'impressione» si cautelò subito dopo.
«Spesso le prime impressioni sono quelle giuste» disse Soneri.
Sul viso dell'ispettore comparve un lieve sorriso. Nutriva una certa soggezione professionale per il commissario e ogni sua approvazione lo rallegrava.
Nel frattempo la folla sul marciapiede si era infittita e uno degli agenti della pattuglia aveva tirato la fettuccia bianco-rossa per contenerla. Soneri scrutò quelle facce incuriosite da lontano, nel tentativo di riconoscere qualcuno. Poi un'ambulanza fece irruzione nella via e si fermò poco più avanti. Molti se ne andarono a godersi uno spettacolo più attraente.
«Ha sentito? Siamo di nuovo alle prese con 'sto covid?» cambiò discorso Musumeci. «Sembra che il questore voglia obbligare tutti a indossare la mascherina.»

«Chiederò l'esonero, lavoro col sigaro in bocca, mi aiuta a riflettere.»

«Hanno tutti la strizza.»

Il commissario assentì mentre il capannello di curiosi si stava riformando. Guardò meglio e gli parve di scorgere dei visi familiari, solo più invecchiati. Fece un breve conto: erano almeno quindici anni che non tornava in quello che era stato il suo quartiere.

«Ha detto che uno ha già confessato?» domandò Musumeci.

«È venuto lui. O meglio, l'ho trovato...» Soneri s'interruppe colto dall'imbarazzo. «È una cosa complicata. In tanti anni...»

L'ispettore lo scrutò incuriosito senza capire, ma decise di lasciare perdere perché in quel momento comparve il magistrato Margherita Falchieri. Il commissario si sentì sollevato: con lei c'era un'intesa collaudata e almeno non avrebbe dovuto inciampare in equivoci e incomprensioni. Avanzò decisa facendosi largo tra i curiosi e i suoi tacchi risuonarono sulle mattonelle del viottolo.

«Ci vuole un delitto per rivederla» lo salutò con un sottofondo di bonario rimprovero.

«Il palazzo di giustizia è un posto poco raccomandabile» si scusò Soneri.

La donna sorrise fissandolo, come a confermare di aver capito. Il commissario la guardò entrare osservando la sua figura minuta ma a suo modo carismatica. Ogni volta che compariva, tutto intorno a lei si metteva in movimento per uno strano magnetismo. Soneri attese sul terrazzino davanti alla porta blindata che mostrava la cicatrice della fiamma ossidrica. Dopo un quarto d'ora ricomparve la Falchieri.

«Che cattiveria!» esclamò schifata. «Una vera macelleria. Ma forse proprio per questo mi sembra un caso semplice.»

«Semplicissimo» disse il commissario. «Già risolto.»

La Falchieri lo interrogò con lo sguardo: «È una delle sue stranezze? Dovrebbe sapere che non sono brava con l'enigmistica».

«Dico davvero» riprese Soneri. «Risolto prima di trovare il cadavere.»

«Un caso unico» constatò la donna sorridendo incredula. Poi si fece seria: «Fa freddo, è meglio che veniamo al dunque».

«Ci siamo già. Quel che ho detto è vero. Poche ore fa un tizio è venuto da me e ha confessato. È stato lui a far trovare il cadavere.»

La Falchieri si appoggiò alla ringhiera pensosa. Non sembrava convinta.

«Nemmeno io ci credevo all'inizio» proseguì il commissario. «Ho mandato qui Musumeci e l'abbiamo trovato» aggiunse indicando l'interno. «Oltretutto, le sue informazioni paiono perfettamente calzanti.»

«E chi è questo tipo?»

«Si chiama Ferrari, ha sessantotto anni e non ha l'aria di un assassino.»

«Si è presentato in questura per confessare?»

«Non proprio» rispose Soneri inciampando nell'imbarazzo. «È tutto più complicato.»

La donna sbuffò infilando il braccio nel manico della borsetta che teneva in mano predisponendosi ad ascoltare.

«Sentiamo» disse. «Certe volte ho l'impressione che o lei va a cercare le stranezze o loro vengono apposta a sbatterle addosso.»

«Stamattina passavo dalla Cittadella e mi sono imbattuto in uno che dormiva su una panchina. L'ho scrollato temendo che si assiderasse e da lì è cominciato tutto.»

«Non sono le stranezze a venirle addosso, penso che lei abbia un'immaginazione così potente da trasformare i suoi pensieri in realtà.»

«Il fatto è che quello ha cominciato con una tiritera sulla mancanza di attenzione per il prossimo, sulle offese che non sono punite dal codice e via cantando. Quando stavo convincendomi che fosse un mitomane, paf! Mi butta lì che ha ucciso un uomo.»

«Paf! Così!» ripeté la Falchieri come per fargli il verso.

«Proprio» replicò serio il commissario. «So che è strano, e anch'io stavo per mandarlo a quel paese, ma poi lui mi fa: "È in via Carmignani 8", con tanto di nome, cognome e persino nomignolo.»

«Se non fosse lei, anch'io sarei tentata di mandarla a quel paese.»

«Appunto. Mi sembrava una mano di poker e io ho chiesto di vedere. Be', Ferrari aveva in mano sul serio le carte vincenti. Il cadavere c'era davvero e quella che mi sembrava la più grossa panzana è diventata una grana» concluse Soneri calcando il tono sulla rima.

«E bravo il nostro poeta!» esclamò la Falchieri. «Però ha ragione. Per quanto il suo racconto assomigli al delirio di un ubriaco, c'è un cadavere, questo è oggettivo. La prima cosa da fare è accertare che quell'uomo sia davvero quello... Com'è che si chiama?»

«Malvisi.»

«Ecco, lui. Accertiamolo. Ci sono anche troppe bizzarrie in questa storia. Nanetti mi ha detto che addosso non aveva documenti, ma mi pare facile verificare: basterà aprire qualche cassetto. Dov'è adesso 'sto...»

«Ferrari» suggerì il commissario. «È in questura, nel mio ufficio. Gli ho detto che mi aspetti lì.»

«Cos'è? Gli ha dato un appuntamento come per andare al cinema?»

«Stia tranquilla, non si muoverà.»

«L'ha fatto piantonare?»

«Non proprio, ma sarà lì quando torno.»

«Lei mi sorprende sempre. Almeno non mi annoia mai.»

«Questo mi sembra un gran merito. La noia è la cosa peggiore che ci possa capitare.»

La piemme sorrise di nuovo e assunse quell'aria trasognata che mostrava spesso. Soneri intuiva che in quei momenti la sua mente volava lontano sfuggendo all'incombere dei fatti, come capitava a lui. Forse era quella la loro dote migliore.

Soneri affidò le incombenze del caso a Musumeci e s'incamminò verso l'auto. Ancora una volta evitò di guardarsi troppo attorno per scongiurare l'assalto dei ricordi. Un quarto d'ora dopo parcheggiò nel cortile della questura ed entrò in ufficio. Fu a quel punto che vide Ferrari seduto sulla stessa sedia e di fronte a lui una donna che riconobbe immediatamente.

4

«Piacere, avvocatessa Cornelio» disse porgendogli la mano.

Il commissario la squadrò con rimprovero e le tese la sua con una certa riluttanza. Aveva sempre odiato la retorica dei loro incontri negli ambienti giudiziari e per questo cercava di girare alla larga. Oltretutto detestava l'ambiguità degli avvocati. L'aveva confessato anche alla sua compagna che adesso gli stava di fronte da avversaria.

«Ora che ha visto è convinto?» intervenne Ferrari.

«Va fiero di quello che ha fatto?» lo rimbeccò Soneri.

«Non è una grande impresa far fuori qualcuno» alzò le spalle l'uomo.

Il commissario stava per rispondere quando Angela s'intromise.

«È bene chiarire subito le cose» precisò, «questa conversazione non ha nessun valore giuridico.»

Soneri, seduto alla scrivania, alzò appena lo sguardo senza dire niente.

«Solo un pour parler che dimostra la volontà di collaborare del signor Ferrari» aggiunse.

«E allora che ci fa qui?» domandò il commissario contrariato. Non era il ruolo di Angela a irritarlo, né la forzatura di darsi del lei, ma trovarsela di fronte inaspettatamente in quella condizione imbarazzante. Era sempre riuscito a evitarlo.

«L'avvocato Cornelio è il mio legale di fiducia» spiegò Ferrari. «L'ho chiamata poc'anzi.»

Soneri emise un mugugno e lanciò di nuovo uno sguardo stizzito verso Angela.

«Quindi vi conoscete da tempo» dedusse.

«No, affatto. Non ho mai avuto bisogno di un avvocato, ma della dottoressa Cornelio ho sempre sentito parlare bene» spiegò Ferrari.

«Dunque cosa vogliamo fare?» tagliò corto il commissario.

«Nessun pericolo di inquinamento delle prove né di fuga» intervenne Angela, «chiederò pertanto che il mio cliente venga sentito dal magistrato e messo agli arresti domiciliari.»

«Può anticipare a me quello che riferirà al magistrato?» domandò Soneri rivolgendosi all'uomo e lanciando un cenno ad Angela.

«Il signor Ferrari ha deciso di avvalersi della facoltà di non rispondere» precisò quest'ultima.

Il commissario allargò le braccia contrariato in segno di resa.

«Allora arrivederci in Procura!» sibilò indispettito.

Angela fece per alzarsi ma si risedette perché l'uomo non si muoveva.

«Qualcosa vorrei dire» sussurrò. «La vedo troppo perplesso. Ancora non mi crede?»

«Ho più prove per crederle che per dubitare» disse il commissario.

«Dunque non è ancora certo dopo tutto?»

«Sarà solo questione di tempo. Appena la Scientifica avrà completato il lavoro e mi farà rapporto, l'incertezza sarà spazzata via. O s'ingrandirà. Allo stato attuale mi tocca essere scettico.»

«Mi dà più fastidio che mi consideri un pazzo che essere accusato di omicidio» rampognò Ferrari.

Angela scosse la testa sconsolata.

«Non la considero pazzo» intervenne Soneri, «se non per il fatto che non segue i consigli di un'eccellente avvocatessa come la dottoressa Cornelio» punzecchiò. «Io sto facendo solo un lavoro di routine: si chiama ricostruzione e accertamento.»

Ferrari non si accorse della schermaglia. O forse sì, ma non ci si soffermò.

«Comunque non ho preso precauzioni, dunque troverete le mie impronte nello studio di James» avvertì.

«Quelle ci avvicinerebbero alla certezza» ammise Soneri.

Angela si faceva di momento in momento più impaziente. Aveva capito qual era il gioco del commissario per far parlare il più possibile l'uomo. Partiva dal vantaggio di conoscerlo molto bene.

«Se le dicessi dove ho gettato il tagliacarte?»

«Mi toglierebbe molti dubbi» approvò il commissario.

«Il mio cliente ha già parlato abbastanza» stabilì spazientita Angela tentando di stornare l'attenzione da quella specie di sfida.

Ma Ferrari sembrava preso dal protagonismo.

«Voglio essergli riconoscente per aver avuto un po' di attenzione verso di me stamattina» si giustificò l'uomo rivolto all'avvocatessa indicando il commissario. Lei si arrese rassegnata.

«Sono qui per prendermi tutta la sua riconoscenza» disse Soneri invitando l'uomo a parlare con un gesto della mano.

«È lungo l'argine del torrente Baganza, vicino al ponte della Navetta. Percorra la strada alzaia fino agli orti: l'ho gettato lì. È poco prima di un viottolo che scende verso l'acqua.»

«Già che c'era poteva lanciarlo direttamente nella corrente» considerò il commissario.

«Che lo ritrovassero o no non mi importava niente» rispose Ferrari.

«E allora perché proprio lì?»

«Non lo so nemmeno io. Sono uscito dallo studio di James sconvolto incamminandomi senza una direzione precisa. Non mi sono nemmeno curato di nascondere l'arma, la stringevo ancora in mano come dovessi colpire di nuovo. Ero ubriaco di adrenalina e di rabbia. Ho attraversato il quartiere fino a che non ho trovato l'argine. Sembrava fosse lì per fermare il mio furore. Quando l'ho risalito mi è parso di aver oltrepassato un confine. Ho percorso forse per un centinaio di metri la strada bianca che ci corre sopra e, giunto nel punto in cui gli alberi nascondono la luce, mi sono scoperto ancora con in mano quel tagliacarte. Allora l'ho gettato via con ribrezzo, come se scottasse.»

«Che ora era?»

«Doveva essere intorno a mezzanotte.»

«E come mai Malvisi si trovava nello studio così tardi?»

Ferrari alzò nuovamente le spalle: «Lui stava lì fino a notte. Poi era capace di tirare mattino in qualche night o buttarsi a dormire sul divano».

«Non l'ha vista nessuno?»

«Ne dubito. Chi vuole che mi vedesse? Col buio, la nebbia e a quell'ora?»

«Credo che basti» sbottò infine Angela. «Tanto niente di tutto ciò costituirà una prova né varrà ai fini giuridici» concluse.

Il commissario la fissò di nuovo, sempre più insofferente per quella commedia. Sollevò la cornetta e compose il numero di Musumeci.

«Sei ancora lì? Ah! Bene. Fai un salto lungo l'argine del Baganza, percorrilo tutto verso il ponte della Navetta e perlustra tra gli orti. Più avanti dev'esserci un viottolo che scende nel greto. L'arma del delitto dovrebbe essere da quelle parti.»

«Non ci crede ancora eh?» borbottò Ferrari.

«Lei sta risolvendo il caso al posto mio» replicò Soneri. «Mi limito a eseguire.»

Angela si era alzata definitivamente spazientita: «Ora mi pare che sia tutto» ribadì tranciante.

«E adesso cosa succede?» domandò un po' smarrito Ferrari.

«Il suo legale saprà spiegarle meglio di me la procedura» replicò Soneri rivolgendo un sorriso carico di sottintesi alla compagna.

Lei non disse niente. Prese per un braccio l'uomo e lo trascinò fuori come avrebbe fatto con un bimbo capriccioso.

Appena fu solo, il commissario sollevò il telefono e compose il numero di Juvara.

«Dove sei?»

«Dottore, non ricorda che oggi andavo al poligono? Domani tocca a lei, è già segnato.»

«Fanculo il poligono» grugnì Soneri. «Ci sarebbe da spremere informazioni da un computer.»

«Uno nuovo o di quelli già a mano?»

«Nuovo.»

«Lo aggiungerò alla lista. I colleghi mi hanno affidato tre telefonini e un paio di computer portatili. Per il questore Capuozzo sono diventato l'hacker della questura.»

«Capuozzo di fronte a un computer ha lo stesso atteggiamento di una gallina che guarda un quadro elettrico.»

«Dottore, scusi se glielo dico, ma la sua generazione...»

«Lo so, ma farò in tempo ad andarmene in pensione prima che mi ficchino un chip nel didietro. Comunque, in questo caso è un lavoro facile.»

«Cosa vuol dire? Conosce già le password?»

«Non so un cazzo. Dico che la faccenda è già risolta, ma restano delle ombre.»

Juvara rimase in silenzio, segno che non aveva capito.

«Insomma, diciamo che ho qualche curiosità da chiarire. Basterà esaminare la memoria... Vabbè, diciamo che è una mia fisima. Te lo chiedo come favore» concluse Soneri col tono di chi si sente in colpa.

«Ci mancherebbe! Volentieri» rispose l'ispettore.

«Ah!» aggiunse sarcastico il commissario prima di riattaccare. «Mi raccomando, stai attento a non spararti sui piedi.»

Appena riattaccò compose il numero di Angela.

«Sei sola?»

«Sì» rispose lei con un sospiro.

«Potevi risparmiarmi la pantomima» attaccò indispettito. «Avevamo sempre evitato queste situazioni. Sai che le odio.»

«Credi che l'abbia voluto?» replicò lei piccata. «Ferrari mi ha chiamata dalla questura dicendomi che era nei pasticci e voleva un avvocato. Mica sapevo che l'avevi arrestato tu.»

«Ha fatto tutto lui: confessione, racconto della dinamica, individuazione dell'arma...»

«In questo caso avrò un'ulteriore scusa per rifiutare l'incarico: uno così è indifendibile.»

«Comunque dovevi immaginare che c'ero di mezzo. Chi vuoi che indaghi su un caso di omicidio se non la Mobile?» mugugnò Soneri.

«E Ferrari chi vuoi che chiamasse se non la miglior penalista sulla piazza?» lo rimbeccò Angela.

«Questo è un altro paradosso» riprese il commissario più calmo. «Per quale motivo uno che confessa tutto e non oppone resistenza dovrebbe cercare un avvocato noto? Gli basterebbe uno dei tuoi tirocinanti.»

«Andrà a finire che si accontenterà perché rinuncerò all'incarico.»

«E se ti chiedessi di accettarlo fino alla fine?»

«Cos'è? Vuoi battagliare con me? Diventeremmo ridicoli.»

«Te la vedresti con la Falchieri, e non vorrei trovarmi in mezzo a una rissa tra donne. Sarebbe come stare su una portaerei a Pearl Harbor. Comunque mi pare tutto scontato» fece notare il commissario. «Ferrari non si oppone a nulla. Che battaglia ci può essere?»

«Appunto. Uno dei casi meno appassionanti che possano capitare. Anche per quello non mi interessa più.»

«Magari, invece...» mormorò Soneri parlando tra sé meditabondo.

Angela sospirò. «Ti ci vuole tanto a far l'uovo? Spiegami. Devi dirmi se c'è qualcosa che non so.»

«Al legale dell'imputato?»

«Vedi che siamo in conflitto? D'ora in poi mica possiamo più andare a letto assieme. Se poi ci scappa qualche rivelazione... Violazione del segreto istruttorio: il rischio è più tuo.»

«Hai intenzione di chiamare il magistrato a reggere il moccolo?»

«Continuo a non capire tutto questo tuo interesse» cambiò discorso Angela.

«Non è interesse. Piuttosto un sospetto.»

«Dai, l'uovo sta per uscire.»

Soneri non fece caso all'ironia della compagna.

«Sospetto sempre delle cose troppo facili. La verità non è mai facile.»

«Un reo confesso come ce ne sono tanti» minimizzò Angela.

«Un reo confesso freddo, quasi compiaciuto. Quanti ne hai visti?»

«La natura ha infinite varietà e quella umana di più.»

Il commissario scrollò la testa poco convinto. Subito dopo assunse un tono improvvisamente supplichevole: «Resta suo legale. È un favore che ti chiedo».

«Resterò solo se tu mi spiegherai i tuoi sospetti.»

5

Aveva appena riattaccato il telefono quando chiamò Musumeci.

«L'ho trovato» annunciò, «ho fatto l'esploratore in mezzo alle verze e ai tralicci secchi dei pomodori. Devo aver combinato un macello.»

«Consegnalo alla Scientifica» raccomandò il commissario. «È davvero un tagliacarte?»

«Pare proprio di sì. Manico di legno e lama a punta color ottone» confermò l'ispettore. «Una bella sberla però!» aggiunse.

Soneri sperava in una risposta diversa e nemmeno lui riusciva a spiegarsi il perché. Qualcosa che contraddicesse il racconto di Ferrari, ma tutto collimava come le labbra.

«Ho notato tracce scure» riprese Musumeci, «dal colore penso sia sangue coagulato» concluse.

Il commissario brontolò qualcosa congedando l'ispettore qualche istante prima che squillasse di nuovo il telefono. La Falchieri annunciava l'autopsia di James per il mattino dopo.

«Stasera alle sei interrogherò Ferrari, ma sarà una cosa breve: credo che l'avvocatessa Cornelio sia intenzionata a suggerirgli di avvalersi della facoltà di non rispondere. L'ho sentita per concordare l'orario.»

Aveva calcato il tono pronunciando il cognome di Angela e Soneri si sentì di nuovo molto imbarazzato.

«Se fossi nei panni del difensore farei lo stesso. Certo non è nel mio interesse. Né nel suo» rimarcò il magistrato, con un'altra velata allusione.

«Non c'è dubbio, strategia scontata» rispose freddamente il commissario.

«Può essere che non segua i consigli dell'avvocatessa» ipotizzò la Falchieri, «spesso succede. A lei ha spifferato tutto, no?»

«Può essere, ma cambia poco. All'apparenza è un caso molto chiaro.»

«Forse non lo è?» domandò il magistrato con una vibrazione d'allarme nella voce.

«No, no... Sono io che...» farfugliò Soneri senza trovare una spiegazione sensata all'incertezza che gli ingarbugliava i pensieri.

La Falchieri restò in attesa senza capire. Probabilmente non aveva perso la speranza di udire parole più comprensibili.

«Credo che sia per via dello sconcerto nel vedere tutto rovesciato» riuscì a dire infine il commissario.

«Rovesciato? Cos'è rovesciato?»

«Questa storia» spiegò Soneri. «Dovrei essere io a cercare i fatti, districandoli dall'oscurità di chi vuole tenerli nascosti. Non capita mai che qualcuno te li racconti già bell'e messi in fila come i paracarri.»

«Esistono le eccezioni, ma capisco il suo sconcerto. Sempre che non ci sia altro.»

Il commissario tacque. Era così confuso da non poter proseguire nelle spiegazioni.

«Non potrà arrestarlo» cambiò discorso, «almeno fino a che la Scientifica non presenti un rapporto con i rilievi delle impronte nello studio della vittima e sul tagliacarte.»

«Per ora è in stato di fermo» lo rassicurò la Falchieri. «A meno che non ripeta la confessione davanti a me. Vuole essere presente all'interrogatorio?» cantilenò nuovamente allusiva.

«Non è necessario» tagliò corto Soneri riattaccando bruscamente.

Era ormai l'una. Lasciò l'ufficio e uscì dal portone della prefettura su via Repubblica. La città era avvolta da una luce grigia e la nebbia sembrava schiacciarla tagliando lo sguardo all'altezza dei tetti. Si diresse verso piazza Garibaldi. Sul selciato si era depositata una bava d'umidità come sudore. Passò davanti al Comune e imboccò via Farini fino all'enoteca da Bruno. L'umidità si era infiltrata anche sotto il moncone di portico e dentro mischiandosi agli odori del pane tostato e della sugna dei prosciutti. In un angolo, contro la parete di fondo, scorse Nanetti appollaiato su uno sgabello coi gomiti appoggiati a un barile che fungeva da tavolo e aveva lo stessa tinta castagno degli scaffali dove stavano file di bottiglie in riga come un battaglione.

«Ti hanno dato il predellino per salire lì sopra?» esordì Soneri conoscendo le scarse doti atletiche del collega.

«La vedi quella mora con le grandi tette dietro il banco? Mi ha preso sotto le ascelle e mi ci ha seduto lei» rispose l'altro.

«Dev'essere stato un bel momento.»

«Molto meglio che passare due ore in quello studio: faceva più freddo lì che all'obitorio.»

Si avvicinò proprio la tipa mora per prendere l'ordinazione. Il commissario indicò il piatto di culaccia di Nanetti e disse solo: «Come lui».

«Sembra che abbia due culatelli lì davanti» affermò il capo della Scientifica.

«Mi aspettavo che prendesse anche me sotto le ascelle» si rammaricò il commissario.

«Abbiamo fatto tutto in via Carmignani» cambiò discorso il collega.

«Cosa ti pare?»

«Molte impronte. Oltre a quelle della vittima, ce n'è un buon numero di un'altra persona, presumibilmente l'assassino.»

«Nient'altro?»

«Una gran quantità di materiale repertato, ma dobbiamo ancora esaminarlo. Abbiamo trovato anche dei capelli. Forse c'è stata una breve colluttazione, ma credo che la vittima non abbia potuto fare molto. Poi ci sono il computer e il telefonino. Lì si trovano sempre cose interessanti.»

«Li ho già fatti spedire a Juvara.»

«Uno smanettone potrà cavarci delle informazioni. Quegli apparecchi sono ormai il nostro confessore.»

Arrivò la cameriera con la culaccia e una bottiglia di Bonarda. Quando passava si voltavano tutti a sbirciare.

«Secondo te Bruno l'ha presa apposta? È più appetitosa lei dei salumi che serve» constatò Nanetti.

«Bruno è meglio che continui a soddisfare le voglie

del palato, quello non è il suo ramo» stabilì il commissario accennando alla cameriera.

«Ho saputo che il morto era un tipo un po'...» disse Nanetti prillando la mano a dita aperte.

«Un po' cosa?»

«Se ho capito bene uno un po' fuori dall'ordinario. Soprattutto per il lavoro che faceva.»

Soneri si ricordò della targa sul cancello: DOTTOR GIACOMO MALVISI. CONSULENTE FINANZIARIO.

«Sai, no? Quella gente sembra sempre che abbia la testa quadrata» continuò Nanetti.

«Con chi hai parlato?» domandò il commissario.

«Voci che ho sentito lì fuori, sul marciapiede» rispose il collega. «Ero uscito per prendere alcune cose dal furgone e ho ascoltato quello che dicevano.»

La culaccia era da estasi col suo cuore magro ben consistente contenuto in un perimetro di grasso dolce e lievemente oleoso. Si sposavano come gli archi e i fiati della filarmonica Toscanini.

«Aspetterò il rapporto di Musumeci per capire» disse Soneri distratto.

«Se c'è qualcosa da capire» dubitò Nanetti scettico. Il quale, subito dopo, chiese: «Ma ne sai di più di 'sta faccenda che dobbiamo metterci la mascherina?».

«Me ne ha parlato proprio Musumeci. Che se la metta il questore, così almeno le sue cazzate usciranno attutite.»

«Macché questore!» fece il collega. «Sembra che ci sia un'ordinanza imminente con l'obbligo di usarle. Vale anche per tutto il personale di polizia.»

«Finora a mascherarsi erano i rapinatori» disse Soneri sarcastico.

«Temono una nuova ondata di contagi e non abbiamo ancora il vaccino. Quel figlio di troia di un virus è più scaltro del truffatore seriale di cui mi hai parlato» valutò il collega tirando in ballo un caso aperto da settimane.

«Per forza, ci hanno messo a lavorare Calabritti. Quello ha solo le marce ridotte.»

«Bisogna ammettere che è un compito non facile. Dev'essere uno che ispira fiducia e magari si avvale dei soliti trucchetti, tipo vestirsi da operaio del gas o spacciarsi per funzionario dell'anagrafe» considerò Nanetti.

«Cosa dici? Altro giro?» chiese il commissario indicando i piatti vuoti.

«Lo farei solo per veder ritornare la bellona, ma la ricreazione è finita» rispose il collega.

«Potremmo prendere un piatto in due» propose Soneri. «Poi la mora ti rimette giù dallo sgabello.»

«Farei finta di cadere solo per aggrapparmi al parapetto.»

«Più invecchi più diventi porcello.»

«A forza di veder dei morti e a repertare peli lo diventeresti anche tu che pur c'hai...» s'interruppe Nanetti con un sorriso malizioso.

«Che ho cosa?»

«L'avvocatessa Cornelio fa la sua figura. E poi adesso che s'è fatta la tinta color rame...»

«Devo preoccuparmi?»

Nanetti alzò le mani. «Mai con la donna dei colleghi» si schermì. «Se non altro perché girano armati.»

«Io no. Domani dovrei andare al poligono, ma mi farò giustificare. E comunque non sparerei mai a uno scienziato.»

«Non infierisco perché già ci penserà la Cornelio.»
«Cosa intendi dire?»
«Sono passato in Procura per depositare un rapporto e me l'hanno detto. Se non rinuncerà all'incarico te ne farà vedere di belle» sghignazzò.
«Le chiederò di non rinunciare» annunciò il commissario.
«Vai a mettere il culo davanti alle pedate? Ma l'hai mai vista in aula?» domandò Nanetti.
«No, giro alla larga. Non sopporto gli avvocati» replicò Soneri.
«Fai bene: è una belva!» rise bonariamente il collega. «Ma sono sicuro che in altre circostanze sarà dolcissima» concluse ammiccante.
«Non ti allargare, eh! Sono affari miei» lo zittì deciso il commissario.
Arrivò la mora con il piatto di nuovo colmo di culaccia e Nanetti si disinteressò del salume per guardare la ragazza.
«Si fa per parlare» ricompose il tono mentre con lo sguardo seguiva la cameriera che ritornava dietro il banco. «Ma non capisco perché vuoi che resti a difendere quel tizio. Dico sul serio, nei tuoi panni la pregherei di rinunciare all'incarico. Sarei molto imbarazzato.»
«Anche questi sono affari miei» ribadì Soneri.
A quel punto Nanetti tacque e ricominciarono a mangiare. Quando suonarono le due dal campanile di San Giovanni, scese dallo sgabello con un salto goffo.

Dopo qualche minuto trascorso a guardare il locale che si svuotava a poco a poco, anche il commissario si avviò. Aveva convocato nel suo ufficio Musumeci che gli avrebbe riferito le prime sommarie informazioni.

Attraversò nuovamente piazza Garibaldi avvolta in una vaporosa opacità. Di fronte, unico sprazzo chiaro, il palazzo del Governatore con il suo color paglia, lo stesso dei capelli di Isabella di Borbone a cui si erano ispirati tutti gli imbianchini della città vedendola attraversare in corteo le sue strade. Parma era quel colore, il suo incarnato che riluce nella nebbia.

Musumeci già l'aspettava parlottando con Juvara. Quest'ultimo indossava una mascherina a conchiglia che sporgeva in avanti come un becco.

«Stai entrando in sala operatoria?» domandò Soneri soppesandolo con lo sguardo.

«Dottore, presto sarà obbligatoria, tanto vale cominciare a farci l'abitudine.»

«Il sigaro è molto più efficace contro il virus» replicò alzando il Toscano spento. «Ho letto che i fumatori non prendono la malattia.»

«Sarà per via della puzza» commentò Musumeci. «Come per le zanzare.»

Si sedettero. Juvara informò dell'arrivo del computer e del telefonino di James.

«Sono entrambi protetti da password, non sarà facile guardarci dentro» avvertì.

Il commissario annuì, quindi si rivolse all'altro ispettore: «Cosa mi dici di questo James?».

Gli era entrato in testa il soprannome di Malvisi e ormai lo chiamava così. Era come il ritornello di una canzone che non si riesce a scacciare dalla memoria.

«Un personaggio particolare» esordì Musumeci.

«Me l'hanno detto» confermò il commissario.

«Sa già tutto?»

«No, vai avanti» lo incalzò Soneri, a cui ogni volta dava fastidio la timidezza dell'ispettore.

«Era per non ripeterle cose che già conosce» si scusò quest'ultimo. Subito dopo prese in mano alcuni fogli e li sbirciò rapidamente prima di ricominciare a spiegare.

«Dicevo particolare perché del consulente finanziario, che sarebbe il suo mestiere, non ne ha proprio l'aria. Più che maneggiare soldi, questo li spendeva.»

«Lo so» confermò il commissario, «non pagava più nemmeno le bollette.»

Musumeci lo fissò deluso, tuttavia proseguì.

«Aveva ereditato dal padre Venanzio uno studio avviato con un mucchio di clienti danarosi ai quali curava gli investimenti.»

«Gli faceva fare soldi facendo girare i soldi, come va di moda oggi» riassunse il commissario.

Altra occhiata delusa dell'ispettore che poi ricominciò a parlare.

«Venanzio Malvisi aveva lavorato per vent'anni in banca con quel ruolo, poi si era messo in proprio portandosi i clienti con sé. Circola voce che la banca stessa gli mandasse quelli più a rischio di cui non si fidava più, ma non ne ho conferma.»

«Usura?»

«Non proprio, ma sicuramente ipoteche, cessione di nuda proprietà di immobili, fidejussioni, azioni... Cose di questo tipo. Ciò spiegherebbe la quantità di beni di vario tipo che il padre ha lasciato a James quand'è morto.»

«Che anno è stato?»

«Nel 2005. Venanzio se n'è andato in tempo prima della grande crisi.»

«Lui non ne avrebbe sofferto, con tutta quella roba. E in meno di quindici anni il figlio s'è mangiato tutto?»

Musumeci annuì.

«Si era ridotto a vivere di espedienti scroccando piccole consulenze dai pochi amici che gli erano rimasti, quelli più ricchi che stimavano il padre e gli facevano l'elemosina di un incarico.»

«Come sputtanava i soldi?»

«Auto, mobili di antiquariato, argenteria, cene, cocaina e donne. Non ha visto com'era vestito?»

Soneri annuì nuovamente: «Ce l'ha messa tutta per svuotare il granaio».

«Il vecchio aveva una grande reputazione in città, come amministratore dei beni. Un soldato della finanza, tutti i giorni in banca a controllare i titoli, investire e disinvestire. E con un fiuto da bracco per gli affari. Si prendeva una percentuale sugli utili annuali e maneggiando milioni... lei capisce...»

«James ha lavorato col padre?»

«Per almeno una decina di anni. È in quel periodo che ha conosciuto i clienti e ha cominciato ad acquisire la loro fiducia» spiegò Musumeci. «Pensavano che il figlio fosse come il padre.»

«E ti risulta che li abbia truffati? Il movente che ha riferito Ferrari è proprio questo: dice che James gli ha fregato dei soldi.»

«Non lo escludo» disse l'ispettore, «ma in questi casi è impossibile saperlo.»

«Bisognerà controllare se esistono denunce per truffa a suo carico» stabilì Soneri.

«Vedremo, ma non credo che ne caveremo qualcosa» stimò Musumeci. «Nella maggior parte dei casi, tra un investitore e un consulente finanziario, si stabilisce un rapporto privato. L'investitore è quasi sempre una persona in vista e quindi poco incline a esporsi come vittima di una truffa: minerebbe la sua reputazione professionale.»

«A nessuno fa piacere passare da coglione» confermò il commissario.

«Comunque aveva tanto di quel grano che non gli serviva truffare. Alla morte del padre ha cominciato a fare la bella vita. In ufficio si presentava a mezzogiorno dopo una nottata in giro per locali. I primi a mollarlo sono stati certi campagnoli arricchiti che hanno messo su una fortuna impilando una moneta sull'altra svegliandosi all'alba e lavorando da ingobbire a smerdare vacche. A quelli mica piace uno che si alza tardi da letto. Dopo un po' l'hanno annusato.»

«Com'è che sai tutte queste cose? Potresti scrivere la biografia di Malvisi» si stupì Soneri.

«Ho parlato con la sua ex segretaria.»

«Chi è?»

«Mariani Veronica, settantadue anni. Era la segretaria del padre, e per un po' è rimasta a lavorare in ufficio dopo la sua morte.»

«Quando se n'è andata?»

«Mi pare quattro anni fa: aveva smesso di pagarla.»

«Dove la trovo?»

«Abita in via della Costituente al 15. Il suo nome è sul campanello.»

6

Si spense rapidamente la fievole luce della giornata nebbiosa. Soneri aprì di fessura la finestra dell'ufficio per fumarsi il moncone di sigaro che aveva lasciato nel portacenere, mentre nel cortile della questura fecero irruzione i fotografi e le telecamere.

«Che cosa sta succedendo?» chiese rivolto a Juvara. «Girano un film sulla vita di Capuozzo?»

«Mi è parso di capire che sia stata convocata una conferenza stampa dal questore per l'omicidio Malvisi» rispose l'ispettore.

«Ma se l'interrogatorio sarà fra mezz'ora!»

Juvara strinse le spalle per dire che non ne sapeva niente.

Il commissario accese il sigaro scrutando il cortile nel quale riconobbe alcuni giornalisti in attesa di salire dal questore. Poi sollevò lo sguardo verso i tetti. Il cielo scuro e spesso era lo schermo contro il quale la città proiettava i suoi bagliori, che assumevano così volume in forme soffici e leggere di bizzarri dirigibili ancorati a cupole e campanili. Affiorarono nella sua mente reminiscenze dell'infanzia, di vigilie di Natale e di chiacchiere sui marciapiedi freddi d'inverno. Tutto rispuntava come una vecchia foto sfuggita dalle pagine di un libro. Pensava alla mente che a volte accavalla il tempo come un mucchio di stracci.

Fumò osservando la pattuglia dei giornalisti muoversi verso le scale. Quando sparirono alla vista, tirò alcune boccate profonde ascoltando il suono della città, un impasto di mille voci fino a formare una sola nota, come un leggero rantolo. Lasciò spegnere il sigaro tra le dita, poi richiuse la finestra e tornò a sedersi.

«Dov'è Musumeci?» chiese rivolto a Juvara.

«Credo alla conferenza stampa» rispose quest'ultimo. «Gli è arrivata una telefonata e mi pare di aver udito la voce di Capuozzo. Alla fine lui ha detto "ci sarò" e se n'è andato.»

«Quando?»

«Verso le due. Lei è arrivato poco dopo.»

Soneri incassò quelle parole come un piccolo tradimento. Si sentiva deluso, ma la sua attenzione venne distolta dal telefono che si mise a squillare.

«Mi aspettavo di vederti» esordì Angela.

«Volevi baciarmi prima dell'interrogatorio o dopo?»

Lei sbuffò. «Comunque è durata pochissimo.»

«Allora ti ha dato retta: scena muta.»

«Non del tutto. Ha voluto che si mettesse a verbale una sua dichiarazione.»

«E sarebbe?»

«Che ha ucciso lui Malvisi e che ha fornito a te le prove che lo dimostrano.»

Il commissario mugugnò per dire che aveva capito.

«Dirò a Musumeci di stilare un rapporto e lo manderò alla Falchieri» aggiunse.

«Non hai capito» intervenne Angela, «Ferrari vuole che te ne occupi personalmente.»

«Da quando un assassino può scegliere? Nemmeno gli eroi possono eleggere il proprio biografo.»

«Mica è un obbligo procedurale, cerca di capire! Lo chiede come fosse un favore, ma se ti rifiuti amen.»

«Capuozzo ha voluto Musumeci in conferenza stampa, dunque è lui l'uomo delle indagini.»

«Fai il permaloso?»

«Non me ne frega più niente di questo caso e delle sue stranezze. Ferrari ha rotto i coglioni!» sbottò il commissario.

«Ehi! Stai calmo! Non sei tu a voler evadere dalla noia? Non è un'occasione questa? E poi Capuozzo è la personificazione della noia. Basta vedere come va vestito, con quella sua eleganza da mercatino rionale» concluse Angela con femminile perfidia.

«Hai ragione» rise Soneri, «sembra sempre che abbia ereditato gli abiti: o son troppo stretti o troppo larghi.»

«Ceni con me stasera?» chiese lei con nella voce un lieve sottinteso.

«Pensi che ci sia incompatibilità? Cosa dice il codice?»

«Che se ti rifiuti scatta la convocazione coatta.»

«Dunque non ho scelta. Facciamo alle otto da Alceste.»

Il commissario guardò l'orologio e vide che aveva più di un'ora di tempo. Telefonò al collega che organizzava il pullman per il poligono comunicandogli che non sarebbe andato a sparare il giorno dopo. Prese il cappotto e uscì. Non capiva quello strano atteggiamento di Ferrari nei suoi riguardi. Erano tante le cose che gli sfuggivano in quella vicenda, a partire dall'inizio, ma aveva ragione Angela a dire che era ciò che cercava: l'incanto della curiosità. Se fosse mancata quella sarebbe stato meglio chiedere il trasferimento all'ufficio passaporti. Si rallegrò che alla sua età fosse ancora capace di stupirsi. Ecco perché stava camminando sbirciando il torrente dal parapetto del ponte di Mezzo diretto in Oltretorrente. Imboccò via Bixio e raggiunse via della Costituente. La strada era immersa in una luce color dell'ottone, irrorata da lampioni bassi come grosse lucciole a ridosso della doppia fila di alberi.

Al 15 scrutò i campanelli: Mariani Veronica era il terzo pulsante della fila di destra. Premette e si chinò verso le fessure del citofono per ascoltare la risposta. Nessuno si fece vivo. Premette di nuovo. Ogni volta che lo faceva la luce che illuminava il quadrante si affievoliva come compisse uno sforzo. Sentì dei passi avvicinarsi, quindi si voltò. Una signora anziana con un cappello che sembrava un colbacco comparve dal buio del marciapiede. Aveva in mano un mazzo di chiavi.

«Non sa dove posso trovare la signora Mariani?» domandò Soneri.

L'altra sporse il mento con una smorfia.

«Non saprei. La sera se ne va» disse con fare distratto.

«Frequenta un circolo? La parrocchia? Gioca a carte?»

La donna scosse la testa: «Non mi faccio gli affari degli altri, ma se proprio me lo chiede direi di no».

«Ho bisogno di parlarle, sono della polizia.»

Sul viso dell'anziana si stagliò un sorriso venato di perfidia. «Ci avrei scommesso che prima o poi...»

«Cosa significa?»

«No, dico, me l'aspettavo.»

«Si aspettava cosa?»

«Insomma, cosa penserebbe lei se una signora più che matura tornasse spesso all'alba con il viso sfatto e i vestiti stropicciati?»

«La Mariani torna all'alba?»

«Certo» rispose compiaciuta la donna. «Neanche fosse una ragazza. E nemmeno un granché, a dire il vero» aggiunse sarcastica.

Il commissario restò in silenzio. Vide l'anziana estrarre la chiave e aprire il cancello. Prima di richiuderlo gli lanciò un ultimo sguardo severo e sparì nell'androne.

Soneri si diresse all'appuntamento con Angela. Ripercorse la gobba del ponte di Mezzo e tornò a guardare oltre il parapetto: una lingua di nebbia nascondeva il torrente e il greto accarezzando le case della sponda a nord. Si sentiva deluso e sempre più dubbioso. Gli pareva tutto molto semplice, ma al tempo stesso sentiva gravargli addosso un'insidia. Solo una sensazione, che tuttavia non sapeva spiegare e per questo ancora più inquietante.

Angela lo attendeva dentro e appena lo vide lo salutò, ma Soneri rispose solo con un cenno sedendosi a tavola.

«Che c'è? Anche tu ti avvali della facoltà di non rispondere?»

«Sarò ligio alla strategia processuale del mio avvocato preferito.»

«Confessione piena.»

«Da dove comincio?»

«Dal perché vuoi che resti il legale di Ferrari. Uno così non avrebbe nemmeno bisogno di un avvocato: non si oppone a nulla, accetta tutto. Se lo condannassero alla fucilazione ci andrebbe volentieri.»

«Proprio per quello ti chiedo di non rinunciare.»
«Non capisco.»
«Non so spiegartelo nemmeno io. Può essere solo curiosità.»
«E dovrei soddisfarla io? Sei tu che indaghi.»
«Tu potresti aiutarmi. Con te dovrà confidarsi.»
«Sai che non è possibile che io ti riferisca cose inerenti a un cliente. E nemmeno tu informazioni sulle indagini.»
«Ma non si tratta di quello» la rassicurò il commissario. «L'inchiesta giudiziaria andrà come hai detto tu. Ferrari si accusa da solo e non c'è bisogno di indagare più di tanto. Penso che il magistrato chiuderà presto l'inchiesta col rinvio a giudizio.»
«E allora? In cosa potrò aiutarti?»
«Ferrari mi sembra un caso umano singolare.»
«Ti sei messo a fare lo psicologo?»
«Un tipo originale. È così difficile trovarne...»
«Continuo a non capire cosa c'entri con l'inchiesta.»
«I tipi originali seguono strade inconsuete. A volte ne aprono di nuove.»
Angela scosse la testa. Mentre stava per replicare si presentò Alceste. Il sorriso dell'oste aveva sempre un effetto pacificante. Il suo menù faceva il resto.
«La lista la conoscete» disse sfogliando il taccuino fino a trovare un foglio bianco.
«La conosciamo» rispose Soneri, «ma c'è sempre qualcosa che ti è venuto meglio.»
Alceste rise facendo sobbalzare la pancia sotto il grembiule.
«La nebbia vuole gli anolini» stabilì subito dopo.

«Vuoi dire che li mangeremo per quattro mesi?» fece Angela.

«Mica è una condanna» protestò il commissario.

«Il clima cambia» riprese Alceste. «Fra qualche anno la nebbia scomparirà e mi toccherà cucinare solo couscous» ridacchiò.

«In quel caso alcune specie si estingueranno» considerò Angela guardando il commissario con fare allusivo.

«Cosa significa che non intendi la mia collaborazione in senso giudiziario?» domandò lei appena Alceste si fu allontanato.

«Angela» disse Soneri alzando gli occhi verso di lei con fare grave, «a dirla tutta, Ferrari non mi convince.»

«Ah! Ecco! Torniamo dentro l'inchiesta.»

«Sì e no. Non sono sicuro che la mia sensazione sia giusta e non ho nessuna prova. Proprio perché è una sensazione può appartenere all'inchiesta e a qualcos'altro che non c'entra niente.»

«Perché non ti convince?»

«Le cose troppo facili sono spesso ingannevoli. Sono fatte così le trappole: il topo vede il formaggio lì bell'e pronto senza bisogno di faticare a rodere un'anta di credenza, ma poi, zac! Scatta la molla.»

«E non può essere che, proprio in virtù dell'originalità di cui parli, Ferrari sia l'eccezione dentro la norma? Tutti gli assassini cercano di nascondersi, lui, al contrario, si mostra e si accusa. E tu, lanciato con impeto investigativo per sfondare la porta che nasconde la verità, te la vedi spalancare di colpo e finisci vittima stupefatta del tuo stesso abbrivio in un capitombolo nel vuoto.»

«Può essere...» approvò Soneri poco convinto.

«Se anche fosse come dici, questo caso non lo cambieresti. Ferrari è reo confesso, ti ha indicato dov'erano il cadavere e l'arma del delitto, fra poco la Scientifica redigerà un rapporto e, da ciò che ha fatto trapelare la Falchieri, porterà ulteriori prove. E mettiamoci pure tutto l'apparato. Capuozzo ha già parlato ai giornali e stasera, prima di venire qui, ho ascoltato le sue dichiarazioni a TV Parma che davano Ferrari come l'autore del delitto.»

Il commissario tacque per qualche istante, il tempo di spargere una nevicata di Parmigiano sugli anolini.

«Restano cose da chiarire. Nanetti mi ha detto che ci sono tante impronte nello studio. Bisognerà capire di chi sono. Il movente dei soldi può essere solido, ma restano da controllare gli spostamenti di Ferrari la sera dell'omicidio.»

«È davvero tutto rovesciato!» constatò Angela. «Sei il primo caso di un investigatore che punta i piedi di fronte a una soluzione così evidente.»

«Forse hai ragione tu, Angela» concluse infine il commissario. «E forse anche la Falchieri quando dice che ho troppa immaginazione.»

7

La mattina dopo, il piantone uscì improvvisamente dalla guardiola e gli si parò davanti con sul volto una mascherina bianca.

«C'è un incendio?» borbottò contrariato il commissario.

L'agente di guardia alzò gli occhi al cielo e allargò le braccia. Disse qualcosa che non si capì perché le parole furono smorzate dal bavaglio.

Anche nel corridoio della Mobile tutti a viso coperto.

«È per qualche ricorrenza o è una protesta contro il Governo?» domandò Soneri una volta nel suo ufficio.

Juvara si abbassò la mascherina. «Dottore, è una circolare del prefetto. Hanno trovato un caso di covid alla Narcotici e temono che il contagio si espanda.»

Il commissario vide una di quelle protezioni ancora ripiegata sulla sua scrivania.

«Cosa succede se non te la metti? Viene Capuozzo in persona a multarti?»

«Siamo forze dell'ordine e dobbiamo dare il buon esempio.»

«Non è sufficiente stare distanti almeno un metro?»

«All'aperto sì» rispose l'ispettore, «al chiuso però...»

«Vorrà dire che avrò una scusa in più per girare alla larga da Capuozzo e da tutta la combriccola dei papaveri.»

Soneri stava per uscire quando Juvara aggiunse: «Almeno la tenga in tasca».

«Hai ragione» convenne il commissario, «sto andando all'obitorio e là mi servirà per via della puzza.»

Arrivò troppo presto, così fece un giro largo tra i viali alberati dell'ospedale Maggiore. Trovava sempre stupefacenti gli ospedali. Ciò che lo colpiva in quella vicinanza tra la morte e la vita era il prevalere della funzionalità sull'empatia. L'applicazione scrupolosa dei protocolli come in un operoso opificio senza riconoscere nell'altro sofferente se stessi. Anzi, la totale rimozione di tutto ciò era la garanzia di non cedere alla paura e alla rassegnazione. Solo riducendo il corpo a oggetto si poteva realizzare quel freddo, scrupoloso, distacco della cura. Così era per il corpo di Giacomo, James, Malvisi che stava per essere sezionato.

Un'ora dopo Soneri era seduto nella saletta dell'obitorio, quella coi muri ricoperti di vecchie mattonelle bianche in cui si era trovato decine di volte, e stava lì coi suoi pensieri mentre l'altro perdeva ogni contorno umano in un osceno spezzatino, riducendosi a un astratto enigma da risolvere. Anche l'anatomopatologo si sarebbe saldamente tenuto al riparo dietro la sua scienza estraendo gli organi a uno a uno, senza pensare nemmeno per un attimo che lui e quel cadavere potessero essere la stessa cosa.

Soneri non si aspettava granché dall'autopsia. Tuttavia la curiosità intorno alla vicenda era tale da averlo indotto a trascorrere ore inutili nel posto più triste e meno accogliente che conoscesse. Seduto nel corridoio, vide arrivare la Falchieri, anche lei mascherata. Poi un codazzo di agenti di polizia giudiziaria e infine il medico legale, che entrò nella sala autopsie seguito da alcuni assistenti. Prevedeva una lunga attesa, ma non aveva niente da fare. Provò un senso di colpa per non essere andato al poligono, ma l'idea di passare il tempo a sparare a una sagoma tra gli sghignazzi dei colleghi tornati ragazzi ai videogiochi lo giustificò. Un tizio, che aveva l'aria di un funzionario, si avvicinò e gli suggerì di indossare la mascherina. Soneri ebbe uno scatto d'insofferenza, si alzò e uscì nel momento in cui gli squillava il telefono.

«Posso passarle il dottor Capuozzo?» cantilenò la segretaria.

Il commissario disse stancamente «sì».

«Soneri, lei è attualmente scarico, vero?»

«Scarico?» ripeté il commissario con tono incredulo di fronte a quell'espressione.

«Intendo dire» chiarì il questore «che non ha casi pendenti. Questo di Malvisi si è risolto da sé.»

Il linguaggio di Capuozzo era irritante già nella forma ancor prima che nel contenuto, ammesso che ne avesse.

Stava per rispondere che non pendeva più niente, che tutto era già precipitato e giaceva in macerie, ma non avrebbe capito.

«Glielo chiedo» proseguì il questore senza concedergli il tempo di una risposta, «perché vorrei che si occupasse del caso delle truffe. Sa bene che non ne siamo mai venuti a capo. Ha presente vero?»

«Ci lavorava Calabritti» si limitò a far notare Soneri.

«Sì, ma Calabritti ha fatto domanda di tornare in Procura.»

Il commissario rifletté per qualche istante prima di rispondere.

«Mi faccia recapitare tutte le carte dell'inchiesta» disse subito dopo con tono rassegnato.

Non sapeva nemmeno lui perché era stato così remissivo. Forse persino Capuozzo era rimasto sorpreso. Poi, pensandoci, comprese che ad attrarlo era la personalità del truffatore, il più fantasioso tra i malavitosi. Inseguirlo sarebbe stato un gioco a scacchi: una sfida intellettuale. E a lui le sfide piacevano.

L'autopsia durò meno del previsto. Soneri trovò il tempo di farsi un giro passeggiando tra i viottoli ricoperti dalle larghe foglie secche dei platani, ripresentandosi nel momento in cui la Falchieri usciva dall'obitorio assieme al medico legale. La piemme gli presentò il dottor Roncadelli e il commissario si fece avanti per stringergli la mano, ma l'uomo ritrasse la sua con un sorriso.

«Faccia conto che ce la siamo data» disse l'uomo, «vengo da una riunione all'AUSL con le nuove disposizioni igieniche: dobbiamo tornare a guardarci da lontano.»

Soneri tirò un sospiro e non commentò.

«Cosa ci racconta quel cadavere?» cambiò discorso.

«Non molto» rispose il medico dispiaciuto, «un accoltellamento come tanti. Un mucchio di colpi al ventre.»

«Quanti?»

«Almeno quindici, di cui cinque sicuramente mortali. Due hanno trapassato il fegato, uno il pancreas e gli altri due hanno leso vasi importanti provocando una copiosa emorragia.»

«Quindi è morto rapidamente?»

«Questione di pochi minuti.»

Il commissario tacque, riflettendo. Poi chiese di nuovo: «C'è altro?».

Il medico assunse un'espressione dubbiosa.

«Niente di scientifico, solo impressioni. Non posso dire di avere grande esperienza, ma diciotto anni di autopsie... Insomma, mi sono fatto un'idea.»

«Vanno bene anche quelle» lo interruppe il commissario.

«Credo che questo sia un delitto compiuto con tanto odio, ma da qualcuno che lo fa per la prima volta.»

«Cosa glielo suggerisce?»

«Prima di tutto i colpi: tanti e dati un po' a caso. La lama ha perforato in un'area relativamente vasta dell'addome da destra a sinistra, dallo stomaco ai visceri. In secondo luogo il loro numero. Quindici coltellate non vogliono dire solo odio, ma mi pare che mostrino anche l'insicurezza di chi non sa se riuscirà a uccidere. Il delinquente vero sa dove colpire. In genere al collo o al petto.»

Soneri assentì, mentre la Falchieri si era allontanata per telefonare.

«Mi pare convincente» disse il commissario

«È solo una mia impressione» ribadì Roncadelli, «la prenda con beneficio d'inventario.»

Tornando, Soneri pensava a Ferrari, a quella strana serenità che poteva collimare con l'assassino improvvisato. Piuttosto, ciò che risultava totalmente stonato, era la rabbia di cui gli aveva parlato il medico legale in un uomo che sembrava imperturbabile. Nemmeno il commissario poteva conferire dignità di prova alle sue impressioni, pur essendo consapevole che gran parte di un'indagine si costruiva su quello.

Tutto quel ruminare di sensazioni gli indusse voglia di certezze. Decise così di passare da Nanetti alla Scientifica. Ogni volta gli pareva di entrare in una farmacia, con tutti quegli agenti in camice bianco a smanettare computer o a scrutare nei microscopi.

«Se continui a gironzolare senza mascherina, Capuozzo metterà in giro che sei tu l'untore» lo accolse Nanetti.

«Qualche ora fa c'è mancato poco che mi invitasse a cena» ribatté Soneri.

«E tu ci saresti andato con un mazzo di fiori o avevi deciso di regalargli una cravatta?»

«Meglio: ho accettato di occuparmi delle truffe.»

«Gli dà più fastidio di un foruncolo sull'uccello. Così adesso vi date la lingua in bocca?»

«Non mi va, ha l'alito di un varano.»

«Visto che mi pare chiuso il caso Malvisi, ha pensato che ti saresti annoiato.»

«No, è perché Calabritti ha chiesto il trasferimento alla Giudiziaria» spiegò Soneri. «A proposito del caso Malvisi, hai già dei risultati?»

Nanetti lo scrutò diffidente: «Stai rimuginando qualcosa?».

«Sai che m'incuriosisce» rispose vago il commissario.

Il collega indugiò con lo sguardo su di lui, poco convinto.

«Per ora abbiamo esaminato le impronte. Il materiale

trovato nei cassetti o sparso nello studio è stato consegnato a Musumeci. Non aveva nessun interesse per noi.»

«Ci sono le impronte di Ferrari?»

«Tante. E anche sul manico del tagliacarte. Non ha usato nessuna precauzione.»

«Dice che è stata una cosa d'impeto.»

«Non c'è dubbio. L'arma inconsueta, l'apparente assenza di premeditazione e l'imprudenza di lasciare tante tracce... Ecco, questo mi lascia perplesso.»

«Le tracce, dici?»

«Uno che compie un delitto d'impeto, accoltella e scappa. Se è senza guanti, lascia impronte solo nelle zone dove presumibilmente è avvenuta l'aggressione e invece in quello studio ne abbiamo trovate sparse un po' ovunque.»

«Forse Ferrari ha cercato qualcosa dopo aver ammazzato Malvisi? È per questo, secondo te?»

«Potrebbe essere» convenne Nanetti. «Ma perché sulla porta del bagno? Quando mai un assassino va in bagno? Neanche fosse un prostatico o un incontinente.»

«Potrebbe essere qualsiasi cosa» valutò il commissario. «Ma ci sono altre impronte?»

«Poche. Malvisi non doveva ricevere molte persone. Del resto, messo com'era...»

«Cosa ti resta da esaminare?»

«Non ti basta?»

«Mi hai parlato di capelli. Sono di Malvisi o di Ferrari? O di qualcun altro?»

«Non li abbiamo ancora esaminati. Dovremo ricavarne il DNA per saperlo. Ho tre agenti in malattia e un fottio di lavoro. E poi questa epidemia...»

«Le autorità hanno tutte la strizza. Andrà a finire che la faranno esplodere davvero» commentò Soneri.
«Già è iniziata: hai saputo di De Donno alla Narcotici?»
«Me l'ha detto Juvara. È grave?»
«Eccome! All'ospedale gli soffiano ossigeno col boccaglio come in una camera d'aria. Al reparto sono tutti terrorizzati che adesso tocchi a loro.»
«Ho sempre il sigaro e il Gutturnio a preservarmi» minimizzò Soneri.
«Ti toccherà metterla» avvertì Nanetti indicando la mascherina che spuntava da una tasca del cappotto del commissario.
Quest'ultimo non replicò. Fece per uscire, ma dopo un paio di passi si girò. «Sbrigati con quei capelli» disse.
Il collega sorrise annuendo mostrando di aver capito.

8

Tornando in ufficio nel pomeriggio, Soneri trovò un grosso plico sulla scrivania. Sopra c'era un foglio a quadretti strappato da un taccuino:

Ti lascio tutto quello che ho raccolto in questi mesi, il questore mi ha chiamato a ricoprire un altro incarico. Sotto, in un vortice di svolazzi, la firma: *Gennaro Calabritti.*

«Che paraculo!» esclamò il commissario destando l'attenzione di Juvara, che biascicò qualcosa dietro la mascherina.

«E togliti quel bavaglio!» sbottò Soneri. «Ogni volta che parli sembri al piano di sotto!»

«Ho detto che l'ha portato Calabritti stamattina» precisò accennando al plico.

«Si fa passare per quello che lascia la routine per occuparsi di cose grosse» ringhiò Soneri. «Più sono scarsi e più fanno i fenomeni» aggiunse sbattendo il palmo sulla scrivania.

«Dottore, io al suo posto avrei rifiutato. Sanno tutti che Calabritti se ne va alla Giudiziaria per imboscarsi. S'è fatto amico di un paio di magistrati che tutt'al più lo manderanno a pagare le bollette.»

«Hai capito perché lo Stato non funziona? È per quelli come Calabritti. La giustizia è lenta? Te lo dico io perché: la metà dei magistrati o non fa un cazzo o fa troppo poco e si circonda di personaggi come quello! Semplice. Fatti un giro in Procura al pomeriggio e vedi quanti ne trovi. E negli apparati, compreso qui dentro, c'è pieno di Calabritti.»

Juvara ascoltava il commissario un po' intimorito e un po' sorpreso. Un paio di volte fu sul punto di intervenire, ma sarebbe stato come tentare di guadare un fiume in piena.

«Questo Paese è diviso tra chi sgobba e chi se ne approfitta. Ne abbiamo un consorzio intero, di fancazzisti!»

Soneri trasse infine un gran sospiro cercando di smaltire la rabbia. Che però riesplose quando aprì il plico. Dentro c'erano solo delle brevi informative sui vari colpi effettuati dal truffatore seriale. Niente più di un misero elenco.

«E questa sarebbe un'indagine?» urlò Soneri sbattendo il plico sulla scrivania come una carta da gioco a strozzo. «Vorrei sapere cos'ha fatto in questi mesi! Nessuno che gli chieda conto!»

La rabbia gli spense la voce come un boccone di traverso e tutto il suo furore si addensò in una specie di tremore mentre compulsava i fogli di quel misero dossier. Nell'ufficio si fece silenzio per un po' prima che Juvara si azzardasse a parlare.

«Volevo dirle che prevedo di aggirare la password del computer di Malvisi ricorrendo al cloud» tentò di spiegare.

«Parli più astruso della prosa di Calabritti» grugnì Soneri.

«Il cloud è una specie di nuvoletta dove si possono archiviare i dati su un server...» Non finì la frase perché sul viso del commissario cominciò a disegnarsi una smorfia come fosse stato investito da un cattivo odore.

«Mi basta sapere quel che c'è dentro, per il resto puoi vivere con la testa tra le nuvolette» tagliò corto Soneri irritato.

«Conosciamo la mail di Malvisi e con quella...» aggiunse timidamente l'ispettore spegnendo lentamente la voce.

«E il telefonino?» chiese il commissario.

«Temo che occorrerà più tempo: è blindato.»

«Chissà cos'aveva da tenere segreto uno così! L'elenco dei creditori, forse» concluse Soneri cominciando a leggere i rapporti sulle truffe.

In tutto erano undici, compiute nel giro di un anno. La tecnica era più o meno la stessa, ma eseguita di volta in volta cambiando scenario. Il truffatore fingeva di essere un funzionario addetto alle vendite o il titolare di un'azienda che proponeva l'acquisto di una partita di materiale a prezzo vantaggioso. Oppure ancora si faceva passare per un tramite che aveva un mandato di acquisto per conto terzi. Nei primi due casi, se il cliente accettava, veniva inviato un campione di merce dietro il versamento di un discreto acconto. Incassato quello, il venditore spariva. Nel caso in cui agiva come mandatario di un ordine di acquisto, si prendeva la merce che poi non pagava. In genere si trattava di prodotti alimentari: vino, formaggi, olio, salumi. La truffa era molto accurata. L'azienda fantasma all'apparenza sembrava impeccabile. A colpire i malcapitati erano i siti internet costruiti a regola d'arte. Vi comparivano fattorie dentro rigogliose valli con intorno fiori, erba e grano maturo, antiche botteghe con la scritta a festone sopra l'ingresso, DITTA TAL DEI TALI DAL 1931, oppure elaborazioni grafiche di marchi grondanti di stupefacente tecnologia. Non mancava nulla, nemmeno un dettaglio. Le ditte avevano sede in luoghi poco conosciuti della provincia e qualcuno forse persino inventato. Era presumibile pensare che ciascuna proposta venisse fatta a più clienti col sistema della pesca a strascico. Nel dossier non era scritto se le indagini avevano interessato anche altre città. Le denunce erano undici a Parma, ma forse i truffati erano molti di più. Gente che aveva preferito tacere pagando il prezzo della vergogna. Scorrendo il dossier, Soneri si accorse che le vittime erano perlopiù persone di una certa età, tranne un paio di quarantenni. Il bottino complessivo superava di poco i centocinquantamila euro, sufficienti per vivacchiare qualche anno forse, ma tutto sommato quello che avrebbe raccolto un rapinatore facendo saltare mezza dozzina di bancomat. L'unico risultato ottenuto da Calabritti era aver tracciato il profilo del probabile truffatore: un uomo dalla parlata sciolta, alto e distinto, magro e con la erre molto pronunciata. Era stato descritto così da almeno tre vittime, anche se le testimonianze erano discordi su altro. Uno aveva notato i baffi, un altro la barba, un terzo le basette folte. E poi il cappello, che era comparso due volte e una no, gli occhiali, che c'erano e poi erano spariti. In una deposizione il truffato aveva notato un tic: toccarsi la fronte con l'indice di tanto in tanto, ma nelle altre non vi si trovava traccia. Probabilmente si trattava della stessa persona che cambiava aspetto recitando di volta in volta.

Soneri richiuse il dossier proprio nel momento in cui squillò il cellulare.

«Da quando sono la tua controparte legale non ti fai più sentire» constatò Angela.

«È noto che incuti timore persino ai presidenti di corte. Figurati a un povero funzionario di polizia.»

«Ti fai piccolo per nasconderti: conosco questo gioco.»

«Ti sbagli. Non mi faccio, mi fanno piccolo. A martellate.»

«In questo caso ti tornerebbe utile un buon avvocato.»

«Accetto consigli.»

«Non fare lo stronzo, ho da riferirti una cosa nelle mie vesti di legale.»

«Devo verbalizzare o fa lo stesso?»

«Rilassati, è un messaggio confidenziale da parte di Ferrari.»

«E sarebbe? A nessuno frega più niente di questo caso.»

«Ti vuole vedere.»

«Per quale motivo?» s'incuriosì Soneri.

«Non me l'ha detto. Vuole parlarti. So solo questo.»

«Hai intuito qual è l'argomento? O non puoi dirmelo? Segreto professionale?»

«Non lo so proprio. Credo abbia molta stima di te. È come se ogni volta volesse giustificarsi per quello che ha fatto.»

«Non mi sembra sia pentito. Credo si sia già assolto da solo.»

«Tutti abbiamo delle contraddizioni, mica siamo fatti di marmo.»

«Ci vorrà il consenso del magistrato.»

«La Falchieri? Basterà che tu dica di aver bisogno per alcuni chiarimenti e ti aprirà tutte le porte. Nel caso di Ferrari non sussistono i rischi di fuga o inquinamento delle prove perciò ho chiesto e ottenuto i domiciliari nella sua casa di via Bixio, quindi non dovrai nemmeno passare dal carcere.»

«Alcune cose da chiedere le avrei...»

«Bene, allora procedi. Stasera vieni da me, preparo qualcosa di leggero.»

«Qualcosa di leggero non è un incentivo, ma verrò lo stesso.»

«Vuoi dire che non basto io?»

«Se fosse solo per il menù avrei declinato» sogghignò il commissario. «Ti avviso però che intorno alle dieci dovrei uscire mezz'ora per un controllo.»

«Se vuoi ci vediamo un'altra volta.»

«Penso che sia questione di poco.»

«Fammi sapere cosa decidi» concluse Angela riattaccando.

Poco dopo rientrò Musumeci.

«Allora? Il questore ti ha invitato a cena per presentarti la moglie?» domandò il commissario volutamente sarcastico.

«Mica volevo andarci, a quella conferenza stampa! Una noia da schiattare.»

«Va là che ti è piaciuto. Magari potresti sposare sua figlia, così nobiliti le tue origini plebee una volta cooptato alla famiglia reale.»

«Dottore, mi ha convocato e ci sono dovuto andare. Poi mi sono dimenticato di avvisarla» tagliò corto l'ispettore, contrariato.

Soneri mugugnò poco convinto della spiegazione.

«Musumeci, non mi starai diventando paraculo? Hai l'aria da galoppino come quando bazzichi nelle discoteche a rimorchiare.»

«Cosa potevo fare?» allargò le braccia l'ispettore.

«Senti» tagliò corto il commissario, «hai dato un'occhiata ai referti sequestrati nella perquisizione dello studio di Malvisi? Almeno abbiamo scoperto dove abitava? Dovremo andare a dare un'occhiata anche a casa sua.»

«Certo» rispose Musumeci. «È che questo caso risulta poco stimolante per tutti. Il questore lo ha dichiarato chiuso e il magistrato si limita a qualche accertamento senza fretta. Tanto appare tutto chiaro.»

«Vero, non c'è niente di appassionante» rispose distrattamente Soneri.

«Comunque Malvisi abitava in borgo Salnitrara al 2, terzo piano, appartamento di proprietà su cui gravava un'ipoteca stipulata tre anni fa.»

«A favore di chi?»

«Della Fidjust, è una finanziaria.»

Il commissario rimase per un po' a pensare. S'immaginava che le banche non avessero più voglia di vedersi attorno uno che ritenevano insolvente.

«Allora mi vuoi dire cosa avete trovato in quello studio?»

«Oh, poca roba. La cosa più interessante è la rivoltella.»

«E dici poco!» trasalì Soneri.

«Una Smith & Wesson a tamburo. Un modello a canna corta e sei colpi.»

«Legale?»

«Sì, ho controllato. Gli era stato rilasciato il porto d'armi per via del mestiere. Aveva dichiarato che spesso trasportava denaro, documenti e oggetti preziosi per conto dei clienti.»

Il commissario pensò a James in preda ai creditori e a coloro che si erano visti prosciugare i risparmi.

«Dopotutto aveva ragione ad aver paura, dal momento che è finito accoltellato» considerò Soneri. «Quel che mi chiedo è com'è che non ha usato la rivoltella di fronte a Ferrari.»

«Forse non ha fatto in tempo» ipotizzò Musumeci.

«Può essere» convenne il commissario come parlando fra sé. «Oppure non se lo aspettava. Non da Ferrari, intendo.»

«Ma il movente non sono i soldi?» domandò l'ispettore.

«Questo è quello che ha dichiarato Ferrari» disse il commissario. Il quale poi aggiunse con urgenza: «Bisognerà controllare se c'è traccia di questo movimento di denaro».

«È probabile sia tutto nel disco del computer o nel cloud» intervenne Juvara, che aveva seguito la conversazione.

«Interroga la nuvoletta, falla piangere acqua» raccomandò il commissario. «Tu controlla se la pistola di Malvisi ha sparato di recente» ordinò infine a Musumeci.

Quando lasciò la questura incamminandosi lungo i borghi, gli parve che la sera fosse più buia e ostile del solito. La nebbia assumeva sfumature cangianti mutando densità e spessore. Così come gli esquimesi conoscevano quindici tipi di neve, dovevano esserci altrettante varietà di nebbia. Camminò fino a imboccare via Farini che assomigliava a un lungo tunnel ricurvo. Acquistò una bottiglia di Sauvignon e dieci minuti dopo era sotto casa di Angela. Quando entrò lei gli sfilò il sigaro di bocca e la bottiglia dalla mano, poi gli aprì il cappotto e si strinse a lui. Colto di sorpresa, il commissario quasi non reagì, mentre lei lo spingeva all'indietro verso la camera da letto. Varcarono la soglia uniti in quel goffo balletto fino a che il commissario avvertì l'orlo del materasso dietro le ginocchia e cadde all'indietro supino.

L'aggressione lo trovò connivente ed eccitato dalla sorpresa. Cessato l'assalto, Angela si distese accanto a Soneri, lasciando cadere le braccia oltre la testa.

«Come potremo mai affidarci a un commissario di polizia che si lascia sorprendere come un pivello ed è così arrendevole?»

«La prima cosa che ti insegnano alla scuola di polizia è a calcolare il rischio: se hai di fronte una così ben armata è preferibile arrendersi.»

«Non ci sono più gli eroi» disse lei mentre si rivestiva, fingendosi delusa.

«Oggi l'eroismo è resistere» ribatté il commissario improvvisamente serio.

Angela aveva preparato una zuppa di legumi. Tutt'e due erano in procinto di dirsi qualcosa ma tacevano per timore. Alla fine fu Soneri a rompere il ghiaccio.

«Davvero non hai idea di cosa voglia dirmi Ferrari?»

«No» rispose lei scuotendo il capo. «Se lo sapessi te

lo direi, tanto non cambierebbe niente. Quell'uomo è pieno di lati oscuri. A volte non mi sembra nemmeno a posto.»

«Forse non lo è davvero» sussurrò il commissario.

«E tu vuoi dirmi cosa devi controllare alle dieci?»

«Una donna. L'ex segretaria di Malvisi: Veronica Mariani.»

«Devo preoccuparmi?»

«Ha più di settant'anni e una vicina mi ha detto che non è adatta alle sfilate.»

«In ogni caso vorrei venire con te, per precauzione.»

«Potrebbe essere un'idea: ci facciamo una passeggiata e nel frattempo vediamo se la signora si mostra. Daremo meno nell'occhio in due.»

Mangiarono in fretta e uscirono. Era l'ora della brezza e la nebbia si muoveva lenta come una gigantesca nube di polvere in attesa di depositarsi. Di fronte al 15 di via Costituente c'era un caffè gestito da una giovane coppia di cinesi. Sedettero dietro la vetrina da cui si vedevano uno scorcio della strada e i portoni delle case lungo il marciapiede. Angela ordinò una tisana mentre Soneri chiese un nocino. Il barista lo sorprese chiedendo se preferiva il novello o quello invecchiato.

«Vedi cos'è l'integrazione?» sussurrò alla compagna senza perdere d'occhio la strada. A quell'ora non passava quasi nessuno. C'erano i fattorini in bicicletta con grossi zaini sulle spalle che portavano la cena a domicilio e poco altro. Trascorse del tempo scandito dai loro sguardi talvolta attenti talvolta annoiati, ma era piacevole starsene al caldo fissando la via nella quale comparivano improvvisamente figure sfocate. Finirono di bere e Soneri pagò. Poi tornò a sedere guardando l'orologio. Erano passate le dieci e ancora non succedeva nulla.

«Avrà deciso di rinunciare» ipotizzò Angela, «si sarà presa un raffreddore.»

Il commissario annuì meditabondo. «Può darsi che non sia la serata buona.»

Passarono altri cinque minuti alla fine dei quali erano decisi a mollare il colpo. Poi videro accendersi la luce nel vano delle scale e il portone vetrato disegnò un rettangolo luminoso tra i cespugli del piccolo giardino. Si alzarono nel momento in cui la Mariani usciva dal cancello e s'incamminava sul marciapiede. A quel punto uscirono anche loro e la seguirono tenendosi a distanza. All'incrocio con via Imbriani la donna girò a destra dirigendosi verso la chiesa dell'Annunziata. Camminava svelta, con la borsetta nell'incavo del gomito. All'angolo con via d'Azeglio si fermò sul piccolo sagrato del santuario e attese il bus. Rimasero a osservarla da lontano, incuriositi. Dopo un quarto d'ora arrivò il bus notturno. Lei fece segno con la mano e salì.

«Chissà dove va a quest'ora» mormorò Soneri.

Angela elencò alcune ipotesi che il commissario aveva già scartato. Rimase quindi in silenzio per un po', poi disse: «Torniamo a casa, tanto non possiamo seguirla».

Per tutto il percorso Soneri fu alle prese con quell'enigma. Angela lo tenne stretto sottobraccio come per ancorarlo alla realtà, mentre i pensieri lo sottraevano al presente. Lui sentiva quella vicinanza calda e solida ricavandone una sensazione piacevole. Giunti sotto casa della compagna, quest'ultima si staccò, gli diede un bacio e lo salutò. Quando fu scomparsa oltre il portone, il commissario s'incamminò sentendosi solo nel freddo della città deserta.

9

Il mattino dopo Soneri trovò sul tavolo i risultati dell'autopsia. Niente che il medico legale non gli avesse già anticipato, salvo il fatto che James aveva le mucose del naso ormai fuori uso dallo sniffo di cocaina. Finì di leggere, quindi alzò il telefono e compose il numero interno di Musumeci. Dopo qualche istante l'ispettore entrò nell'ufficio. Il commissario lo squadrò notando l'aria stanca e la giacca stazzonata.

«Un'altra notte brava?» domandò.

L'altro alzò le spalle con l'aria di compiacersi per la fatica sostenuta.

«Ricordi che occorre dare un'occhiata all'appartamento di Malvisi? Bisognerà farci un giro. Portati anche uno della Scientifica, forse ce ne sarà bisogno» ordinò Soneri. E vedendo che l'ispettore restava impalato in mezzo alla stanza poco entusiasta aggiunse: «Non trovi che sia doveroso?».

«C'è ancora qualcosa da chiarire?» domandò Musumeci.

Il commissario rivolse la stessa domanda a se stesso. Aveva la sgradevole sensazione di essere l'unico a cui interessava la vicenda.

«Non lo sapremo fino a che non andremo fino in fondo» disse.

L'ispettore annuì. Dopotutto, un giro in borgo Salnitrara gli avrebbe permesso di schiodarsi dalla questura, farsi una passeggiata guardando le ragazze e sedersi in un bar per completare il risveglio.

Il commissario attese un po' fumando, fino a quando un agente gli recapitò la circolare del prefetto che imponeva l'uso della mascherina negli uffici. A quel punto si alzò stizzito e uscì. Camminando si ricordò che avrebbe dovuto fare visita a Ferrari. Oltrepassò di nuovo il ponte di Mezzo fermandosi a osservare la famiglia di nutrie che pascolava nel greto del torrente e imboccò via Bixio. L'uomo abitava in fondo alla strada, quasi a ridosso di Barriera San Francesco, in una delle case a stecca con le persiane e il cornicione ingentilito da sculture floreali. Salì al primo piano dove lo accolse una signora sui sessanta con una lunga veste e uno chignon a treccia da istitutrice. Dietro di lei sbucò dalla cucina Ferrari.

«Mia sorella Artenice» la presentò senza che la donna aprisse bocca.

Dentro c'era odore di minestrone e quel sentore di stantio che emana da mobili di noce, muffe d'umidità e residui di naftalina tra vecchi cappotti. Tutto pareva d'annata: le porte laccate di bianco coi vetri a quadrettini, le maniglie dalla cromatura ormai opaca, le pareti stinte con aloni scuri sopra i grossi termosifoni di ghisa. Più che una casa, dava l'idea di una tana, un luogo esclusivo celato al mondo dove si era conservata immobile un'umbratile modestia da primo dopoguerra.

Artenice lo fece accomodare e gli offrì il caffè. Anche il vassoio di peltro era opaco e le tazzine di maiolica mostravano venature come mani di vecchi.

La cucina era stretta e lunga. Da una parte c'era la tavola addossata alla parete, dall'altra i fornelli, il lavello e i pensili. Soneri si sentì a disagio in quella situazione senza scopo. Il silenzio dei due fratelli rendeva ancora più assurdo l'appuntamento. A un certo punto Artenice si eclissò e il commissario restò solo con Ferrari.

«Allora? Cosa voleva dirmi?» si decise alla fine Soneri.

L'uomo esitò per alcuni istanti: «Anche lei ritiene questo caso completamente risolto?».

«Cosa significa? Intende ritrattare?»

Ferrari scosse la testa: «No. Volevo che lei capisse per intero».

«Perché non l'ha spiegato al magistrato?»

«Non servirebbe. L'indagine è un'altra cosa.»

«Io faccio indagini, solo quelle» precisò il commissario.

«Lo so, lo so... Ma fin dal momento in cui si è interessato a me su quella panchina, ho pensato che lei non fosse solo un funzionario di polizia.»

«Però lo sono. Chi altro potrei essere? Non siamo nemmeno amici. Non ci conoscevamo prima di quell'incontro.»

«Sì, è vero. Potrei sembrarle un pazzo, ma le assicuro che sono lucidissimo.»

«Non mi ha ancora detto perché mi ha voluto qui.»

«Perché penso che stiate sbagliando tutto.»

«È un modo per dirmi che ha mentito?»

«Non intendo riferirmi a quello: confermo tutto.»

«Un'inchiesta è un procedimento molto semplice: c'è

un morto e si deve scoprire chi l'ha ucciso, ecco tutto. Questo è il mio mestiere.»

«Semmai questo è il mestiere dell'ingenuo scrittore di gialli. Lei sa bene che non è tutto.»

«Se allude al fatto che un crimine è qualcosa di molto più complesso, allora sì, credo che lei abbia ragione. Ma io sono un poliziotto. E i poliziotti sono ingenui per dovere.»

Ferrari sorrise: «Non intendo sovvertire il suo *modus operandi*. Ciò che voglio dire è che per buona parte dei casi vi sembra di fare giustizia, ma vi illudete. Spesso scambiate la vittima per l'assassino. Mancate di quella provvidenziale dose di scetticismo che vi distoglierebbe dall'apparenza per mostrarvi una realtà differente».

«A noi spetta la valutazione dei fatti. Nel suo caso, lei che ha trafitto quindici volte Malvisi. Solo questo appare oggettivo per la legge.»

«Oh! Certo! Io sono senza dubbio colpevole» ammise l'uomo in tono retorico. «Questa è l'evidenza. Ma crede che si risolva tutto così?»

«Probabilmente no» ammise il commissario. «Ma il resto non mi compete.»

«È qui che sbaglia. Si sente davvero un inquirente, trascurando il resto?»

«So stare entro i confini che mi sono assegnati, ma nulla mi impedisce di essere compassionevole.»

«Questo è il primo passo per uscire dai confini: essere partecipi di una passione, capire l'altro, anche chi uccide. È a questa parte di lei che voglio parlare.»

«Mi ha fatto venire qui per questo?»

«Le pare poco? Nessun altro si è fermato quella mattina in Cittadella. Lei, invece, ha condiviso la mia situazione e l'ha fatto. Ecco perché ho desiderato vederla.»

«È del tutto inusuale, o forse persino inopportuno, che un commissario parli di queste cose con un assassino» precisò Soneri.

«Lasci perdere! Non cambierà niente della vicenda giudiziaria. Volevo solo che lei capisse. Che volgesse lo sguardo anche verso quel magma ribollente che porta a questi esiti. Se lo osservassimo attentamente, ci accorgeremmo che siamo un po' tutti, chi più chi meno, degli assassini. E contemporaneamente delle vittime. È questo miscuglio imperscrutabile di bene e di male a confonderci. E per questo la legge ha bisogno di distinguere. Ma la sua rigidezza formale non si adatta alla molteplicità dell'umano. I fatti sono pieni di diavoli e angeli che se le danno di santa ragione.»

«Lei, quindi, si assolve? Anche se hanno prevalso i diavoli.»

Ferrari rimase perplesso. Poi sul suo viso ricomparve la consueta espressione serena.

«Sì» rispose l'uomo. «Potrò sembrarle cinico, ma non provo sensi di colpa. O almeno non quelli che può considerare un commissario.»

«Sinceramente» disse Soneri «la sua serenità mi sorprende. Per molti versi mi è oscura.»

«Si ostina a guardare le cose da ingenuo» osservò deluso Ferrari.

«Al contrario» ribatté Soneri, «le sto guardando dal punto di vista umano.»

L'uomo sembrò colpito e tacque, abbassando lo sguardo sul pavimento. Il commissario lo fissò e ne dedusse che fosse afflitto. Per la prima volta lo scopriva turbato. Quando entrambi tornarono a rialzare lo sguardo, comparve Artenice, come al solito muta e per questo vagamente inquietante. Seguì una pausa di silenzio interrotta dal suono del telefonino del commissario.

«Dottore, a casa di Malvisi c'è una donna» esordì Musumeci.

«E chi è?» domandò Soneri.

«Tal Eva Chomsky, una polacca.»

«Ti ha detto cosa ci fa lì?»

Sentì l'ispettore camminare per appartarsi.

«Dottore, a me questa dà l'idea di una zoccola» sussurrò poi.

«Considerando quanto te ne intendi tu, direi che è quasi certo» disse Soneri.

«Stava dormendo quando siamo arrivati. Anche questo mi pare eloquente.»

«Prendi le generalità e fatti spiegare che rapporti aveva con Malvisi, anche se ce li immaginiamo. Arrivo tra poco.»

«Devo andare» spiegò il commissario rivolto a Ferrari.

«Spero ritorni a trovarmi» rispose l'altro restando seduto dov'era.

Fu Artenice ad accompagnarlo alla porta. Sulla soglia la donna gli puntò addosso uno sguardo severo e al tempo stesso addolorato. Durò pochissimo. «Mio fratello è un uomo buono» mormorò. Furono le uniche parole che disse in quell'incontro. Soneri stava per replicare, ma lei chiuse velocemente l'uscio.

Scelse di passare dal Lungoparma. La casa di Ferrari gli aveva provocato un senso d'asfissia e appena uscito sentì il bisogno di respirare in uno spazio ampio come quella fenditura che il torrente si apriva tra le case della città. Nelle notti chiare di primavera, le luci dei ponti, le finestre illuminate e lo sguardo perso dentro l'oscurità brulicante, conferiva a Parma una vaga aria francese. Prima della greve mole mussoliniana di Teatro Due, svoltò in borgo Salnitrara, ne percorse il breve tratto in discesa e salì al piano. La porta dell'appartamento era aperta su un disordine da trasloco. Dentro, lungo il corridoio, erano impilati plichi di fianco alle porte che immettevano in un paio di camere e nel salotto. C'era odore di chiuso, di polvere e di fumo. Una casa modesta e triste che pareva sopravvissuta a una dignitosa esistenza, ma ora si mostrava spoglia e sbiadita come un vecchio affresco. Sui pochi mobili erano ammassati oggetti di tutti i tipi, e per terra altra cianfrusaglia appoggiata sul pavimento o dentro scatoloni di cartone. Soneri non capiva se era il frutto della perquisizione di Musumeci o se tutto fosse già così da sempre. Eva Chomsky era seduta in cucina di fronte all'ispettore, mentre l'agente della Scientifica, un professorino taciturno ed efficiente che accompagnava sempre Nanetti, trafficava in una delle stanze.

La ragazza possedeva una di quelle bellezze appariscenti e un po' perfide che funzionano da esche nei night. Indossava una vestaglia lunga sotto la quale si intuivano le sue forme generose e osservava Musumeci con uno sguardo indispettito e altezzoso di sfida. Quando entrò Soneri, si girò verso di lui con una smorfia delle sue labbra carnose tra la delusione e il disprezzo. Quindi accavallò le gambe lasciando uno spiraglio da cui si scorgevano le sue cosce lisce e affusolate da ballerina.

Il commissario sfilò una sedia da sotto il tavolo e si sedette.

«In che rapporti era con Giacomo Malvisi?» chiese poi con calma.

«Ancora?» esclamò la ragazza spazientita. E prima di rispondere afferrò il pacchetto delle sigarette, accendendosene una.

«Sono sua amica» rispose infine con l'accento lievemente stridulo dell'Est.

«Abita qui?»

«Non vede?» rispose mostrando se stessa in vestaglia.

«Voglio dire stabilmente» precisò Soneri calmo.

«Vengo spesso. James è amico.»

«Dove lavora?»

«Hoba hoba bar: faccio cameriera dietro banco.»

«È un locale nell'area commerciale ex Salamini, vicino alla tangenziale in direzione di San Lazzaro» intervenne Musumeci lasciando intendere che lo conosceva piuttosto bene.

«Saprà cos'è successo al suo amico...»

«Detto tutto lui» fece la ragazza indicando l'ispettore senza tradire la minima emozione.

«Quando l'ha visto l'ultima volta?»

Eva attese qualche istante prima di rispondere. «Due giorni. Lui passato pomeriggio verso le tre. Io lavoro notte e mattina dormo.»

«Era fidanzata con James?»

La ragazza si girò verso il commissario e alzò leggermente le spalle stupita da quella domanda.

«Io detto: lui amico» rispose infine.

Musumeci lanciò un'occhiata d'intesa a Soneri, invitandolo a lasciar perdere.

«Malvisi le ha mai parlato di minacce?»

Eva alzò lo sguardo verso il soffitto soffiando in alto il fumo senza girarsi. Il commissario ne scrutava il profilo in controluce, con la lunga coda di capelli neri che le penzolava dietro la nuca, e pensava che una donna così potesse avere un ascendente enorme su uno come Malvisi. Forse sulla maggioranza degli uomini a giudicare da come la guardava Musumeci.

«Tutti i posti uno come James poteva avere nemici» disse infine la ragazza.

«Per debiti? O per cos'altro?»

«Lui piaceva belle cose, bella vita» rispose genericamente lei. «Bella vita costa.»

«Si era ridotto male, l'avrà capito...»

«Lui sapeva come fare. Tante volte morto, tante volte ancora vivo.»

«Questa volta non credo» borbottò il commissario sottovoce. «Dove trovava i soldi?»

La ragazza alzò di nuovo le spalle: «Mai chiesto io. Mio mestiere dice non chiedere».

«Era un cliente dell'Hoba hoba?»

«Veniva spesso. Credo suo preferito, ma non solo.»

Soneri scambiò uno sguardo con Musumeci. Si capiva che la cameriera sapeva molto di più, ma non avrebbe aperto bocca. A quel punto entrò l'agente della Scientifica col suo fare che ne aveva del fratino. Eva lo squadrò con disprezzo. A lei dovevano piacere gli spacconi coi soldi tipo Malvisi.

«Io ho finito» disse a bassa voce.
«Anche noi» rispose il commissario.
«Frugato dentro mie cose» ringhiò Eva.
«Continueremo, se non vorrà raccontarci di Malvisi» le tenne testa l'ispettore alzandosi in piedi di fronte a lei con un sorriso di sfida.
Lei lo scrutò e gli rivolse a sua volta un sorriso identico.
Appena furono in strada Musumeci disse: «Ci vuole decisione, con quella».
«Ho capito che tu te ne intendi. L'hai già vista?»
«No, ma conosco il locale: è un posto per nottambuli dove girano coca e prostitute.»
«E tu ci vai a passare del tempo?»
«Un paio di addii al celibato, ma il più delle volte ci sono stato per controlli» minimizzò l'ispettore.
«E hai noleggiato una tipo Eva?»
«Dottore, con tutto il rispetto, mica ho bisogno di noleggiare. Anche se quella è un gran pezzo di...»
Soneri scosse la testa facendo cenno d'aver capito.
«Ma cosa stiamo a interrogare» riprese l'ispettore, «'sto caso è morto, no?»
«Lo faccio per te, Musumeci» rispose Soneri. «Preferiresti incontrare uno spacciatore tatuato e puzzolente? Qui ti lustri gli occhi. E non sono ancora convinto che tu non abbia delibato.»
«Ha notato come accavallava le gambe?»
«Mica sono di legno» rispose il commissario. «Ma ricordati che quella è il tipo "trappola": appena degusti scatta la molla e non ne esci più.»

10

Nel tardo pomeriggio arrivò una telefonata da Pasquariello, il capo delle volanti.

«Ha chiamato il titolare di un'azienda, un tizio gli ha proposto un affare dubbio e, quando lui ha mangiato la foglia, quello s'è dato.»

«Credi che fosse il truffatore?»

«La descrizione fisica corrisponde.»

«Solo quello?»

«Non ti basta?»

«Hai mandato una pattuglia?»

«Sì, ma l'uomo era già sparito. Hanno perlustrato i paraggi: niente.»

«Dov'è successo?»

«Quartiere Montanara. Appena fuori dall'abitato c'è un piccolo insediamento di capannoni che si vede dalla strada.»

Soneri capì immediatamente. Conosceva alla perfezione quel lembo di periferia attraversato dal torrente Baganza e dallo sfregio della tangenziale. Chiuse la telefonata ringraziando Pasquariello e salì in macchina. Passato il ponte Dattaro si sentì a casa. L'oscurità non era un impedimento, immaginava il paesaggio senza vederlo. Scompariva il tempo e restava solo il mondo immobile dei ricordi.

Imboccò via Montanara, ora simile a una vena varicosa coi ridicoli rigonfiamenti dei mini rondò grandi quanto una moneta, e la percorse fino al diradarsi delle case. Più avanti, quasi allo svincolo della tangenziale, s'intravvedeva il Cinghio, un satellite della città nato durante la lievitazione urbanistica degli anni Settanta. Svoltò a destra, percorse un breve tratto sull'argine del Baganza e sfilò di fronte a numerosi capannoni fin quando lesse l'insegna che cercava: GCC, Giordano Cammelli costruzioni.

Il titolare era un tipo alto sui sessant'anni, incarnato scuro e capelli brizzolati. Sul biglietto da visita lesse che era ingegnere specializzato in costruzioni meccaniche. Si accomodarono dentro un box dalle cui vetrate si scorgeva l'officina. Una stufetta elettrica lottava invano con gli spifferi. Si sedettero a una scrivania. Dietro di loro incombeva un grande tecnigrafo.

Cammelli posò le mani tra le carte del tavolo come volesse far leva per spiccare un salto e disse: «Sono certo che quel tizio volesse truffarmi».

«È sicuro?»

«Ci aveva già provato con un paio di colleghi. Ci siamo passati parola: lo stesso metodo.»

«Avrebbe dovuto trovare un modo per chiamarci cercando di intrattenerlo.»

«Come avrei potuto senza insospettirlo?» si scusò l'uomo girando intorno lo sguardo a indicare lo spazio ristretto. «Ho atteso che uscisse e ho fatto subito il numero della questura.»

«Me lo descriva.»

«Alto, magro, un completo blu sotto il cappotto, una cravatta regimental.»

«Vada avanti. Il viso com'era?» lo interruppe il commissario.

«Aveva un paio di occhiali dalla montatura pesante, il pizzetto...» A quel punto l'uomo si interruppe, stupendosi lui stesso di non ricordare altro.

«I capelli? La barba? Il naso? Segni particolari? Nei? Sopracciglia folte?» elencò Soneri.

Cammelli rimase muto e imbarazzato. Non era strano. Il più delle volte i testimoni riuscivano a tenere a mente solo uno o due particolari, mai che ne facessero un quadro completo. Era una delle rare circostanze in cui il commissario riteneva utili i pettegoli.

«Purtroppo quando si cerca di ricordare...» balbettò. «È come quando si sogna: al mattino tutto sfuma.»

«Mi dica dei sospetti» cambiò discorso Soneri.

«Io tratto acciai speciali, materiali molto particolari» cominciò Cammelli mostrandosi stavolta più sicuro. «È roba da esperti.»

«E le è parso che quello non lo fosse?»

«Quando uno ti parla, ti accorgi se si è informato frettolosamente o se quelle cose le ha maneggiate a lungo.»

Il commissario annuì mostrando d'aver capito.

«E poi i prezzi...» riprese l'uomo. «Mi ha proposto barre di acciaio al cromo-molibdeno, al berillio e al vanadio come se si trattasse di banali tondini per l'edilizia. Ho pensato che o li aveva rubati o stava bleffando.»

«E ha immaginato quest'ultima possibilità.»

«Mi sono ricordato del racconto dei colleghi.»

«Ha visto che macchina aveva?»

«Una Mercedes Classe A» rispose prontamente.

«Targa?»

Cammelli scosse la testa. «Troppo scuro, non l'ho vista» si scusò.

«È sicuro che fosse la stessa persona che ha fatto visita ai suoi colleghi?»

«Forse. Anche da loro s'è presentato un tizio alto e magro. Però senza il pizzetto.»

«Rasato o con barba?»

«Uno mi ha detto che la barba ce l'aveva, l'altro no, e nemmeno gli occhiali. Insomma, parrebbero persone diverse» concluse confuso l'uomo.

Tornando, Soneri si scoprì preoccupato di aver messo un piede in quell'inchiesta che tutti schivavano come la rogna. Non voleva tirarla per le lunghe, ma si presentava più complicata del previsto. Gli premeva di chiuderla in fretta per non dar ragione a un paraculo come Calabritti. Si era persino dimenticato per un paio d'ore di Ferrari e del delitto Malvisi. Glielo ricordò Angela, quando si fece viva al telefono.

«Cosa mi dici di Ferrari?»

«Ti ha già informata?»

«È il mio cliente! E tu mi hai messo alle sue calcagna.»

«Lui cliente o tu confidente?»

«Mi avevi chiesto di captare i suoi pensieri e lo sto facendo. Come vedi, mi sono messa al servizio del potere.»

«Ti ha raccontato altro?»

«Forse quello che ha già raccontato a te.»

«Discussioni sul concetto di giustizia...» minimizzò Soneri.

«Ha molta voglia di chiacchierare. Specie con una donna.»

«Cosa intendi dire?»

«Credo che non ne abbia avute molte accanto. Forse nessuna. Solo quella suorina della sorella.»

«Lo immagini o lo sai per certo?»

«Intuito femminile. Voi uomini avete la combinazione facile, più delle valigie coi tre numeri e le rotelline.»

«Con Ferrari ti diverti» disse il commissario. «Non essere troppo crudele.»

«Mai stata crudele con gli uomini» fece lei ammiccante.

«Sì, invece. Ne ho ampia prova.»

«Se è vero, è perché ti è piaciuto che lo fossi. Ci sono uomini così, ma è strano per un poliziotto.»

«Dimmi cosa ti ha detto Ferrari» sviò Soneri.

«No. Te ne parlerò solo quando ci vedremo.»

«Lo vedi che sei crudele?»

«So fare anche di peggio» minacciò Angela congedandosi.

Era ormai buio da un pezzo e solo allora il commissario si accorse che era passata da un po' l'ora di cena. Mangiò un panino frettolosamente e bevve un bicchiere di Sauvignon nel primo bar aperto che trovò, quindi salì in macchina e attese al volante accostato alla chiesa dell'Annunziata. Sperava di poter seguire la Mariani per capire il mistero di quelle sue passeggiate notturne. Intuiva che la donna aveva un legame stretto con i Malvisi. Il vecchio soprattutto, l'artefice della fortuna.

Attese una decina di minuti osservando i pochi passanti di via d'Azeglio: padroni di cani, pattuglie di ragazzi e qualche automobile. Si ricordò che nel retro dell'Annunziata c'era un teatrino dove la domenica pomeriggio suo padre lo accompagnava a vedere lo spettacolo dei burattini. Passarono dieci minuti senza che comparisse nessuno. Dopo mezz'ora la donna non si era ancora fatta viva, ma Soneri sapeva che il mestiere era fatto soprattutto di pazienza, attesa e accelerazioni improvvise. Finalmente vide comparire la Mariani con il solito cappotto e la borsetta stretta al fianco. Doveva conoscere perfettamente gli orari dei bus notturni perché aspettò solo pochi minuti prima che arrivasse. L'orologio della farmacia di fronte segnava le 22.35.

Il bus si avviò. Il commissario lasciò che prendesse un centinaio di metri di vantaggio e si mise in moto a sua volta. Inseguire un bus gli appariva ridicolo, ma a Soneri premeva controllare la fermata a cui la Mariani sarebbe scesa. Il mezzo procedeva lentamente. Superò il ponte di Mezzo, svoltò in viale Mariotti costeggiando il torrente Parma, quindi proseguì su viale Toschi oltrepassando il ponte Verdi tra il palazzo della Pilotta e il parco Ducale, sfilò di fronte alla pensilina delle corriere e approdò alla stazione. Soneri lo seguiva percorrendo le corsie preferenziali, inoltrandosi di nuovo verso il centro attraverso via Verdi, via Garibaldi, il teatro Regio e piazzale della Pace, per svoltare poi in via Mazzini e percorrere via Repubblica fino alla barriera. Ogni volta si chiedeva dove si sarebbe recata la donna, ma nelle rare fermate, più per rispettare gli orari che per qualche viaggiatore, la Mariani non si muoveva dal suo posto. A un certo punto superò il bus per controllare che fosse ancora a bordo. La vide seduta nei posti in fondo col cappotto, le braccia incrociate davanti a sé e le mani presumibilmente sulla borsetta appoggiata alle ginocchia. Seguì ancora il mezzo per una ventina di minuti, finché si trovò di nuovo in via d'Azeglio. Controllò l'orologio sul cruscotto e si rese conto che da oltre un'ora stava alle calcagna di un bus che adesso era ritornato al punto di partenza come nel gioco dell'oca. Soneri pensò che la donna forse voleva solo fare un giro per la città, benché gli apparisse bizzarro. Dunque si aspettava che scendesse dov'era salita. Al contrario, il bus accostò, aprì la porta anteriore, ma non scese nessuno. Il commissario lo seguì ancora fino alla prima svolta e quando il mezzo si mostrò di lato, vide di nuovo la Mariani seduta al solito posto, la testa che spiccava nel riquadro illuminato del finestrino.

Si fece un altro giro della città prima di mollare il colpo, restando appeso a interrogativi e sospetti. L'unica spiegazione che riuscì a darsi era che la donna si fosse accorta del suo inseguimento e non volesse rivelare dove andava. Forse aveva atteso di veder scomparire l'auto del commissario per scendere. Altre motivazioni non ne trovava, a meno di non uscire dal campo di pertinenza della logica. E lui sapeva benissimo che l'umano spesso deragliava in quello sconfinato territorio senza strade né sentieri dove a guidare era una bussola ubriaca sotto un cielo privo di stelle. Investigare diventava a quel punto scalare una parete senza corde: solo perseveranza, intuizione e molta fortuna.

Lo colse allora una sensazione di ebbrezza. Parcheggiò e guardò il cielo che si era abbassato fino a posarsi dolcemente sui tetti accarezzando la città. Nessuna stella, nessun riferimento, solo il suo vagare solitario. Aveva bisogno di passeggiare. In via Farini gruppi di giovani bevevano racchiusi in verande trasparenti riscaldate da fiamme bluastre che guizzavano dentro teche di vetro. Superata la vecchia sede della Banca d'Italia, la via ripiombava nel silenzio. Soneri s'inoltrò sotto un breve tratto di portico buio per poi svoltare verso borgo Felino fino a che si trovò di fronte la vetrina illuminata di un locale che conosceva: La bottiglia azzurra. Dentro, solo pochi clienti e tanti tavoli vuoti ancora con i resti delle consumazioni. In uno il commissario riconobbe Sbarazza. Pareva a suo agio, con la consueta disinvolta eleganza. Soneri si accostò al tavolo e notò sul bordo del bicchiere che l'uomo teneva in mano i segni di rossetto lasciati dalle labbra di una donna.

«Qui hanno un ottimo cognac» salutò Sbarazza mostrando la coppa e invitando il commissario a sedersi con un gesto da ballerino.

Soneri si accomodò dalla parte di tavolo dove erano rimasti una tazza vuota, un bicchiere e un tovagliolo accartocciato tra molte briciole. Sbarazza, invece, degustava a impercettibili sorsi il liquore. Da nobile finito in miseria frequentava locali in cui poteva approfittare di consumazioni lasciate a metà da ragazze e giovani donne. Del suo passato conservava il galateo e una naturale solennità mondana.

«Mi chiedevo dove fosse finito» disse Sbarazza, «era del tutto scomparso dai radar.»

«Sempre su piazza» rispose Soneri.

«Ho temuto le fosse successo qualcosa. Questa città ha dei modi molto subdoli di far fuori le persone: non le uccide, le emargina.»

Soneri ebbe l'impressione che parlasse per sé notando i suoi abiti di alta sartoria, ma ormai lisi, con le maniche lustre ai gomiti e i colletti logori.

«Non mi sono mosso dal mio posto» lo rassicurò Soneri.

«Anch'io» sorrise tristemente Sbarazza, «sempre nobile dentro e poveraccio fuori.»

«Molto meglio della ricchezza sguaiata» considerò il commissario.

«Almeno so immaginare» continuò con gli occhi rivolti al soffitto. «Quando è arrivato lei mi figuravo in compagnia della ragazza che era seduta qui mezz'ora fa. Mi ha suggestionato il suo profumo. È tutto quello che mi ha lasciato in eredità, oltre a questo ottimo cognac.»

«Ho interrotto un'emozione, quindi…»

«Si possono raggiungere vertici di piacere impensabile con l'immaginazione. Ho posato le labbra sull'orma del rossetto ed è stato come se la baciassi.»

«Non pensavo di trovarla qui» disse Soneri.

«Prima ho mangiato al ristorante» fece notare con naturalezza Sbarazza. «Là ho avuto il piacere di sedermi nel posto appena lasciato da una splendida signora di cui ho apprezzato l'aroma di sandalo. Il tovagliolo ne era zuppo e me ne sono ubriacato. Mi è sembrato di rotolarmi nell'erba con lei.»

«Viene spesso qui?» domandò Soneri. «Spero che l'accolgano bene.»

«Qui, sì, altrove non sempre» mormorò l'uomo abbassando per un attimo gli occhi. «*C'est la vie!*» si risollevò subito dopo. «Non possiamo pensare che il mondo sia pieno di pazzi come me» concluse con un sorriso.

«Fossero tutti pazzi come lei!» minimizzò il commissario.

«Sono un francescano senza saio. Ho dato tutto per il prossimo. Cos'è dedicarsi all'arte se non quello? Ho comprato quadri, finanziato artisti, devoluto soldi per musei e fondazioni. Un pazzo!»

Soneri fece un gesto per smentirlo.

«Lei, invece, è un uomo concreto. Si vede anche da quel che beve» riprese Sbarazza indicando il bicchiere di grappa che il commissario aveva ordinato.

«Semplice differenza di estrazione sociale» ribatté Soneri. «Io vengo dalla terra, lei dai palazzi.»

«Lasci stare!» alzò le spalle l'uomo. «Tutto viene dalla terra. Di cosa si sta occupando?»

«Truffe.»

«Io me ne intendo!» scoppiò a ridere. «Ama gli altri e sarai truffato. Solo l'odio ti mette al riparo.»

«Tutti ne abbiamo avuto un saggio.»

«Io non sono riuscito a difendermi.»

«Chi l'ha ingannata?»

«Falsari, compravendite, assegni a vuoto... Di tutto. Al mondo ci sono due generi di persone: quelle che pensano gli altri malvagi e per questo ne diffidano a priori e quelli che pensano che la malvagità debba essere dimostrata. Nel primo caso si previene, nel secondo ci si rode il fegato dopo. Indovini a quale categoria appartengo?»

«Non sembra che lei ci abbia rimesso il fegato.»

Sbarazza lo fissò con un sorriso amaro e rimase in silenzio. Ma era come se avesse parlato.

«Quali sono le truffe che sta seguendo?» domandò poi.

«C'è un tizio, o forse più d'uno, che propone affari appetitosi, incassa anticipi e sparisce.»
«Pensavo qualcosa di più fantasioso.»
«Di fantasioso ci sono solo i travestimenti. Per il resto pesca dal repertorio classico.»
«Un po' se lo meritano, 'sti minchioni» ghignò Sbarazza. «Crede che gli imprenditori siano intelligenti? Mi sono convinto che per fare soldi occorra essere solo cinici, e anche un po' stupidi. Le pare possibile che uno sprechi la vita per accumulare denaro?»
«È una motivazione come un'altra» considerò Soneri. «Meglio che stare tutto il giorno dietro a ladri, assassini o integerrimi delinquenti.»
«Sacrificano tutto per il denaro. Fanno compromessi danzando dentro e fuori dall'illecito e per ripararsi si affidano a quella schiuma putrida di avvocati, commercialisti, tributaristi... Gente sordida che maneggia i codici come carte da gioco. Ma alla fine non sono mai felici» concluse con ilare disprezzo Sbarazza.
«Conosce un certo Malvisi?» domandò Soneri per un'improvvisa associazione di idee.
«Il vecchio Venanzio o il figlio? Ho saputo che è finito male.»
«Conosceva tutt'e due?»
«E chi non li conosceva? Venanzio faceva di tutto per stare nell'ombra ma i soldi l'hanno messo sulla ribalta, il figlio voleva starci, ma i debiti l'hanno fatto scendere.»
«Mi sembra un'ottima sintesi.»
«Il vecchio è nato povero, ha studiato dai preti, poi è diventato ragioniere alle scuole serali. Ha cominciato nel ramo delle assicurazioni, ma l'attività più red-

ditizia è stata quella della gestione patrimoniale. Soddisfare l'avidità altrui tenendo per sé il grasso che ne cola è una delle attività più gratificanti. Gli spilorci ti fanno gli inchini, s'inginocchiano come ai piedi della Madonna.»

«Un uomo abile, persino ammirevole» commentò Soneri.

«I poveri sentono la disperazione vicina e fanno di tutto per allontanarla. Qualcuno ci riesce, ma senza sentirsi mai al sicuro. Per questo niente gli basta mai. È così che nascono le grandi imprese. Invece chi nasce ricco non farà niente se non cercare di conservarsi nella condizione in cui è. Certuni non ci riescono» terminò in tono dolente Sbarazza.

Il commissario lo fissò, poi distolse lo sguardo e non disse niente.

«Incarno i tempi» proclamò poco dopo l'uomo fingendo allegria. «Non è così questo Paese? Schiere di contadini affamati l'hanno costruito sfasciandosi la schiena nelle fabbriche e ora i figli e i nipoti stanno consumando allegramente tutto il grano accumulato. Non è la mia storia questa?»

«Piuttosto è quella dei Malvisi» osservò il commissario.

Sbarazza rifletté per qualche istante. «Almeno io ho sperperato tutto per ingenuità e una buona causa.»

«James molto meno da quel che so» disse Soneri.

«Anche sperperando si possono avere dei buoni o cattivi obbiettivi. Un ingenuo amante dell'arte come me non può essere paragonato a un puttaniere crapulone.»

«James era questo?»

«Dei piaceri non si faceva mancare niente. Come me,

del resto. La differenza sta tutta nel tipo di piaceri che si cerca. Io li cercavo nei musei, lui nei night.»

«E il padre? Tollerava tutto ciò?»

«Venanzio? Era il contrario. Casa, lavoro e messa domenicale. Mai saputo di scappatelle. Ma forse non era nemmeno interessato alle donne. Stava in ufficio fino a tardi e talvolta riceveva i clienti anche di domenica. Era rimasto molto vicino ai preti, che gliene procuravano tanti. Sa quei bigotti che fanno porcate tutta la settimana e poi si lavano la coscienza facendo offerte per il restauro del tetto della parrocchia?»

«È da questa irreprensibilità che nascono i peggiori comportamenti» rifletté Soneri.

«Storie molto comuni» minimizzò Sbarazza.

«Conosce Roberto Ferrari?»

«Quello che ha fatto fuori Malvisi? Ho visto la sua foto sul giornale.»

«Proprio lui.»

«Mi pare di aver visitato una sua mostra fotografica tempo fa. Dai saveriani, in viale San Martino.»

«Quando? Non sapevo di mostre.»

«Ormai è un po', ma non ricordo precisamente. Erano immagini dell'Africa. Non male. I fotografi, con altri mezzi, sono dei narratori. Qualche volta pittori.»

Il commissario restò sorpreso.

«Non pensavo che una persona così timida e schiva potesse mettere in mostra le sue cose» fece Soneri ancora incredulo.

«Siamo prismi di cristallo che il tempo ruota. Riflettiamo di continuo un'immagine diversa» disse infine Sbarazza.

11

«La mascherina, commissario!» urlò il piantone dalla guardiola porgendogliene una attraverso l'apertura del parlatorio.

Soneri l'afferrò in malo modo e se la infilò. Si era svegliato storto e quell'accoglienza aveva approfondito le sue ubbie. Per giunta Juvara non si era presentato in ufficio e Musumeci forse stava ancora sonnecchiando smaltendo la serata precedente. Sedette alla scrivania e si tolse il bavaglio. Doveva riprendere in mano l'inchiesta sulla truffa e risentire tutti coloro che ne erano stati vittime perché Calabritti non aveva stilato nessuna memoria delle loro testimonianze. Vista la pigrizia del collega, dubitava persino che le avesse raccolte. Scorse l'elenco dei truffati e pensò di cominciare a far loro visita in mattinata. Si accese il sigaro approfittando della solitudine mentre sbrigava la corrispondenza. Dopo una decina di minuti entrò un agente con una carpetta e il commissario posò precipitosamente il Toscano nel portacenere. Poi fece un cenno d'intesa portandosi l'indice al naso per suggerirgli di non tradirlo.

«Dottore» fece l'altro indulgente, «fossero questi i peccati qui dentro...»

Soneri aprì la cartella. Juvara gli aveva lasciato un primo stralcio dell'esame svolto sul computer di Malvisi. Conteneva un elenco di nominativi con cifre e date. Il commissario pensò si trattasse di clienti che ancora si affidavano a James per gestire il loro patrimonio. Li scorse rapidamente e si soffermò su un nome: Pizzigoni Ugo. Non ricordava dove l'aveva già letto, ma dopo pochi secondi si diede dello stupido: era nell'elenco dei truffati. Controllò: data di nascita e indirizzo coincidevano. Decise di cominciare da lui.

L'uomo gestiva un ingrosso di giocattoli nell'area artigianale a nord della città, sulla via Mantova. Soneri quasi si perse tra le strade tutte uguali e le costruzioni prefabbricate allineate ai bordi con le facciate grigie dello stesso colore del cielo. Infine approdò in un cortile attratto da un grande pupazzo a forma di topo.

Pizzigoni si mostrò sulla soglia inquadrato dal rettangolo luminoso di una porta di metallo. Soneri scese dall'auto e si presentò.

«Non è lo stesso dell'altra volta» notò l'uomo.

Il commissario pensò che la visita era partita bene: si trovava di fronte uno che almeno sapeva distinguere le facce.

«Ho ereditato l'inchiesta» rispose.

«Il suo collega non ci ha cavato granché» sottolineò Pizzigoni con un filo di disappunto.

Soneri non rispose. Stornò l'attenzione dall'argomento ed entrò subito nel vivo: «Mi descriva il tizio che si è presentato da lei».

«L'ho già fatto a quell'altro. Non ha scritto niente?»

«Lo ripeta anche a me.»

L'uomo lo fissò per qualche istante spazientito. «Uno alto, magro con un filo di barba e due grandi occhiali scuri» elencò.

«Non ricorda niente di più?»

«No.»

«Leggo di un danno di ventimila euro...» finse di consultare un rapporto Soneri.

Pizzigoni fece ruotare la mano per dire che erano molti di più.

«Eravamo sotto Natale e se mi fosse arrivata la merce per la quale avevo versato l'anticipo l'avrei venduta tutta. Così, invece, non ho potuto nemmeno riordinare quella che esaurivo.»

«Che merce era?»

«Modellini di camion, ruspe e bulldozer di una ditta tedesca che va molto di moda tra i bimbi.»

«Non ha avuto sospetti?»

«No, quello parlava bene e conosceva il settore. Mi ha proposto a prezzi vantaggiosi i generi più attraenti.»

«Be', comunque vedo che è rimasto in piedi.»

Pizzigoni fece una smorfia. «Questa baracca non è più mia. Sono un punto di consegna e ritiro di Amazon e quello che vede è stato acquistato da una catena di magazzini all'ingrosso: gli ho ceduto tutto ciò che c'è qui dentro, ormai sono solo una specie di postino.»

«In che rapporti era con Giacomo Malvisi?»

L'uomo sembrò prenderla male: «Che c'entra Malvisi?».

«Risulta che lei si sia affidato a lui per una gestione patrimoniale.»

«Un'altra delle mie disgrazie!» ringhiò Pizzigoni e quasi sputò per terra.

«Altri soldi persi?» lo incalzò il commissario.

«Centosessantamila, il ricavato della vendita di una casa che mi hanno lasciato i miei» rivelò l'uomo guardando torvo il pavimento. «Quando ho saputo che l'avevano ammazzato mi sono detto che un po' di giustizia c'è a questo mondo.»

«Truffato anche da lui?»

Pizzigoni scosse la testa: «Un cialtrone. Giocava a investire senza esserne capace».

«In cosa investiva?»

«Cosa vuole che ne sappia? Il gioco è venuto a galla solo ieri, quando ho saputo della morte e ho cominciato a preoccuparmi. Mi fidavo. Col padre ero sempre andato d'accordo.»

«Da chi ha saputo d'avere perso tutto?»

«Ho chiamato un amico che lavora per una delle banche con cui Malvisi trattava e mi ha detto quello che era riuscito a sapere in via confidenziale.»

«Le ha detto come ha fatto sparire il grano?»

«Da ciò che ha saputo, metteva assieme i soldi di chi si faceva gestire il patrimonio e tentava il colpo grosso. Se disponi di grandi somme ti si aprono parecchie porte e guadagni torrenti di denaro senza muovere il culo. Più rischi e più guadagni, ma quello è un mondo di cannibali e lui era tenero come lo stracchino.»

«Qualcuno l'aveva denunciato?» domandò Soneri.

«Può darsi che qualcuno l'avesse fatto o ne avesse l'intenzione, ma adesso...»

«Non si era mai accorto dei giochi pericolosi di Malvisi?»

«Mi teneva sulla corda, mi rassicurava. Sono certo

che lo faceva con tutti. Diceva sempre che stava combinando un affare milionario e che i soldi c'erano, bastava avere pazienza. Un incantatore. Appena è morto ho capito che tutto era svanito.»

Il commissario scosse la testa incredulo: «Eppure lei è un commerciante, fa affari...» sussurrò.

«Lo so cosa pensa» riprese Pizzigoni vergognandosi un po'. «Io ho cominciato con il vecchio Venanzio. A lui potevi consegnare il portafoglio che non ti trovavi con un centesimo di meno. Poi è arrivato il figlio e all'inizio sembrava che tutto avesse cambiato di passo. Ti inondava di parole e i guadagni sembravano gonfiarsi. Ho capito che qualcosa non andava quando gli ho chiesto di vedere i conti e i rendimenti. Ha preso tempo e rimandato di continuo, ma quando i tuoi soldi sono in mano a un altro speri sempre di riaverli. Così non sono mai andato per le cattive. È come quando giochi e perdi: confidi che la mano dopo ti faccia recuperare il tuo denaro. Così ho atteso. E adesso ho perso anche il rispetto di me stesso.»

Rimasero in silenzio per un po'. Soneri non sapeva se consolarlo o prenderlo a ceffoni. In fondo era un avido come gli altri a cui era girata male. Si congedò deciso a proseguire il giro. Passò da un concessionario di auto di via Mantova che gli raccontò di una falsa fornitura di batterie per auto. Il truffatore era il solito alto e magro, ma questa volta non portava occhiali, bensì un cappello tipo Borsalino e aveva i capelli brizzolati che gli spuntavano folti sotto le tese. Stessa corporatura per colui che aveva truffato la proprietaria di una boutique di borgo Venti marzo. La donna aveva però descritto un uomo coi capelli rasati in contrasto con la barba molto folta e scura. Ascoltò altre due testimonianze. C'era sempre di mezzo un uomo alto e magro, ma con diversi connotati, il che confermava l'idea della stessa persona che di volta in volta si trasformava. Chiese a tutti se conoscessero Malvisi, ma eccetto il titolare dell'ingrosso di giocattoli, nessuno aveva mai avuto a che fare con lui.

La sesta testimonianza che ascoltò, una signora piuttosto procace coi capelli color rame, mutò però il quadro indiziario. Raccontò di aver avuto di fronte un tizio basso e un po' atticciato dall'aspetto lugubre per via degli abiti e della camicia scuri, che si era proposto di acquistare una grossa partita di piante officinali dal suo vivaio per conto di un laboratorio piemontese. Due giorni dopo aveva caricato il tutto sul camion ed era sparito. Anche un altro commerciante in via Paradigna aveva avuto a che fare con un tizio basso e un po' corpulento vestito di nero «che pareva un becchino» disse. Questo confutava l'idea del truffatore solitario. Forse erano due persone ad agire. Soneri però non capiva se insieme o separatamente.

«Penso che sia io che lei ci siamo illusi che fosse tutto molto più semplice» disse la Falchieri al telefono. «In fondo Calabritti aveva le sue ragioni a rimanerci impantanato.»

Il commissario, che aveva completato il giro dei truffati, espose il risultato: nella maggior parte dei casi aveva agito quello alto e magro, ma in quattro circostanze era entrato in azione l'altro.

«Sono propensa a ritenere che siano in associazione»

stimò il magistrato, «non ci sono grandi differenze nella tecnica. Che poi è quella vista mille volte: vendere tenendosi l'anticipo o acquistare portandosi via la merce.»

«Ci vorrà un'esca e aspettare che abbocchi» disse il commissario. «Come a pesca. Questo tipo di caso si risolve così.»

«Mi fido della sua esperienza, sperando che lei abbia ragione» replicò la Falchieri sibillina.

Quando chiuse la telefonata, Soneri si sentì in ansia. L'inchiesta si dimostrava più complessa di quel che stimava. Ci era entrato a cuor leggero, ma adesso capiva che un tale slancio era fuori luogo. E soprattutto rischiava la reputazione, oltre a darla vinta a quel lavativo di Calabritti.

Il commissario aveva trottato l'intera giornata muovendosi da un quartiere all'altro, visitando capannoni e laboratori col sottofondo di racconti tutti uguali, salvo le sembianze dei due misteriosi protagonisti delle truffe. A un certo punto sentì il bisogno di camminare per vuotarsi la mente e non pensare più all'inchiesta. Percorse via Cavour con gli occhi fissi di fronte a sé, ignorando la transumanza di impiegati e commesse che ritornavano a casa dopo il lavoro. Raggiunse piazza Duomo, sedette su una delle panchine di marmo addossate al muro del Vescovado e cercò di ritrovare un po' di armonia nelle forme romaniche e gotiche che parevano messe lì apposta per consolare con la loro bellezza. Le linee perfette che contornavano lo spazio e i volumi dimostravano che il caos poteva essere dominato, purché si avesse un'idea del come. Era quello che mancava al commissario in quel momento.

Si accese il sigaro per rilassarsi. Ciò che lo stupiva era la fragilità delle persone. Pensava ai truffati, a chi si era affidato a Malvisi ignorando che era come puntare alla roulette. Ci volevano anni per mettere assieme soldi e reputazione, ma bastavano cinque minuti per perderli. I truffati erano persone abituate agli affari, persino ciniche, ma con una fenditura nella loro scorza ruvida. Bastava individuarla per azzerare le loro difese e ridurle come le belve spaventate dalla fiamma di un cerino. Immaginava i truffatori, gente della stessa specie capace di usare l'arma della complicità: il comune amore per il denaro, il desiderio di accumularlo con poca fatica e la subdola vergogna per l'illecito di quelle scorciatoie. Un legame sordido simile a quello tra il mandante e il killer. Salvo che, nei casi su cui indagava Soneri, il killer uccideva il mandante e finiva poi lui stesso vittima, come Malvisi.

Dal campanile suonarono le otto e il commissario cominciò a sentire il freddo che saliva dal marmo della panchina. Si ricordò in quel momento che avrebbe dovuto chiamare Angela, ma lei lo precedette.

«Non ti interessa più sapere a che punto è la missione che mi hai affidato?» domandò lei.

«Quale missione?» domandò Soneri preso dalla preoccupazione di aver dimenticato l'appuntamento.

«Quella di far da confidente a Ferrari.»

«Lascia stare» la pregò, «sono stato sciocco a chiedertelo. Non voglio che ti metti nei guai. Già i tuoi colleghi mormoreranno cose malevoli.»

«E chissenefrega!» replicò Angela. «Mica sono scema, non perdo di vista le mie responsabilità professionali rivelandoti cose che vanno contro l'interesse dell'assistito.»

«Vuoi dire che resti avvocato anche a letto con me?»

«Certo» confermò lei con durezza. «Quello che ti dirò è solo ciò che Ferrari mi autorizzerà a dirti.»

«Allora a maggior ragione devi lasciare stare: posso fare da solo» concluse il commissario ferito.

Mezz'ora dopo si ritrovarono in via Costituente, nello stesso locale da cui si poteva spiare l'ingresso del palazzo in cui abitava la Mariani.

«Te la sei presa?» lo interrogò Angela prima ancora di sedersi, vedendolo contrariato.

Soneri alzò le spalle: «Non importa».

«Cerchiamo di tenere separate le nostre vite professionali dal privato» esortò lei con tono dolce.

«Ho sbagliato a chiederti quella cosa» spiegò il commissario. «Ma non è per quello.»

«Per cosa allora?»

«È così difficile poter affidarsi completamente a una persona, anche a chi ti è più vicino. C'è sempre qualcosa di impenetrabile che ti respinge. In definitiva, si resta ogni volta soli. Ci si illude soltanto.»

«Dirti che non ti avrei parlato delle cose tra me e Ferrari ha scatenato tutto questo?» si stupì Angela.

Lui la guardò fisso negli occhi: «No, è stata la tua diffidenza».

«Non sono diffidente con te» si difese Angela.

«Invece sì. Non ti appellavi ai doveri quando ti sei rifiutata di dirmi ciò che ti ha confidato Ferrari, ma diffidavi dell'uso che avrei fatto di quelle informazioni. In quel momento non eravamo più una coppia che non ha paura a mostrarsi, ma io il commissario e tu l'avvocato: due nemici che diffidano l'uno dell'altro. È stato questo a ferirmi.»

«Nemici?» si stupì Angela. «Come puoi pensarmi nemica?»

«Accusa e difesa non lo sono?» replicò Soneri. «Se non sappiamo spogliarci dei nostri ruoli lo siamo. Se nessuno di noi due può dire tutto all'altro significa che continuiamo a recitare la nostra parte anche quando usciamo dal palcoscenico sul quale saltelliamo ogni giorno. Il mondo di fuori ci ha incruditi. Così io resto il commissario e tu l'avvocato. Tu non ti fidi a parlarmi perché temi che io tradisca le tue confidenze e pensi che un poliziotto resta sempre tale anche nudo mentre fa l'amore.»

Angela stava per replicare e fece un gesto un po' goffo, simile all'alzata di mano a scuola, ma Soneri la precedette.

«Fai bene a non dirmi nulla» spiegò con tono improvvisamente più sereno, «so per certo che poi ne sarei condizionato. Pur non volendo tradirti, se sapessi certe cose credo che agirei di conseguenza, sia pure inconsciamente.»

Lei lo abbracciò, ma Soneri stette immobile senza reagire. Allora Angela si allontanò delusa. Rimasero in silenzio fissando l'ampio solco di via Costituente e le facciate delle case di fronte.

«Non dobbiamo più occuparci dello stesso caso» disse Angela.

«Riescono a separarci e a renderci soli. Non riusciamo a liberarci di ciò che ci caricano addosso e alla fine sbattiamo contro l'un l'altra come due pietre» mormorò il commissario. «Ma forse questa è la condizione in cui vivono tutti: è quel che ci tocca.»

Allora Angela lo abbracciò, ma questa volta più veemente, premendolo con il suo corpo morbido, e Soneri le rispose abbracciandola a sua volta pensando che la risposta stava nei gesti, quando le parole falliscono.

12

A un tratto videro uscire la Mariani. Era vestita col solito cappotto e le scarpe col tacco basso per camminare più svelta. Quando chiuse il cancello e s'avviò verso via Bixio, il commissario notò di nuovo che passava la borsetta sul braccio dal lato opposto rispetto alla strada, una precauzione antiscippo.

«Potremmo prendere l'autobus anche noi» propose Angela.

«È meglio se aspettiamo» rispose Soneri pensoso.

«Vuoi stare a prendere freddo?» protestò lei.

«Abbiamo tante cose da vedere» sorrise Soneri.

Angela lo squadrò, incerta se considerarla una battuta o una reale intenzione.

«Vieni» disse lui. E dopo aver pagato, uscirono nel gelo della notte.

«Sono curiosa di cosa mi mostrerai che non conosco» disse la compagna animata da una piacevole ansia.

«Le città di notte ci appaiono sempre un po' straniere» spiegò Soneri. «Il buio le cambia, e non c'è mai lo stesso buio. Anche noi siamo sempre un po' diversi e sfuggenti.»

«Non torniamo sul vecchio discorso» lo pregò Angela.

Da via Bixio giunsero in via d'Azeglio e l'attraversarono imboccando i borghi dell'Oltretorrente. Passarono davanti alla vecchia sede dell'anagrafe, dove per anni era stato custodito l'alfabeto della città, poi alla casa di Arturo Toscanini, una delle tante anime smarrite dell'antifascismo parmigiano. La brezza agitava lievemente la fumana e a un certo punto portò alle loro orecchie degli spezzoni di musica. Svoltato l'angolo si trovarono di fronte la Corale Verdi.

Entrarono mentre le ultime note svanivano. La sala ristorante tappezzata di quadri del maestro era occupata per intero da gente ai tavoli e i camerieri facevano la spola carichi di piatti. Il profumo del cibo ricordò loro di non aver cenato. Si sistemarono sugli sgabelli al banco e ordinarono torta fritta, prosciutto e grana. A corredo una bottiglia di lambrusco che, in onore al locale, si chiamava Otello. Nella sala c'era un piccolo palco che a un certo punto si illuminò. I commensali ammutolirono e l'attenzione cadde su un tizio un po' curvo vestito con colori sgargianti da clown e un cappello a cilindro viola. Si presentò come Pino Silvestre e cominciò a dispensare battute alternando l'italiano col dialetto. Il pubblico sembrava apprezzare, sottolineando con risate e applausi lo spettacolo. Durò una decina di minuti, poi l'attore si ritirò il tempo di lasciare che i camerieri servissero il dolce. Quindi ricomparve, stavolta vestito da montanaro con i pantaloni alla zuava, camicia a quadrettoni e un cappello con la piuma. A ogni uscita interpretava un personaggio diverso e recitava battute in tono. Quando si ripresentò per l'ultimo atto, dopo il caffè e l'ammazzacaffè, si era cambiato di nuovo mostrandosi vestito da zitella pettegola, sciorinando una serie di maliziosi luoghi comuni sul sesso.

Angela sbuffò: «Vorrebbe far ridere?».

Eppure la gente in sala, perlopiù coppie di anziani, si divertiva e applaudiva. Soneri si girò verso il ragazzo che stava dietro il banco.

«Chi è l'attore?» chiese.

«Si chiama Renzo Zerbini.»

«Viene spesso qui?»

Il ragazzo sorrise con un'occhiata d'intesa: «A un certo tipo di pubblico piace».

Il commissario sorrise a sua volta.

«Magari costa poco» considerò.

L'altro sorrise di nuovo e se ne andò senza aggiungere niente.

«Vedi? La città è già cambiata da prima» disse Soneri appena furono fuori.

«Tu la vedi così. Io la trovo uguale.»

A tratti la nebbia incupiva i borghi. Si diradò nello slargo della Rocchetta attorno al monumento a Filippo Corridoni. Stretti fianco a fianco, arrivarono davanti all'Annunciata e aspettarono l'arrivo del bus notturno.

«Ne approfitterò per scendere vicino a casa mia» fece Angela. «Vedo che stasera preferisci restare commissario» aggiunse soffiandogli le parole nell'orecchio per eccitarlo. L'invito rimbalzò contro un grumo di interrogativi che Soneri non riusciva a sciogliere. E per quello si era incupito di colpo.

«Avevi detto che non saremmo tornati su quel discorso» replicò contrariato.

Allora lei si staccò e rimase in silenzio finché arrivò il bus.

Una volta a bordo, il commissario cercò la Mariani. Era seduta nello stesso posto della notte precedente con la borsetta appoggiata sulle ginocchia e le mani intrecciate sopra. La donna diede un'occhiata furtiva ai nuovi arrivati, ma pareva non le interessasse chi saliva o scendeva. I suoi occhi erano puntati sulla città che lei sfiorava con lo sguardo dando l'idea di provarne sollievo.

Il commissario sedette nella fila di destra, mentre Angela scelse la parte opposta. Poco prima gli aveva sussurrato che avrebbero dovuto parere due estranei per dar meno nell'occhio. In realtà quella distanza riassumeva la freddezza che si era improvvisamente insinuata tra loro e che entrambi non avevano saputo fugare. A un certo punto, Angela si alzò, fece un gesto furtivo di saluto e scese. Quando il bus ripartì, Soneri sentì salirgli il rammarico e lo invase un senso di disperante solitudine. Era paradossale misurare l'affetto da quel disagio profondo. Cercò di dimenticare il vuoto improvviso che provava derubricandolo a quei periodici malumori che apparivano scontati come i raffreddori d'inverno. Si girò di fianco sul sedile per poter scorgere di sbieco la Mariani. Fece finta di osservare lo schermo del cellulare volgendo di tanto in tanto gli occhi sulla donna.

Lei appariva impassibile, lo sguardo fisso oltre il finestrino sulla città quieta, sulle strade deserte come torrenti in secca. Emanava un'aura di mistero che attraeva irresistibilmente il commissario. Quest'ultimo si girò del tutto di lato, appoggiò la nuca al finestrino e finse di dormire per poterla osservare con le palpebre semichiuse. Cercava di distinguere le espressioni del suo viso, che variavano impercettibilmente di volta in volta. A tratti i lineamenti sembravano contrarsi in un lieve sorriso, a tratti rabbuiarsi. Andò avanti così per mezz'ora, in quel fermo immagine tra il ronzare del motore e i sobbalzi del bus. Poi successe qualcosa di insolito. Lasciata la stazione, imboccarono via Verdi, quindi svoltarono in via Affò e in quel momento la Mariani si chinò in avanti staccando la schiena dal sedile, si curvò per osservare meglio passando la mano sul finestrino là dove era leggermente appannato. Soneri tentò invano di immaginare il perché di tanto interesse. Avrebbe voluto affrontare la donna e chiedere, ma si rendeva conto che sarebbe stato uno sbaglio. Così come sarebbe stato uno sbaglio restare troppo su quel bus. Rischiava di far insospettire la Mariani di fronte a quello strano passeggero che, come lei, viaggiava senza mai scendere. Così si alzò, finse d'essersi svegliato di colpo e saltò sul marciapiede. Osservò il bus sfilare davanti a lui e dal finestrino dietro il quale era seduta la donna scorse il suo sguardo passare oltre e posarsi sul fondale di case a ridosso della strada. Il commissario rimase impalato per qualche secondo, poi, girandosi, si trovò di fronte il colonnato del teatro Regio.

La notte dormì male. Il litigio con Angela, la Mariani che viaggiava nel buio e l'inchiesta che non si risolveva lo rendevano inquieto. Si alzò presto ritrovando la stessa oscurità di quando si era coricato. L'alba, col suo carico di aspettative, accentuava l'ansia che l'aveva tenuto sveglio. Uscì e camminò per sfogare l'inquietudine finché vide spuntare una luce grigia sulla cupola della chiesa della Steccata. Solo la telefonata della compagna riuscì ad allentare il malumore.

«Com'è andata con la Mariani? L'avrai mica abbordata» chiese lei scherzosa.

«Avrebbe pensato male di me. Troppo banale un approccio sull'autobus. Mica voglio rovinarmi la reputazione» rispose con lo stesso tono il commissario di colpo rasserenato. Angela sapeva confinare i malumori dentro le pause naturali del loro rapporto senza che si spargessero, avvelenando a lungo l'umore di entrambi. Sapeva voltare pagina ed era quel che ci voleva per Soneri.

«Non è mai scesa» aggiunse. «Io ho dovuto farlo per non insospettirla.»

«Sei riuscito ad appassionarmi» riprese lei. «Ho in mente un gioco che potremmo fare io e te.»

«Quale sarebbe?»

«Potremmo salire e scendere separatamente dal bus notturno quando c'è quella donna. Ci fingeremmo passeggeri casuali che vanno e vengono nella notte, ritrovandoci insieme una volta da una parte, una volta dall'altra come due estranei che si conoscono lì. Poi scendiamo alla stessa fermata e saliamo da me. Mi eccita già pensarci.»

Il commissario disse che gli sarebbe piaciuto, anche se pensava che non avrebbe portato a nulla, eccetto una stuzzicante conclusione di serata a casa di Angela. Ma fu la promessa con cui si congedarono. Subito dopo, una segnalazione lo distolse nel momento in cui stava chiedendo a Juvara novità sul computer di Malvisi. Al centralino un tal Pezzani, commerciante di formaggi all'ingrosso, aveva segnalato la visita di un tizio che gli aveva proposto l'acquisto di una partita di fontina chiedendo un anticipo piuttosto cospicuo. Si fece dare l'indirizzo: l'ufficio era in borgo Tommasini al 12, a due passi dalla questura. Pezzani, un uomo sui quarant'anni, lo accolse ostentando calma.

«Nel mio settore ne ho incontrati parecchi di questi imbonitori e so come trattarli» esordì l'uomo assumendo un'aria vissuta.

«È sicuro che fosse lo stesso tizio che stiamo cercando?»

«Non del tutto. Questo era alto, ma non certo magro.»

«Robusto? Con la pancia?»

«Con la pancia. Sa quei ventri da bevitori che paiono gravidi?»

Soneri, deluso, restò in silenzio per qualche istante.

«L'ha visto in viso?»

«Aveva la mascherina. Sa che adesso è di nuovo obbligatoria al chiuso. Lei, per esempio, dovrebbe indossarla.»

«Con che nome si è presentato?»

«Zambeccari, Zanlari... Una roba del genere. Ho capito subito che era un peracottaro: scarto a priori chi mi propone prezzi stracciati ed è persino disposto a renderli trattabili» spiegò Pezzani.

Il commissario pensò alla mascherina. Adesso che bisognava indossarla, i delinquenti la usavano per non farsi riconoscere. Erano già al terzo rapinatore che si presentava con un gran bavaglio dal mento agli occhi e una siringa in mano.

«Ha visto se aveva una macchina?»

«No. A meno che non l'abbia lasciata in una strada qui vicino.»

Soneri pensò alla descrizione che non collimava e ai vari nomi con cui il truffatore si era presentato. Il quadro s'ingarbugliava. L'uomo che aveva di fronte a un tratto sorrise.

«Gli ho preparato una trappola» annunciò complice.

«Vorrei farlo anch'io» confidò il commissario.

«Alla fine vi avrei coinvolto. Non si può farne a meno.»

«Come pensa di incastrarlo?»

«Gli ho detto che avrei meditato sulla proposta, chiedendogli di tornare a trovarmi. Questa volta nel magazzino di Vicofertile. Lì è più difficile eclissarsi. Appena mi darà appuntamento vi chiamo e sarà facile pizzicarlo.»

Soneri si congedò dal commerciante con l'intenzione di tornare in questura, ma a metà strada Angela lo richiamò.

«Ferrari vuole vederti» gli annunciò.

«Mi ha preso per un taxi?» rispose seccamente il commissario.

«Fai come vuoi. Eri così interessato...»

«C'entri tu? C'hai messo del tuo?»

«Ma no» fece Angela poco convincente. «Credo voglia farti capire che è una brava persona, benché a un certo punto abbia commesso uno sbaglio.»

Appena riattaccò i pensieri tornarono al truffatore. Ricapitolò: finora le descrizioni avevano appurato che agivano due persone: uno alto e magro e l'altro più basso e tarchiato. Adesso se ne aggiungeva un terzo, alto con la pancia. Senza contare la complicazione della mascherina che oscurava molti particolari. Non aveva nemmeno mezza traccia nella stessa direzione. Se avesse dovuto rappresentare lo stato delle cose avrebbe disegnato un garbuglio.

Senza averne intenzione, confuso da quei pensieri, aveva però proseguito camminando sotto i portici di via Mazzini e si era trovato in via Bixio. Già vedeva sullo sfondo la vecchia barriera come un enorme cancello al limitare della città vecchia. Avanti cento metri c'era la casa di Ferrari, un po' scostata dalla strada e quasi in disparte. Con la sua aria mesta e retrò gli ricordò una vecchia vedova. Gli aprì la porta Artenice, vestita come la volta precedente, muta e solerte. Questa volta si accomodarono in salotto al centro del quale un tavolo ovale laccato avrebbe voluto ambire al ruolo di un Luigi XVI. Le sedie avevano le molle ormai esauste e nella stanza l'odore di chiuso si mischiava a quello di vecchi liquori che s'intravvedevano dal vetro del buffet.

«Stamattina avevo voglia di camminare lungo il torrente e di respirare la nebbia» disse Ferrari osservando con nostalgia il grigio oltre la finestra.

«È uno dei miei piaceri preferiti» rispose Soneri.

«È strano come possa attrarci una cosa che la maggioranza delle persone detesta» proseguì l'uomo.

«Solo chi ci è nato» fece notare il commissario.

«E chi ha senso estetico. Per l'immagine, dico» aggiunse l'uomo.

«Mi aveva detto che lei ama la fotografia. Quello che non sapevo è che facesse mostre.»

Ferrari fece il gesto di minimizzare: «Per beneficenza. Me l'hanno chiesto i padri saveriani. I soldi servivano per le missioni».

«Dove andava spesso.»
«Oh, sì! Spesso» rimarcò l'uomo con gioiosa nostalgia.
«Solo per fare foto?»
«No, macché! Lavoravo. Le foto le scattavo lì per lì. La fotografia non devi cercarla, viene da sé. Ti si presenta per un attimo e poi fugge. Tu devi coglierla, ma solo chi sa riconoscerla può farlo. È quel momento in cui si concentra il tutto: la vita, il tempo e il senso delle cose. Un'apparizione che non dura. Per quello mi portavo sempre la macchina dietro, pronto a carpire quella luce improvvisa. La fotografia è l'unica arte nella quale non devi fare niente, solo aspettare.»
«Se è per quello, anche investigare è attendere» fece notare Soneri.
«Non esattamente. Lei ordisce agguati, nel mio caso è la realtà che decide di svelarsi. Come una confidenza sussurrata all'orecchio.»
«Ha ragione» convenne il commissario, «lei è un artista e coglie il meglio, io tendo trappole e acchiappo il peggio.»
«Non si sminuisca. La miglior dote di un investigatore è la fantasia» disse Ferrari accompagnando il tono allusivo con un sorriso.
Il commissario lo fissò cercando di capire.
«Lei riesce a sconcertarmi» affermò. «Nemmeno il più fantasioso degli inquirenti riuscirebbe a catalogarla come un assassino.»
«La sorprendo, vero?»
«Come tutto ciò che è inconsueto, controcorrente. Lei viaggia contromano sulla strada del delitto.»
«Non sono così gli omicidi casuali?»

«Forse» rispose pensoso Soneri. «Ma non hanno il suo candore.»

Ferrari apparve colpito da quelle parole. Divenne serio, girando lo sguardo di lato. In quel momento entrò la sorella con il vassoio di peltro opaco. Depositò un paio di bicchieri da liquore e una bottiglia a metà di un liquido scuro che sembrava nocino. Ferrari l'afferrò e fece l'atto di versare al commissario, che lo fermò con un gesto.

«Non sa che la nostra essenza è la contraddizione» riprese l'uomo.

Il commissario scosse la testa dubbioso.

«La più grossa è questo sbattersi sapendo che è tutto vano. Se non è contraddittorio tutto ciò... Non sarebbe più coerente l'indifferenza? La divina indifferenza di Montale» cantilenò Ferrari.

«Lei non è stato indifferente: ha ucciso per soldi.»

«Ho reagito di fronte a un furto. Non ho voluto ciò che non era mio, ho punito chi ha sottratto ciò che mi apparteneva.»

«E da cristiano lei ha valutato che un furto valesse una vita?»

«Gliel'ho detto che siamo fatti di contraddizioni. Ma quei soldi servivano a salvare vite. James li ha sperperati per godere di futilità. È stato questo disprezzo per la vita a farmi prendere la sua.»

«Cosa intende per salvare altre vite?»

«Avrei donato quei quattrini alla missione di Adua. Servivano a costruire un piccolo ospedale e una scuola. Là i bambini muoiono di dissenteria. Li ho visti liquefarsi a poco a poco. La loro giovane vita scivolare via dal culo e i loro occhi divenire sempre più grandi, fino a spegnersi sul viso che si fa sempre più piccolo.»

Ferrari si era ammutolito di colpo. La testa gli era crollata sul petto come se si fosse assopito.

«Non so perché le dico queste cose» riprese poco dopo sussurrando. «Credo sia l'urgenza di spiegare. Non sto parlando all'uomo di legge. Vorrei che capisse che parlo con lei perché fin da quella volta che si è fermato davanti a quella panchina ho intuito un'umana comprensione.» Ferrari sollevò lo sguardo di scatto e aggiunse con un'espressione di terrore: «Ho sbagliato?».

Il commissario si era alzato nel frattempo. Lo fissò a sua volta: «No, non ha sbagliato» rispose.

Dopodiché, per vincere l'imbarazzo che si era creato, Soneri si avviò senza dire una parola. Nel corridoio gli si avvicinò Artenice. Lo accompagnò alla porta, l'aprì e come la volta precedente, sulla soglia, sussurrò: «Dio lo assolverà, ne sono sicura».

Il commissario assentì e scese le scale mentre la donna richiudeva piano la porta.

13

Tornando in questura, Soneri ripensò alla trappola. In quella mattinata era stata una sorta di ritornello e alla fine si era convinto che poteva essere il modo migliore per incastrare il truffatore. Almeno fin quando non gli fosse venuta un'idea più brillante. Una volta in ufficio convocò Musumeci e Pasquariello. Aveva bisogno di un numero di pattuglie sufficienti per tener d'occhio i possibili bersagli. Appena fosse giunta la segnalazione di un sospetto la tempestività sarebbe stata determinante. Musumeci prese così a studiare i luoghi dove l'uomo avrebbe potuto colpire. Visto che aveva quasi sempre preso di mira il commercio all'ingrosso, decisero di puntare su quello.

«Fossi in lui anch'io farei la stessa scelta. Il rischio è identico, dunque tanto vale mirare dove si può fare più grano» concluse l'ispettore.

Poco dopo quest'ultimo cominciò a tracciare dei cerchi sulla cartina della città fotocopiata da un vecchio elenco telefonico. Corrispondevano a dieci magazzini, compreso quello di Pezzani, visto che il truffatore aveva promesso di ripresentarsi. Erano quasi tutti in periferia, il che rendeva l'operazione più difficile per via delle distanze che ciascuna pattuglia avrebbe dovuto coprire in caso di allarme.

«Non sono sicuro che ci proverà in uno di questi» avvertì Musumeci.

«Nelle indagini ci vuole anche culo» rispose Soneri.

Bisognava solo attendere. Come il ragno sorveglia la tela.

Approfittò della pausa per esaminare il dossier che si era fatto preparare da Juvara su Malvisi. James possedeva un discreto curriculum. Tre anni prima era stato arrestato per cessione di stupefacenti. Aveva organizzato una festa con gli amici a base di cocaina e puttane. Una di queste si era sentita male e in un batter d'occhio, non invitata, si era presentata la polizia. C'erano poi tre denunce per conti non pagati. Uno in un ristorante di Punta Ala per cinquemilacinquecento euro, saldati poi in seguito a un'ingiunzione. Gli altri due in hotel a Porto Cervo e a Nizza, anche questi pagati dopo l'intervento dell'autorità. C'erano poi un paio di denunce per guida in stato di ebbrezza con ritiro della patente e un oltraggio a pubblico ufficiale per aver insultato un vigile urbano. Il dossier annoverava anche controversie col fisco per tasse evase e altri contenziosi con alcuni Comuni per un cumulo di multe in sospeso.

«Un cittadino esemplare!» commentò Juvara.

«Non hai ancora capito che in questo Paese l'importante è fottersene» replicò il commissario.

«Noi non dovremmo dirle queste cose» si oppose l'ispettore mentre sul suo viso era apparso un lieve candore che intenerì Soneri.

«Era solo per farti capire che essere stronzi conviene. Ci sarà sempre qualcuno che ti condona tutto. È bene che tu lo sappia, così non ti fai il sangue marcio.»

«A Malvisi mica hanno perdonato» fece notare Juvara.

Il commissario pensò per un attimo a Ferrari e al suo personale senso della giustizia.

«A qualcuno va storta» tagliò corto rimettendosi a leggere il dossier.

Era impressionato dalla vorticosa girandola di beni che erano passati dalle mani di James. Le auto di lusso dovevano essere un'ossessione: Mercedes, Maserati, Porsche, BMW, Lotus, Lamborghini e persino una Ferrari. Due barche da quindici metri ormeggiate a Lerici, una casa in affitto a St. Moritz, un dammuso a Pantelleria, una villa sulla Costa Smeralda. Il resto doveva averlo sperperato con le donne, ragazze noleggiate tutto compreso per viaggi e vacanze.

Posò i fogli sulla scrivania con un misto di nausea e ammirazione. Malvisi era nato ricco ma forse povero di affetti. La madre era morta quando lui aveva tre anni e il padre doveva essere troppo impegnato ad accumulare denaro per occuparsi di lui. Forse, per rimediare alla mancanza di attenzioni, lo aveva viziato coprendolo di doni fino a imprimergli la consapevolezza che si possa avere tutto.

Soneri cercò di immaginare l'infanzia di Malvisi mentre si accendeva il sigaro nel vano della finestra semiaperta. Dopo pochi istanti entrò Musumeci.

«Le pattuglie sono disposte in zona» spiegò, «ciascuna sa qual è l'obbiettivo e resta a girare lì intorno.»

«I proprietari dei magazzini sono stati avvertiti?»

«Tutti» rispose l'ispettore. «Spero abbiano i riflessi pronti.»

A un certo punto comparve anche Nanetti con il viso nascosto dalla mascherina. Appena dentro si guardò intorno, soffermandosi sul commissario e Musumeci.

«Se scoppia un focolaio qui dentro, sappiamo a chi dare la colpa» mugugnò.

«Io sono già considerato un untore e non ho niente da perdere» ribatté Soneri. «Basta stare lontani e non baciarsi in bocca.»

Nanetti contrasse il volto sotto la maschera, sdegnato.

«Fosse per me, ti starei lontano il più possibile.»

«Nel caso mi prendessi una pallottola, ti dispenso dall'assistere alla mia autopsia.»

«Lo farei solo da dietro un vetro» si schermì Nanetti.

Il commissario spense il sigaro strofinando la brace sul marmo del davanzale e chiuse la finestra. Poi indossò la mascherina e sedette alla scrivania.

«Ci guadagni con quel bavaglio» riprese Soneri, «il tuo punto debole era il naso e così lo copri. Se ti presenti in questo modo da Capuozzo potresti sedurre sia lui che la sua segretaria.»

«Fanculo» borbottò Nanetti, «mi si appannano gli occhiali e non vedo un cazzo.»

«Prenditela con i tuoi colleghi virologi. Voi scienziati non fate che complicarci la vita.»

«Su questo hai proprio ragione» convenne Nanetti aprendo una cartella che aveva posato sulla scrivania. «Sono venuto per il caso Malvisi.»

«Cos'è? Ci sono dubbi?»

«No, anzi. Conferme, direi. Come già sapevi, le impronte sull'arma e in giro per lo studio sono di Ferrari, ma ti avevo detto che avevamo trovato dei capelli.»

Il commissario assentì.

«C'era anche una gomma da masticare nel portacenere» proseguì Nanetti. «Ci è venuta voglia di analizzare il DNA anche di quella e abbiamo fatto una scoperta che ci ha sorpreso.»

Soneri si fece attento e con un cenno invitò il collega a proseguire.

«In entrambi i casi, abbiamo trovato tracce di due DNA distinti.»

«E com'è possibile?»

«Ci possono essere più cause, ma la più probabile è quella di un trapianto. Sai se Ferrari ne ha subito uno?»

Il commissario scosse la testa: «Lo ignoro, ma non sarà difficile accertarlo. Un rene, forse?»

Questa volta fu Nanetti a scuotere la testa: «I casi più frequenti di doppio DNA accertati derivano dal trapianto di midollo».

«Avete analizzato anche la gomma da masticare? Sicuri che non ci fosse un altro?»

«Sono gli stessi DNA» rispose il collega con puntiglio. «Cosa pensavi? Che Ferrari avesse masticato un po' la gomma e poi l'avesse passata a qualcun altro? Comunque abbiamo già chiesto un prelievo di saliva per il confronto, anche se è uno scrupolo.»

«Due DNA ...» sussurrò tra sé Soneri stupefatto. «Notizie sorprendenti come queste rendono sopportabile il mestiere.»

«Per me lo rende sopportabile lo stipendio» borbottò il collega.

«Non sai mai cosa trovi quando ficchi il naso nelle vite delle persone» riprese il commissario. «L'intimità è uno scavo archeologico.»

«Più intimo di così» convenne Nanetti. «Hai avuto anche fortuna.»

«Sono solo meravigliato.»

«Pensa se l'assassino fosse stato un professionista di quelli che non trascurano niente e non lasciano impronte. Oppure se si fosse trattato di una violenza sessuale. Chi avresti incriminato? Il DNA uno o il DNA due?»

Soneri rifletté per un attimo e sorrise pensoso. «Lo vedi com'è tutto imprevedibile? È questa la cosa straordinaria.»

«Io ci vedo solo una gran rogna.»

«Invece ti piace. Anche tu hai bisogno di un rovello nel quale impigliarti. Finiamo tutti per giocare anche da grandi. Chi lo fa con le motociclette e chi con qualche sfida intellettuale.»

«Se devo mettermi a pensare preferirei farlo nel mio buco di Moneglia guardando il mare seduto contro un muro al sole. Sai quanti pensieri ti vengono? Che poi se li porta via la fame, quando senti il profumo della frittura che esce dalle finestre verso la mezza» ribatté Nanetti dissacrante.

«La mezza è adesso» notò Soneri sbirciando l'orologio. «Ce ne andiamo da Bruno?»

Nanetti si alzò convinto, ma mentre stavano avviandosi per uscire, squillò il telefonino di Soneri.

«Dottore, forse ci siamo. Stiamo seguendo un tizio sospetto entrato in un magazzino di ferramenta in via Emilia a San Pancrazio.»

«È uno degli obbiettivi che sorvegliamo?»

«No, ma potrebbe essere il nostro uomo.»
«State all'erta, io arrivo» disse il commissario lanciando un cenno dispiaciuto a Nanetti, che salutò a sua volta con un cenno.
Uscì in fretta e si mise al volante. Attaccò il cellulare al supporto e s'infilò l'auricolare. San Pancrazio non era altro che un doppio orlo di case alla via Emilia. Il magazzino di ferramenta doveva essere uno di quei capannoni di cemento con le insegne a bandiera a occhieggiare verso la strada. Scorse infatti la scritta da lontano, ma prima ancora vide l'auto di Musumeci parcheggiata dall'altro lato. Anche Soneri parcheggiò senza scendere. Preferì telefonare all'ispettore per non destare sospetti semmai ci fosse stato in giro qualche complice a far da palo.
«Siamo in attesa» spiegò sussurrando quest'ultimo.
«Pensi che ci senta da là e riconosca la tua voce?»
«È la tensione, dottore.»
«Da quanto siete qui?»
«Da mezz'ora.»
«Possibile che non sia ancora uscito?»
«Nessuno l'ha visto. I colleghi delle volanti mi hanno garantito che corrispondeva alle caratteristiche del nostro uomo.»
Aspettarono ancora un quarto d'ora e il commissario cominciò a essere impaziente. Alla fine aprì la portiera di scatto e s'incamminò a piedi verso il magazzino. Le sventagliate d'aria dei camion di passaggio gli maltrattarono il bavero. Entrò nel magazzino composto da file ordinate di scaffali. Tra questi si aggiravano tizi dall'aria competente. Da una specie di guardiola sbucò un uomo piuttosto grasso e completamente calvo.

Soneri si presentò.

«È successo qualcosa in paese?» chiese l'uomo incuriosito.

Il commissario restò in silenzio per qualche secondo.

«Abbiamo notato un tipo sospetto entrare qui... La descrizione coincideva con un truffatore che stiamo cercando.»

«Qui entrano in tanti!»

«Uno alto e magro. Parlo di tre quarti d'ora fa.»

«Ah! Era un rappresentante di rubinetteria.»

«E dov'è adesso?»

«È già uscito, saranno dieci minuti.»

«Non l'abbiamo visto uscire.»

«È passato dal retro. Ha detto che aveva la macchina da quella parte.»

«L'aveva mai visto prima?»

«No, mai. Mi ha detto che ha avuto questa zona da pochissimo.»

«Le ha detto come si chiama?»

L'uomo estrasse di tasca un biglietto da visita e lo porse al commissario. Quest'ultimo lesse: RINO ZANIBONI, RUBINETTERIE STELLA.

«Le ha proposto una grossa vendita? Voglio dire, una fornitura di importo superiore al normale?»

«No. Niente di diverso da tutti gli altri rappresentanti» strinse le spalle l'uomo. «Mi ha lasciato parecchi cataloghi.»

«E basta?»

«Che altro vuole che facesse? Gli ho detto che la sua ditta concede poco margine di utile a noi grossisti.»

«E lui cosa ha risposto?»

«Che potevamo metterci d'accordo.»

Soneri uscì furibondo. Passò davanti all'auto di Musumeci senza fermarsi né volgere lo sguardo. L'ispettore aprì la portiera di scatto e lo rincorse.

«Vuole spiegarmi?»

«Se era lui ci ha fregati» sibilò il commissario.

«Ma dov'è finito?»

«E chi lo sa? Se n'è andato dieci minuti prima che entrassi.»

«Nessuno l'ha visto.»

«Appunto. Se l'è filata dal retro.»

«Purtroppo il titolare non era tra quelli che avevamo messo in preallarme. Ha provato a truffarlo?»

«Pare di no. Si è limitato a lasciare dei cataloghi e un biglietto da visita. Si è spacciato per un rappresentante.»

«Potrebbe essere davvero un rappresentante» ipotizzò Musumeci. «Può averci tratto in inganno la somiglianza col nostro uomo.»

«Non so perché, ma ho la sensazione che non sia così» stimò Soneri. «Comunque, questo è il nome con cui si è presentato» aggiunse porgendo il biglietto da visita all'ispettore. «Vedi un po' di capire chi è.»

«Crede che si sia trattato di un falso allarme?» domandò con un po' di apprensione Musumeci.

Il commissario attese qualche istante prima di rispondere poi disse: «No, non credo».

14

Il malumore l'aveva così attanagliato che saltò il pranzo. La fame e il malumore erano per Soneri due fattori incompatibili: non potevano coabitare nemmeno per frazioni. Così si ridusse in un bar scalcinato sulla via Emilia limitandosi a bere una Malvasia e a piluccare da un sacchetto di taralli pugliesi. Poi sentì il bisogno di camminare, quindi tornò in città. Percorse via Melloni, passò di fronte al vecchio Circolo di lettura ricordando quando i giornali di carta contavano ancora, e sfociò in piazzale della Pace. Oltre il monumento a Verdi dovette farsi largo tra una comitiva di turisti davanti all'hotel Stendhal prima di giungere all'angolo con via Affò. Senza premeditarlo, la curiosità l'aveva portato nel luogo che aveva destato l'attenzione della Mariani nei suoi giri notturni. Non era sicuro di dove si fosse posato esattamente lo sguardo della donna. C'erano almeno due o tre ingressi che potevano essere il bersaglio della sua curiosità. Soneri li passò a uno a uno, osservando i campanelli e le due vetrine sulla strada. Niente che potesse spiegare l'interesse della Mariani. Sembrava tutto a posto salvo una macchia rettangolare più chiara sulla facciata del numero 3 di via Affò dove pareva avessero staccato una targa. Si notava il posto vuoto a metà tra altre insegne di un notaio, di una commercialista e di un paio di avvocati.

Quell'impronta chiara gli pareva una finestrella che invitava a guardare. Salì i tre gradini dell'ingresso deciso a chiedere, quando il telefonino lo distrasse. La voce affannata di Musumeci lo investì: «La pizzeria di piazzale Bottego...» gorgogliò a fiato strozzato l'ispettore che stava correndo. Si sentiva il suo passo pesante sul selciato.

«La pizzeria cosa?» domandò Soneri.

«La pizzeria davanti alla stazione» soffiò fuori le parole Musumeci. «Un tipo alto e magro... Ci sono le volanti...»

Il commissario chiuse la telefonata senza aggiungere altro. Da via Affò sarebbe arrivato alla stazione in pochi minuti. Corse attraversando il viale in tempo per vedere un tizio che scappava correndo sulle lunghe gambe da giraffa. Lo inseguivano due agenti, mentre altri si appostavano ai margini del piazzale bloccando le possibili vie di fuga. Sotto il portico un gruppo di senegalesi osservava con apparente apatia, appoggiati con le spalle al muro. Il fuggitivo correva forte, girava intorno ai lampioni e ingannava gli agenti con finte e cambi di direzione. Sembrava un'azione di rugby, non fosse che l'uomo era costretto a girare in tondo, ormai accerchiato. Alla fine stramazzò col fiato corto placcato da uno degli agenti. I poliziotti gli misero le manette mentre Soneri si avvicinava. Quando se lo trovò di fronte, capì con un'occhiata che non poteva essere l'uomo che cercavano.

«Questo è un tossico» liquidò la faccenda scrutando il viso emaciato, gli occhi spenti e i denti cariati.

Uno dei poliziotti fece scorrere la manica fino al gomito: il braccio era violaceo.

Il commissario perse ogni interesse. Non era più un affare suo. Mentre se ne andava sentì il proprietario pakistano della pizzeria che diceva di essere stato minacciato con una siringa. Per un attimo fu tentato di chiamare Pasquariello per chiedergli di dare una calmata ai suoi. Ormai vedevano il truffatore in ogni dove. La città pareva ronzare di una tensione elettrica e tutto ciò gli creava una molesta apprensione. Già si sentiva paragonato a Calabritti: tutt'e due sprofondati nello stesso buco nell'acqua.

Una volta in ufficio, fu Pasquariello a telefonargli.

«Vi abbiamo fatto correre invano voi della Mobile» esordì.

«Lascia stare, ormai è un'ossessione per tutti» disse Soneri ancora impigliato nel suo malumore.

«Ogni tizio alto e magro...» riprese il collega. «I miei hanno addosso la pressione del questore. Ogni volta ripete che ci stiamo caricando di ridicolo. Li hai letti i giornali?»

«No, sono già abbastanza incazzato» sibilò il commissario.

«Non fanno che dell'ironia coi soliti luoghi comuni: la primula rossa, l'imprendibile, la volpe della truffa...»

«Originali!» commentò Soneri sforzandosi di minimizzare.

«Mi sono chiesto una cosa: che fine ha fatto l'altro?» riprese Pasquariello.

«L'altro chi?»
«Non ricordi che erano due? Uno più basso e tarchiato? Stessa tecnica, ma azioni distinte.»
«Il becchino» mormorò tra sé il commissario.
«Il becchino?» ripeté Pasquariello.
«Sì, quello basso si presenta vestito di nero. Forse ha sentito che non è più aria, vista la caccia grossa che abbiamo scatenato, e si sarà preso una pausa» dedusse. «E poi quanti ce ne sono? Se c'è una cosa che non manca in città sono i truffatori, pensa alle banche...»
«Forse» fece dubbioso Pasquariello. «Se ha un briciolo di cervello ed è meno disperato...»
«Pensi che quello ancora attivo sia uno alla canna del gas?»
«A differenza di te ho a che fare con questi delinquenti mezzasega. La pandemia ha moltiplicato la disperazione e per giunta la mascherina rende più difficile il nostro lavoro. Hai notato che non riusciamo più a fare un identikit?»
«Giriamo sconosciuti gli uni agli altri, ma forse non è molto diverso da prima» scappò detto al commissario.
«Stavamo parlando di connotati» lo riportò al tema il collega.
Soneri emise un mugugno che significava un assenso: «Già i testimoni fanno fatica a ricordare e adesso che rimangono scoperti solo gli occhi...».
«Prima o poi cascherà nella rete» concluse Pasquariello. «Se è un disperato come penso, l'errore lo commette. Sono tutti affetti da bulimia per le stronzate, e più ne fai più rischi.» Il commissario si augurò che il collega avesse ragione. Quando chiuse la telefonata, ri-

pensò al "becchino". Questo non doveva essere un bulimico, piuttosto un ragionatore. Uno che forse non aveva bisogno di soldi nell'immediato. Del resto la truffa è un'attività che richiede pianificazione e il risultato non è istantaneo, spesso richiede tempo.

Soneri venne distratto dalla porta che si aprì. Juvara si stupì di vederlo in ufficio.

«Cercavo giusto lei» disse l'ispettore.

«Non dirmi che il mandante è Capuozzo.»

«È inferocito perché tutta la stampa lo sta prendendo di mira.»

«Per via di 'sto truffatore?»

«Per quello, ma soprattutto per ciò che ha detto in conferenza stampa alcuni giorni fa.»

«Ha sempre necessità di dar aria ai denti» grugnì il commissario.

«Ha ripetuto più volte che il cerchio si stava stringendo. Lo diceva già dai tempi in cui indagava Calabritti e alla fine i giornalisti si sono rotti. Non ha letto i titoli di oggi?»

«La mia salute mentale me lo proibisce.»

«*Un cerchio stretto sul niente, Il cerchio racchiude un buco, Chi accerchia troppo nulla stringe*: ecco cos'hanno scritto i giornali.»

Soneri fece cenno di smettere. «Adesso ce l'avrà con me che non sto concludendo una cippa» disse.

«Temo che non esiterà a scaricare le colpe. Dovrebbe conoscere più di me come si comportano quelli che comandano.»

«Mi cercavi per questo?» chiese il commissario.

«No, volevo dirle che ho concluso un primo esame del computer di Malvisi.»

«Ce ne hai messo! Alcuni anni fa eri più veloce.»
«Dottore, lo faccio a tempo perso perché questo è un caso...»
«Lo so» lo interruppe Soneri. «È un caso risolto e non ha più niente da dire. Almeno per quel che ci riguarda.»
Juvara non disse niente, il suo modo per approvare.
«Comunque» riprese, «ci sono parecchi dati sulle gestioni dei patrimoni di personaggi influenti della città. Cose anche molto delicate.»
«Spiegati meglio.»
«Passaggi di denaro tra imprenditori e politici.»
«Mazzette?»
«Non posso esserne sicuro, ma a naso mi pare di sì. Perché un imprenditore dà soldi a un politico?»
«Ormai è palese nelle campagne elettorali» sorrise il commissario. «Non sono altro che compravendite.»
«Dichiarate, però. Questi passaggi di denaro sono occulti. Forse li faceva anche il vecchio Venanzio, ma il figlio ne aveva fatto un'attività. Almeno nei primi anni in cui è subentrato al padre. Poi i suoi clienti si sono progressivamente diradati. Credo che l'abbiano considerato inaffidabile.»
Juvara tirò fuori un grosso plico e lo porse a Soneri, che lo sfogliò leggendo a caso tra i fogli. Era la stampa della bizzarra contabilità di Malvisi. Dopo qualche minuto il commissario prese il malloppo a due mani e ne batté più volte l'orlo sulla scrivania.
«Lo leggerò con calma, ma tu che l'hai già fatto potrai anticiparmi parecchio.»
«Lo studio Malvisi era il più accreditato della città nella gestione dei patrimoni» cominciò Juvara. «Da

quel che ho visto, Venanzio si era conquistato la fiducia della maggior parte della Parma bene, degli industriali più in vista e del notabilato cittadino. Doveva essere uno la cui discrezione era certa come la morte, considerata la mole di denaro. Nel computer c'è traccia di molti capitali affidati a balia e, a occhio, credo che parecchi siano stati costruiti con la contabilità occulta. Il più delle volte intestati a mogli, fratelli o figli. Le lascio indovinare qual era uno degli impieghi di questi soldi.»

«Torniamo alle mazzette!» esclamò il commissario. «Dunque, già il vecchio...»

«Non ne sono sicuro. Nel computer non ci sono prove di ciò. Venanzio si avvaleva dei metodi di una volta. Forse sa tutto la Mariani, la segretaria fedelissima. Credo che il vecchio si limitasse a far lievitare i conti correnti in nero, oltre a gestire patrimoni alla luce del sole. Tutto è cambiato con l'avvento di James. Almeno, questo è ciò che si può dedurre dai movimenti del denaro. In pratica, lo studio veniva usato come agenzia. Era Malvisi stesso che si occupava di far avere i soldi ai politici. Alcuni incontri sono persino annotati con i nomi dei beneficiari. L'imprenditore dava l'ordine e non si sporcava le mani. Ci pensava Malvisi a procurare i soldi dai fondi occulti e a recapitarli.»

«Cotti e mangiati» chiosò Soneri.

«Cotti e mangiati» confermò Juvara. «Finché il gorgo della megalomania non l'ha risucchiato con spese folli. Dottore, questo non aveva freni.»

«Lo so» confermò il commissario. «Ho visto tutti i beni che sono passati per le sue mani.»

«Sta di fatto» ricominciò l'ispettore «che da un certo punto in poi ha cominciato a fare la cresta sulle mazzette, sfilando mille di qua, duemila di là... Si vede dai prelievi sui conti che non collimano con l'importo dei versamenti ai politici che lui stesso segnava. Pensava che non se ne accorgessero. La sua cattiva fama dev'essere cominciata così. Del resto mica potevano denunciarlo, col rischio di scoprire gli altarini. L'unica rappresaglia poteva essere scaricarlo. I più malandrini l'hanno fatto da subito, ma altri sono rimasti. Tanto che solo tre anni fa, il portafoglio clienti era ancora corposo.»

«Quand'è che l'hanno sportellato?»

«Ci sono andati piano tutti visto che Malvisi aveva due assi nella manica non da poco: i loro soldi e i loro segreti. Dottore, questo teneva per i coglioni mezza città. Qui» disse Juvara battendo il palmo sul plico «c'è tutta la polvere sotto il tappeto.»

«Ci si sono intossicati, con quella polvere» annotò Soneri.

«Eh, già! Ho cercato di capire dove imboscasse tutto quel grano e mi sono fatto l'idea che Malvisi si sia messo a giocare per sé. Per giunta a un gioco spericolato. La sua idea è stata quella di sfruttare i soldi degli altri e ottenere un surplus per sé. Ma questo credo che lei lo sappia già.»

Soneri annuì: «Un gioco molto rischioso».

«Da quel che si nota nei movimenti di denaro, il più delle volte gli è andata bene. Puntando grandi somme in azioni o in investimenti altamente speculativi, ricavava guadagni cospicui. Il fatto è che le sue spese se li sono divorati rapidamente, e appena gli sono andate storte alcune operazioni ha cominciato a imbarcare acqua. A quel punto ha dovuto barare alla grande. Ha usato i soldi che gli restavano da gestire per tappare i buchi di chi reclamava il proprio investimento, ma la coperta è diventata sempre più corta. Il resto lo sa» concluse Juvara.

«Una relazione più che esauriente» commentò il commissario. «Soprattutto esauriente verso i soldi dei clienti di Malvisi» commentò Juvara sarcastico.

«Rubare ai ladri, tutto sommato, è una partita di giro» concluse Soneri con lo stesso sarcasmo.

«Ferrari non è un ladro» obbiettò l'ispettore.

«No, ma purtroppo i soldi sono tutti uguali.»

«E i suoi non erano pochi.»

«Hai già concluso gli accertamenti bancari?»

Juvara assentì. «Sennò non ne sarei così sicuro.»

15

Angela si era messa in testa di fargli passare il malumore. La prima mossa fu invitarlo a cena a casa anteponendo al pasto un preambolo affettuoso e sensuale. Lo accolse con un vestito leggero piuttosto succinto e un profumo che Soneri aveva già sentito su uno dei tovaglioli di Sbarazza. In pochi minuti l'aveva trascinato in un altro mondo azzerando la sua mente in una girandola di sussurri. Fare l'amore con lei era come ascoltare musica o leggere un libro. Ogni volta si apriva una porta per approdare in un altrove sospeso, in un'embolia nel flusso del tempo.

La seconda mossa fu la tavola imbandita. Il commissario non mangiava decentemente dal mattino e la sola vista dei piatti gli provocò un'altra eccitazione, anche questa, a suo modo, sensuale. Poco dopo Angela sfornò un gran piatto di riso nero venere coi gamberetti e le zucchine.

«Ho trovato il modo per mettere d'accordo il tuo appetito e la mia dieta» annunciò.

Il commissario guardò il cibo fumante con una certa diffidenza. Non era quel che si aspettava, ma la fame e il profumo lo convinsero. Lo fu del tutto dopo il primo assaggio, ma non volle eccedere con l'entusiasmo.

Nemmeno poco dopo, quando Angela servì le seppie coi piselli e il sugo di pomodoro.

«Lo vedi che si mangia bene anche senza burro?» lo provocò lei.

«Sì, buono» replicò il commissario, «certo non come un piatto di tortelli...» sogghignò.

Angela prese il coltello e fece finta di colpirlo. «Sono uscita un'ora prima dallo studio per preparare questa cena» minacciò.

«La parte più eccitante deve ancora venire» rispose Soneri.

Lei sorrise e annuì con aria complice.

Uscirono senza nemmeno sgombrare la tavola. Era ancora presto, perciò decisero di passare dalla Bottiglia azzurra. Trovarono Sbarazza seduto a un tavolino con l'aria disinvolta. La sua logora nobiltà ancora glielo permetteva, malgrado quell'elegante mendicare. Aveva occhi che sembravano vedere qualcosa che nessun altro poteva scorgere.

«Fino a venti minuti fa qui era seduta una signora della quale mi sono inebriato. Con l'età apprezzo le donne quando raggiungono la loro tarda estate, quella dei frutti maturi e della vendemmia» disse sempre sognante mentre degustava un vino rosso e corposo che pareva incarnare le sembianze della femminilità evocata dalle sue parole.

«Quella signora era un po' in carne, il seno abbondante e morbido, ma non ancora cadente. Due grosse gocce perfette col picciolo corto e tozzo. I fianchi rotondi come cotogne e un viso luminoso, gli occhi simili a dardi che ti trafiggono e tramortiscono» continuò Sbarazza in un deliquio di voce e sguardo. «Una creatura magnifica!» concluse sorseggiando il vino dall'orlo del bicchiere macchiato di rossetto e annusando il tovagliolo.

«Barbaresco» precisò alzando il calice.

Angela e Soneri sedettero di fronte a lui e ordinarono un Sauvignon.

«Si sta ancora occupando della morte di James?» domandò Sbarazza.

«Non c'è più tanto da indagare» minimizzò il commissario.

«Io e lui abbiamo molto in comune» aggiunse l'uomo.

«Non direi.»

«Invece sì: l'inclinazione alla dissolutezza.»

«Non mi pare sia la stessa» intervenne Angela.

«La differenza è che io l'ho declinata in senso estetico, lui in modo istintivo. Ma tutt'e due cercavamo una soddisfazione che ci sfuggiva. Prenda le donne. Io ne sono irresistibilmente attratto, ma in quanto vittima della mia immaginazione. Vengo attirato da un particolare: la voce, un pizzo che sfugge dalla scollatura, il rumore che fanno i tacchi sul selciato, un movimento, un'occhiata, una frase detta. Abbagliato da tutto ciò, cerco in loro qualcosa che immagino esserci e che spesso non trovo. James, invece, ha sempre cercato la sensualità carnale, rimanendo perennemente insoddisfatto perché non è lì che c'è l'appagamento. Io mi sono sempre fermato all'immaginazione, lui al coito, ed entrambi non abbiamo che sperimentato la frustrazione.»

«Sbattiamo sempre contro questo scarto doloroso» constatò Soneri. «Tutto si fa per approssimazione.»

«Spesso è una norma salutare. Voglio dire che ci salva dai guai e ci aiuta a vivere» considerò Sbarazza. «Le donne, questo, lo sanno meglio di noi.»

«Vuol dire che siamo più sveglie o più accomodanti?» intervenne Angela.

«Tutt'e due. Le donne hanno un rapporto più diretto con la vita e la natura. La toccano, la fiutano mentre noi la guardiamo a distanza. L'immaginazione è il filtro che la rende più accettabile, ma al tempo stesso aumenta la separazione.»

Bevvero prendendosi una pausa. Le parole di Sbarazza avevano bisogno di tempo.

«Il fatto è che qualche volta quella separazione diventa una frattura. Credo sia quello che è successo a Ferrari» aggiunse l'uomo poco dopo.

«Lo conosce?» si stupì Angela.

«Tempo fa presentai una sua mostra fotografica. È uno di quei tipi miti e intransigenti, vere bombe a orologeria.»

«Pensa che sia stato inevitabile che abbia ucciso James?»

«Inevitabile sarebbe un determinismo degno di lui. Non c'è niente di inevitabile, ma quel che è successo era altamente probabile.»

«Altri meno intransigenti avrebbero fatto la stessa cosa» lo smentì Angela scettica.

«Certamente» convenne Sbarazza, «ma mettendosi sullo stesso piano di James, il possesso dei soldi, il furto. Invece io credo che per Ferrari ci sia dell'altro. Qualcosa che ha a che fare con una questione di principio.»

«La dissolutezza?» azzardò Soneri.

Sbarazza annusò di nuovo il tovagliolo. Doveva immaginare quella donna. Faceva l'amore con un'idea.

«Io ammiro le persone radicali» rinvenne da quella specie di deliquio. «James era una di quelle. In lui vedevo un istinto autodistruttivo quasi maniacale. In un certo senso, il suo è stato un suicidio. Anche la malvagità richiede un certo talento. Non è facile tradire tutto quel che ti viene dato. Lui l'ha fatto.»

«E crede che Ferrari l'abbia ucciso per quello? Non per i soldi che gli ha fregato?» domandò Angela.

«Be', i soldi... Certo anche quelli hanno contato. Ma ha contato di più l'essere all'opposto, l'uno la negazione dell'altro. Era naturale che si scontrassero. Ferrari è un uomo che ha fatto della coerenza e della servitù a un'etica una norma inderogabile. Per l'altro la regola era non averne nessuna.»

«Ferrari è religioso e per lui è una regola anche non uccidere» intervenne Angela.

Sbarazza sorrise con un'espressione dolce: «Lo vede come siamo contraddittori? Solo se guardiamo il mondo per il bello che ci mostra possiamo sopportare il tutto. Il bello non ha regole, è così e non occorre aggiungere altro. Ci piace e non sappiamo nemmeno perché. Nel suo mistero riposa la nostra consapevolezza. Se poi il bello lo sa ricreare l'uomo in quanto artista, l'ammirazione cresce. Io ho vissuto in questa ammirazione e sono felice. Ho dissipato tutto per la mia felicità. Cosa c'è di meglio che essere felici?».

«Ho sempre dubitato che la bellezza possa salvare il mondo» disse Soneri mentre camminava accanto alla compagna verso la fermata del bus notturno.

«Sbarazza ha potuto vivere dissipando perché aveva di che dissipare» rispose Angela col suo consueto senso pratico. «Fosse nato povero, mica avrebbe potuto fare il mecenate di se stesso.»

«Si può essere felici anche da poveri» ribatté il commissario, «se si resta un po' bambini e si conserva il gusto di giocare come stiamo facendo noi.»

Lei scoppiò a ridere e la sua voce rimbalzò nel silenzio contro il frontone della chiesa dell'Annunciata.

«Non dobbiamo salire alla stessa fermata» avvertì Angela. «Io aspetto qui, tu vai in Pilotta.»

Soneri si avviò costeggiando il torrente. Si sentiva l'acqua scorrere con un suono che pareva il respiro di un enorme corpo dormiente invisibile nel buio. Viale Mariotti era una fila di lampioni opachi via via più sfumati nella nebbia. Passò davanti ai voltoni della Pilotta che assomigliavano a grandi orbite scure e minacciose. Dall'altra parte, la calotta opalescente della pensilina delle corriere e sullo sfondo la massa scura e imponente del parco Ducale. La fermata era di fronte alla colonna della Vittoria, l'unico obelisco della città. La strada era quieta, quasi deserta. Nelle notti d'autunno Parma si animava in improvvise fratture del silenzio simili a urla nel sonno. Vampe isolate, come falò di carnevale. La brezza del torrente richiamò un coro confuso di voci proveniente da piazzale della Pace dove si davano appuntamento i nottambuli riscaldandosi col vino. Cominciava a sentire freddo quando vide avvicinarsi il bus notturno.

Angela era seduta due posti dietro l'autista. Il commissario la notò ma fece finta di niente. Subito dopo girò lo sguardo a bordo ma non vide che posti vuoti.

Lanciò un cenno alla compagna che gli rispose a sua volta con un cenno per dire che non sapeva nulla. Malgrado mancasse la protagonista, stettero al gioco. Tutto era molto divertente, ma fine a se stesso. Angela gli mandò un messaggio col telefonino.

«Chissenefrega se non c'è lei, ci stiamo divertendo lo stesso.»

Era vero. Scesero e risalirono un paio di volte senza piani preordinati e questo aumentò la sorpresa e il divertimento. Dopo più di un'ora così, salì la Mariani. Erano in via Verdi, la fermata più vicina a via Affò. La donna si sistemò nel solito posto e come sempre tenne lo sguardo oltre il finestrino. Più che viaggiare, pareva guardare un film. Anche se quello che stava vedendo doveva essere l'ennesima replica. O forse la città le appariva sempre diversa. Il commissario e Angela scesero in posti differenti e risalirono il giro dopo: la Mariani era sempre lì, con gli occhi immobili sulle vie della città. A un certo punto, Soneri si avvicinò ad Angela per chiederle un'informazione, fingendo d'essere un estraneo. Il colloquio risultò divertente. Alla fine il commissario toccò un braccio alla compagna con un gesto educato di ringraziamento e lei rispose con grazia. Poi scesero in posti diversi quando ormai il gioco parve esaurito. Lei lo attese lungo la strada e il commissario fece la mossa di abbordarla come una sconosciuta. Recitava la parte di quello che ci prova, lei quella della finta ritrosa. Il finale lo conoscevano, ma quei dialoghi allusivi presi da un copione scadente li divertivano ed eccitavano. Finirono per ritrovare la tavola ancora apparecchiata che avevano lasciato ore prima, ma anche lo stesso desiderio.

«Ci vuole fantasia per tener accesa la voglia» sussurrò lei.
«Non credevo bastasse un giretto in autobus.»
«È un gioco. E il gioco è fantasia.»
«Che tipo di fantasia pensi che abbia la Mariani, mentre gioca?»
«Per me lavora sui ricordi. Ha scritto sul viso un grande rimpianto.»
Il commissario conosceva l'intuito della compagna, perciò si fece serio.
«Infatti, sembra sofferente. Forse viaggia di notte perché è allora che l'assale l'angoscia» ipotizzò Soneri.
Angela non disse niente. Erano sdraiati accanto e guardavano il soffitto in penombra appena sfiorato dalla luce schermata dell'abat-jour sul comodino di lei.
«È salita in via Verdi» riprese il commissario. «Credo che sia incuriosita da un palazzo all'angolo con via Affò.»
«Quale palazzo?» chiese Angela.
«Al numero 3. Ho visto che ci sono gli studi di molti professionisti e che manca una targa all'ingresso. C'è proprio un buco.»
«Al 3 ha l'ufficio un collega che conosco: un civilista» ricordò lei. «Non credo che si sia trasferito. Se vuoi chiedo.»
«Dovresti chiedere anche una cosa a Ferrari.»
«Meglio non tornare su quest'argomento» lo ammonì Angela, «poi finiamo per litigare.»
«Questa volta sono io a darti una notizia che non sai. Forse nemmeno dovrei.»
«E quale sarebbe?»

«Abbiamo trovato due DNA differenti sui suoi residui organici.»

Angela si rizzò verso di lui poggiandosi sul gomito. «Ma è possibile?»

«Nanetti dice di sì. Succede a chi subisce un trapianto. In particolare un trapianto di midollo.»

Lei si sdraiò di nuovo e rimase in silenzio.

«Uno a zero per me» disse il commissario. «Perché non gli chiedi quando è successo? Una leucemia, forse?»

«Proverò a domandare così pareggio il conto.»

«Non ci fossero state le impronte di Ferrari ovunque, dovremmo cercare anche a chi appartiene l'altra traccia genetica. È un caso inedito e i reperti sono solo due. Poco per escludere un'altra presenza» spiegò Soneri.

«Da dove avete ricavato il DNA?»

«Da un paio di capelli e da una gomma da masticare lasciata in un portacenere.»

«Non ha certo preso precauzioni» rifletté Angela sarcastica.

«Cosa ne sai tu? Magari non è così ingenuo come pensi.»

«Credi che sia doppio come il suo DNA?» domandò lei.

«Non escludo mai niente» rispose sibillino il commissario.

16

Il giorno dopo furono ancora i giornali a infierire. Uscirono con la notizia di un altro colpo del truffatore, questa volta ai danni di un caseificio di Felino a quindici chilometri dalla città. Una finta vendita di caldaie e attrezzature casearie per le quali il titolare aveva sborsato trentamila euro di acconto. La descrizione coincideva con i connotati del ricercato: uno alto e magro. Ormai la gente non parlava che di lui. Al bar, sull'autobus, in fila alle Poste. C'era sempre un po' di ammirazione per la sua scaltrezza e un po' di disprezzo per la polizia. Capuozzo schiumava in silenzio ai piani alti e Soneri gli girava al largo. La Falchieri fungeva da parafulmine, l'unica che potesse parlare al questore al riparo dagli insulti.

«Sta andando per le lunghe» ammise il magistrato al telefono. «Anche lei non se lo aspettava, vero?»

«No» si limitò a dire il commissario corrucciato.

«Sta diventando tutto sempre più imbarazzante» continuò lei.

«Questo non dev'essere uno dei soliti» valutò Sone-

ri. «Improvvisa e proprio per questo è imprevedibile. Può colpire ovunque. Scommetto che scorre gli indirizzi su internet e sceglie a caso.»
La Falchieri sospirò soffiando sulla cornetta.
«Sarà così» convenne. «Ma la trappola che avete preparato non è stata efficace.»
«Forse lo sarà» si augurò il commissario. «Ci vuole pazienza.»
«Lo so» disse il magistrato, «ma non è la nostra pazienza che dobbiamo considerare. Quella della gente è già esaurita.»
«Si sente braccato e colpisce fuori città» rifletté Soneri.
La donna sospirò di nuovo.
«Questa volta abbiamo un piccolo indizio in più» aggiunse. «I carabinieri hanno raccolto la testimonianza di una signora anziana, una di quelle che stanno sempre alla finestra a guardare chi passa. Ha notato una macchina allontanarsi guidata da un tizio che corrisponde alla nostra primula rossa.»
«Era una Mercedes Classe A?»
«Sì. I carabinieri le hanno mostrato vari modelli e lei ha riconosciuto quella.»
«Questo lo sapevamo già.»
«Ma forse non le iniziali della targa: BM1. Ha visto solo le prime due lettere e un numero.»
Soneri mugugnò qualcosa mentre già pensava come sfruttare l'informazione.
«Scommetto che non ha mai benedetto le anziane pettegole come in questo momento» disse la Falchieri.
«Per fortuna in provincia sopravvivono.»
Il commissario era sul punto di parlare del doppio

DNA di Ferrari, ma si trattenne. La piemme avrebbe saputo tutto dal rapporto di Nanetti.

«Rattoppi la sua rete, ha troppi buchi» raccomandò sibillina la Falchieri con un tono che Soneri percepì come un rimprovero.

Subito dopo il commissario entrò in ufficio con l'impeto di un'irruzione.

«Le manca solo la pistola in pugno» commentò Juvara sorpreso.

«Cercavo giusto te» disse. «Interpella la Motorizzazione e fatti dare l'elenco di tutti i proprietari delle Mercedes Classe A con targa iniziale BM1.»

«Le volevo dire che sono entrato nella memoria del telefonino di Ferrari» tentò di informare l'ispettore, ma non ne ebbe il tempo.

«Molla tutto e occupati della targa» tagliò corto Soneri.

Juvara tacque e apparve mortificato. Afferrò la tastiera e cominciò a battere interrogando la banca dati del ministero. Lavorarono in silenzio quasi ignorandosi. Il commissario telefonò a Pasquariello per perfezionare la sorveglianza degli obbiettivi. Poi ebbe un colloquio con il reparto operativo dei carabinieri, nel corso del quale li informò del possibile spostamento del truffatore nei centri della provincia più vicini alla città. Chiamò anche Musumeci, che stava all'erta pronto a intervenire qualora le volanti gli segnalassero la presenza dell'uomo. Lavorava con frenesia. Sentiva incombere l'ombra del ridicolo su di sé: il commissario della Mobile sbertucciato da un volgare truffatore. Già molti in città la pensavano in questo modo. In consiglio comunale, erano già fioccate le interrogazioni. L'opposizione sfruttava il momento per attaccare il sindaco sul tema dell'ordine pubblico paventando una città in preda a ladri e spacciatori. In un angolo della scrivania c'era la mazzetta dei giornali, ma Soneri non osava sfogliarli. Pervaso dall'irritazione, rispose con fastidio al cellulare.

«Non voglio venderti niente, stai tranquillo!» cercò di addolcirlo Angela con ironia.

«Ah! Sei tu?»

«Solo ieri sera sussurravi come un assolo di flauto e adesso ringhi.»

«Leggi i giornali e capirai.»

«Lo so, sei sulla graticola. Volevo darti un'informazione, ma in questo momento non credo ti interessi. Sento che hai da fare dell'altro.»

«Riguarda Ferrari?» chiese Soneri. Senza volere la sua voce aveva ripreso tono per la curiosità.

«Non proprio, ma la Mariani.»

«Hai capito perché viaggia di notte?»

«Quello no, ma penso di sapere perché è così curiosa di quell'angolo tra via Verdi e via Affò: c'era lo studio di Malvisi.»

Il commissario trasalì. Non aveva mai controllato l'indirizzo dell'ufficio precedente al trasferimento in via Carmignani.

«Un errore che nemmeno un vigile urbano...» biascicò tra sé.

«Quale errore?» domandò Angela che non capiva.

«Non aver controllato il precedente indirizzo dell'ufficio di Malvisi. Avrei capito subito.»

«Te lo dico io. Il mio collega sapeva tutto» cercò di tranquillizzarlo lei, aggravando ulteriormente la frustrazione del commissario. «Il vecchio Venanzio aveva lì lo studio principale, ma possedeva altri due uffici a Fidenza e Collecchio dove si recava il martedì e il venerdì per essere più vicino ai clienti di quelle zone. Il figlio ha lasciato via Affò perché sfrattato e si è trasferito in periferia.»

«Quand'è successo?»

«Un anno e mezzo fa.»

«Era già strozzato.»

«Non pensare che fosse uno studio lussuoso» avvertì Angela. «Il mio collega ha parlato di tre stanze in tutto. Il vecchio Venanzio era uno che badava poco all'apparenza.»

Soneri pensò per contrasto a ciò che era James.

«Volevo solo riferirti questo particolare, ma adesso hai la testa altrove» riprese Angela.

In realtà il commissario rifletteva sulla vicenda di Malvisi con molta più insistenza che su quella del truffatore. Forse era la ragione per cui non riusciva a venire a capo di una faccenda apparentemente banale. Così finse quando rispose ad Angela: «Sì, sì, adesso ho la testa altrove».

Invece, quando la compagna riattaccò, non riuscì a scacciare dai suoi pensieri i viaggi notturni della Mariani, via Affò e i Malvisi.

«Ecco qua!» lo sorprese la voce di Juvara. «Sono solo tre le Mercedes Classe A con le iniziali di targa BM1.»

«Finalmente una buona notizia!» esclamò Soneri. «Di chi sono?»

«Aspetti a esultare» avvertì l'ispettore scrutando lo schermo, «non sarà così facile.»

«Niente è mai facile. E se lo è, c'è da sospettare un trucco» disse il commissario pensando ancora al caso Malvisi.

«Una delle auto appartiene a una signora di Salsomaggiore, tal Cristina Manenti di anni sessantotto» cominciò a leggere Juvara.

«Non mi pare il nostro caso» mugugnò Soneri.

«Non lo escluderei. A volte l'intestatario non è colui che ha in uso la macchina» fece presente l'ispettore. Che poi proseguì: «La seconda è di un ragazzo di Parma, Giulio Raschi, anni ventinove».

«Proviamo con l'ultima cartuccia» disse Soneri.

«Dottore, questa è a salve.»

«Cosa significa?»

«La vettura è concessa in leasing.»

«E non si sa a chi?»

«Alla Motorizzazione si sono limitati a dirmi il proprietario: è la New Car, con sede in via Carra. La mia fonte mi ha dato solo informazioni sommarie al telefono. Mi ha detto che devo passare di persona per saperne di più. Mi ha fatto capire che c'è qualche problema.»

«Dovranno pur dirci a chi hanno concesso il leasing.»

«Ho riscontrato una certa reticenza. Pare che l'utilizzatore abbia comunicato alla società un nome falso. Così adesso la Motorizzazione minaccia di denunciare la società stessa, ma c'è grande imbarazzo. Anche loro hanno agito con leggerezza.»

Juvara allargò le braccia e si nascose dietro lo schermo. Tutto procedeva a piccoli tratti, come le code in autostrada.

Dopo un po', l'ispettore riprese: «Non vuole sapere

del telefono di Malvisi?» chiese dando l'idea di essersi ricordato solo in quel momento.

Il commissario stava per rispondergli quando un altro telefono, il suo, lo interruppe.

«Stiamo tenendo d'occhio un tizio sospetto» avvisò Musumeci.

«Dove siete?»

«Alla Crocetta.»

Il commissario corse fuori dall'ufficio, quasi travolgendo un agente che stava passando in corridoio. Salì in macchina, sgommò sulla preferenziale e arrivò in pochi minuti. Parcheggiò ai lati del parco Ducale e s'avviò a piedi. Vide Musumeci far finta di passeggiare davanti a una gelateria di via Emilia ovest, ma non si avvicinò. Preferì telefonargli.

«Vedi il nostro uomo?»

«È appena entrato nel negozio di computer che ha di fronte.»

Soneri inquadrò un'insegna: SILICON VALLEY. Pensò a quanto fosse provinciale una città che usava l'inglese per darsi un tono.

«Cosa facciamo?» domandò Musumeci.

«Aspettiamo che esca.»

Attesero una decina di minuti che parvero ore. Quando il tizio s'incamminò sul marciapiede, Musumeci lo fermò mostrandogli il distintivo. L'uomo era alto e magro, ma dall'espressione di sorpresa che mostrò pareva davvero non aspettarsi nulla.

Il commissario si mosse per avvicinarsi, mentre l'uomo estraeva con calma i documenti dal portafoglio. Poi, lui e Musumeci tornarono verso il negozio parlottando. Soneri lasciò che entrassero e dopo qualche minuto la porta si riaprì e i due ricomparvero prendendo due strade diverse.

«Un equivoco» brontolò l'ispettore. «Non c'entra niente, un cliente che ha ordinato delle stampanti per l'ufficio.»

Soneri pensò alla sua fuga precipitosa dall'ufficio e s'immaginò le malignità che ne sarebbero scaturite. Un altro passo falso, un altro buco nell'acqua. Mai come in quel frangente sentiva la fiducia in se stesso scivolare via giorno dopo giorno. Un omicidio irrisolto lo si poteva perdonare, ma una vicenda come quella l'avrebbe trasformato nel bersaglio del tirassegno.

Videro il torracchio all'ingresso del parco Ducale dov'era la sede del circolo La Giovane Italia.

«Andiamo a consolarci là» decise il commissario.

L'interno, buio ed essenziale, dava l'idea di aver appena ospitato una cospirazione. Era uno degli ultimi lasciti della Parma risorgimentale e garibaldina. Musumeci si guardò intorno incuriosito.

«Non conoscevo questo posto» disse.

«Ti dice niente Mazzini?»

«Sì, certo» rispose l'ispettore un po' infastidito.

Soneri si accorse di averlo offeso e si scusò. La frustrazione lo rendeva antipatico.

«In centro trovi solo vie intestate a eroi del Risorgimento. È la cifra laica e anticlericale della città.»

«Be', qui in Emilia l'anticlericalismo...» replicò Musumeci.

«Non è detto. Bologna papalina ha vie di santi e il suo colore è il porpora del cardinal legato.»

Musumeci sorrise sorpreso e lievemente ammirato. Non quanto lo fu di fronte alla giovane cameriera che servì un piatto di tortelli con un sorriso che pareva un'alba di maggio. Soneri gli lanciò un'occhiata complice e comprensiva. A quel punto l'ispettore cercò di rientrare nel ruolo.

«Lo prenderemo prima o poi?» domandò

«Ne va della nostra reputazione» rispose Soneri.

«Sono allo stremo, non ci dormo» confessò.

«Tu non rischi nulla, sarò io il bersaglio e quindi il tuo scudo.»

«Siamo sicuri che qualcuno non lo informi?»

«Cosa intendi dire?»

«Ho guardato la cartina e ho messo delle crocette sugli obbiettivi che teniamo sott'occhio. Poi ho cerchiato i luoghi in cui quell'uomo ha colpito: quasi tutti sono circa a metà strada tra un punto sorvegliato e l'altro. È come se quel tizio sapesse dove siamo e agisse a debita distanza, per avere il tempo di fuggire nel caso destasse sospetti.»

Il commissario passò in rassegna a mente la geografia della città e si accorse che il ragionamento di Musumeci non era peregrino.

«Inoltre, come possiamo essere sicuri che non abbia agito in questi giorni? Magari qualche commerciante ha abboccato convinto dall'affare e scoprirà della truffa solo tra qualche giorno» aggiunse l'ispettore.

«Con tutto il cancan che è stato fatto dovrebbe essere proprio scemo.»

«Non dimentichi che c'è ancora chi perde lo stipendio col gioco delle tre carte o alle macchinette» avvertì Musumeci.

«Hai ragione, non bisogna mai essere troppo ottimisti riguardo all'umanità.»

Musumeci sogghignò: «Noi abbiamo a che fare con i diavoli».

«E può essere che tu abbia ragione: forse ne abbiamo uno in casa» concluse il commissario.

17

Nel pomeriggio Soneri si incontrò con Pasquariello. Con sé aveva portato la cartina su cui Musumeci aveva tracciato le crocette e i cerchi. La aprì e la stese sulla scrivania.

«Non ti sembra curioso?»

Il collega lisciò la mappa col palmo, inforcò gli occhiali e osservò per alcuni istanti in silenzio.

«Il sospetto viene» concluse alla fine.

«Vero? La domanda è: chi può essere?»

«Un sospetto non è una prova» avvertì Pasquariello prudente. «È più probabile che il truffatore concepisca i suoi piani da solo. Questo pare uno molto scaltro.»

Soneri scrollò il capo. «Non credo. Penso che sia solo sfrontato e forse ben informato.»

Pasquariello tacque. Sembrava atterrito dall'eventualità di una spia in questura.

«Ma chi potrebbe fare una cosa simile?»

«Lo sapessi... Certo chi ha un buon movente.»

«Soldi?»

«Anche» rispose il commissario. «O interesse a invalidare l'inchiesta. Invidia... Oppure tutte queste cose assieme.»

«C'è una sola persona che mi viene in mente» rifletté Pasquariello. «Credo sia la stessa a cui pensi tu.»

Soneri annuì.

«Certo, Calabritti. Ha accesso alle informazioni e mi detesta. In più sa benissimo che se andassimo a ravanare su come ha condotto questa e altre indagini, forse ci scapperebbe qualche censura.»

«Quello che dici può essere vero, ma da qui a indurlo a fare la spia ce ne corre» fece notare Pasquariello.

«Non c'è dubbio. L'ho pensato anch'io. Ma ti sei mai chiesto come fa a mantenere il tenore di vita che ha? Macchine di lusso, vacanze... E se ne vanta!»

«C'è tanta gente che fa debiti e le auto le puoi prendere come fosse un noleggio.»

Il silenzio del commissario esprimeva allo stesso tempo riflessione e perplessità.

«Dobbiamo rivedere la sorveglianza» cambiò discorso. «Così com'è non va. È come stare in trincea con il nemico che viaggia in aereo.»

«Cosa vorresti fare?»

«Nemmeno io lo so. Forse è meglio se le volanti restano in movimento. Gira e rigira ci sbatteremo pur contro!»

«Non mi piace questa moscacieca» borbottò Pasquariello.

«È un bersaglio mobile e noi dobbiamo essere più veloci di lui.»

Squillò il telefono sul tavolo del capo delle volanti. Il titolare di un magazzino di elettrodomestici aveva appena chiamato il 113 per denunciare una vendita a vuoto. Un acquisto di ricambi con acconto di ventimila euro che alla data di consegna si era rivelato un bidone. La ditta produttrice non sapeva niente, non conosceva il sedicente venditore e non aveva mai incassato un centesimo. Il fatto era successo in via Langhirano tre giorni prima e l'uomo che si era presentato corrispondeva alle caratteristiche del truffatore.

Soneri batté il pugno sulla scrivania per la stizza.

«La faccenda ormai dilaga» ringhiò.

Pasquariello si contorse sulla sedia come avesse voluto avvitarcisi.

«Non è escluso che saltino fuori altri truffati. Ormai sono tanti» proseguì Soneri. «Senza contare quelli che tacciono per vergogna.»

«Quanti casi abbiamo affrontato che hanno richiesto tempo...» cercò di consolarlo il collega.

«Qui ci si è messa di mezzo la politica. Si stanno scannando in nome della sicurezza, e i giornali ci sono montati sopra. Il questore e la Procura hanno il fuoco al culo e tutti gli occhi sono puntati su di me» riassunse il commissario.

«Dai!» esortò Pasquariello. «Un sorcio come quello non potrà sfuggirci!»

«Un sorcio che tiene in scacco la Mobile e la questura tutta. La sua insignificanza criminale rende più grande il ridicolo che ci tira addosso. Con le anime benpensanti della città, campionesse di porcate ma indignate per l'inettitudine della polizia.» Soneri si era alzato di scatto per la rabbia. E quando fu in piedi, confuso in mezzo alla stanza, stette impalato qualche istante senza sapere cosa fare. Così, solo per togliersi dall'imbarazzo, decise di tornare in ufficio.

«Ti farò avere la denuncia» gli urlò dietro il collega mentre usciva.

Attraversò il cortile della questura già immerso nel buio. Prima di recarsi da Pasquariello una luce opaca illuminava ancora quella specie di pozzo tra via Repubblica e borgo della Posta. Ritrovarsi di colpo nella notte precoce dei pomeriggi d'inverno gli lasciava sempre un senso di rammarico e d'incompiutezza. La fine precoce della giornata, anziché placarlo, gli buttava addosso l'angoscia.

Nemmeno Juvara lo risollevò. La società di leasing a cui era intestata la Mercedes si era mostrata dapprima reticente, poi, messa alle strette, aveva comunicato chi aveva in uso la macchina: si trattava di un'azienda.

«Il nome le potrà sembrare beffardo: La Ribalta» comunicò l'ispettore .

«No, azzeccatissimo» mugugnò Soneri.

«La titolare risulta una tal Nerina Merighi, borgo Bruno Longhi 4. Ho cercato il suo numero di telefono e ho provato, ma non risponde.»

«È qui vicino» valutò il commissario. «Ci faccio un giro.»

Uscì di nuovo e attraversò via Repubblica. Le vetrine riverberavano luce sull'asfalto bagnato. S'infilò nel borgo. Il 4 era un palazzotto con il portone di legno che dava su un porticato gelido illuminato da lampade a muro. Le scale di marmo salivano con ampie curve. Sull'uscio lo accolse una donna giovane dall'accento straniero che lo condusse in un salotto pieno di tappeti e mobili antichi. Il tutto aveva un'aria solenne. La Merighi sembrava sonnecchiasse. Quando Soneri si presentò ebbe solo un breve lampo diffidente dello sguardo, quanto bastava per catalogarlo un estraneo. E mentre la badante le si piazzò di fianco come una sentinella, il commissario cominciò a temere d'essere finito per l'ennesima volta su un binario morto.

«Cos'è successo?» domandò la donna allarmata quando Soneri si presentò e si rese conto di avere di fronte un poliziotto.

«Solo un accertamento» esordì il commissario.

«Deve parlare più forte» lo invitò la badante. Aveva un accento dell'Est.

«Solo un accertamento» ripeté quasi urlando. «Lei conosce La Ribalta?»

«Che ribalta?» la donna sbarrò gli occhi infastidita.

«È un'azienda.»

«No. Mai sentita.»

«Eppure risulta l'amministratrice titolare.»

«Io? Ma le pare?»

«È registrata così alla Camera di commercio. C'è la sua firma.»

Alla parola firma, la Merighi si animò. Si rivolse alla badante: «Non sarà stato la volta che mi hanno portato quelle carte...?».

La badante annuì. «Sì, sì, forse.»

«Che carte?»

«Non so. Mi pare fosse per le case.»

«Chi gliele ha fatte firmare?»

La donna ammutolì per qualche secondo. «È una faccenda delicata» mormorò con imbarazzo. «Gradirei non si sapesse in giro.»

«Stia tranquilla.»

«Giacomo Malvisi. È stato lui. Ci ho rimesso tre quarti dei miei risparmi, e per fortuna ho salvato le case.»

Soneri mandò a memoria l'elenco dei truffati da James, ma non si ricordò di una Merighi.

«Non mi interessano i soldi» disse Soneri sbrigativo. «Vorrei sapere di questa Ribalta.»

«E che cosa ne so io!» si stizzì la donna. «Se ho firmato sarà perché non ho letto e quel mascalzone…»

«È sicura che non le abbiano fatto sottoscrivere altre carte?»

«Ma no!» esclamò la Merighi adesso definitivamente in collera. «In un anno avrò fatto sì e no mezza dozzina di firme in banca e solo una volta è venuto da me Malvisi, ma mi aveva detto che era per la gestione patrimoniale.»

«Gestiva da molto i suoi beni?»

«Solo i soldi» precisò la donna. «Avevo cominciato con Venanzio. Quello sì che era un uomo a posto.»

Il commissario incassò l'informazione. Da quel punto in poi la conversazione inclinava verso una situazione che già conosceva. Salutò la Merighi e lei gli lanciò un'altra occhiata, come non avesse capito il senso di quella visita.

Rientrò in ufficio e appena varcato l'uscio della questura notò un ragazzo alto e magro dall'aria smarrita che era stato fermato. Per un attimo pensò che fosse il truffatore e sentì affiorare una botta di speranza. Dopo qualche secondo apparve Musumeci. Il commissario gli fece un cenno interrogativo col mento e l'ispettore si avvicinò.

«Un altro falso allarme» informò sconsolato. «Questo tipo è risultato scomparso a Padova sei anni fa. Chiedeva l'elemosina davanti all'oratorio dei Rossi in via Garibaldi: è sciroccato.»

«Se ti metti a cercare in una città trovi di tutto e misuri la quantità di cose che ci sfuggono.»

«Vorrà dire che prima o poi ci imbatteremo senza volerlo anche nel truffatore» concluse Musumeci.

«Non ho mai confidato sulla fortuna» tagliò corto Soneri proseguendo nel corridoio fino alla porta del suo ufficio.

«Allora?» domandò Juvara appena entrò.

«La Merighi è una prestanome inconsapevole. Ma chi le ha intestato l'azienda è Malvisi.»

«Vuol dire che Malvisi partecipava alle truffe?»

«Probabile. Ha raggirato una vecchia cliente dello studio, così ha potuto prendere un'auto senza che si potesse risalire a lui qualora la intercettassero.»

«Sì, ma Malvisi è morto e quella macchina viaggia con un altro» obbiettò Juvara.

«E siamo di nuovo a sbattere contro il muro» chiosò il commissario.

«Ci si è messo anche il virus adesso» scrollò il capo l'ispettore.

«Quello c'era già» fece notare Soneri accorgendosi solo in quel momento di aver dimenticato di indossare la mascherina.

«Hanno scoperto un focolaio alla Coop di via Gramsci.»

«L'hanno chiusa?»

«Sì, ma il guaio è che una delle nostre pattuglie ha avuto contatti con la persona infetta. Il capo negozio che aveva chiamato per un furto. Due agenti in quarantena, ma forse ne metteranno altri sei perché ieri sera hanno partecipato con loro a una cena. Avremo tre pattuglie in meno.»

«E a culo la sorveglianza!» sbottò il commissario.

In quel momento telefonò Pasquariello.

«Anch'io l'ho saputo da pochi minuti» disse prima ancora che Soneri potesse aprire bocca. «L'AUSL ha appena mandato una mail.»

«Potrebbe andarci peggio?»

«Difficile» rispose il collega. «Hai sentito il notiziario di TV Parma?»

«No e non voglio sentirlo.»

«Vedrò come posso riorganizzare la sorveglianza» concluse Pasquariello. «Già eravamo in pochi...»

Il commissario riagganciò e non resistette alla curiosità. L'inchiesta assomigliava sempre più a una discesa all'inferno. E in quel momento aveva voglia di farsi ancora più male.

«Hai visto il notiziario di TV Parma?» domandò a Juvara.

L'ispettore si limitò ad assentire con aria reticente.

«E allora?» lo spronò.

«Ci hanno preso un po' per il culo.»

«Un po' e basta?»

«Era la prima notizia. Poi interviste... I più cattivi sono stati i politici.»

«E Capuozzo?»

«Silenzio. Sa come dicono i giornalisti, no? "Bocche cucite in questura". Io però» proseguì l'ispettore «non mi curerei tanto della stampa, ma dei social. Lì ci stanno facendo a pezzi.»

«Chissenefrega dei social» liquidò Soneri.
«Il grosso dell'informazione passa da questi canali ormai. È come un gigantesco bar dove ognuno può sparare cazzate.»
Il commissario restò in silenzio. Si sentiva oppresso. Avrebbe avuto voglia di camminare in un bosco su un sentiero duro di gelo, tra alberi spogli contro il sole.
Fece per alzarsi, quando Juvara riprese: «La Regione ha emanato l'ordinanza che impone la mascherina anche all'aperto fino a quando non sarà circoscritto il focolaio della Coop».
«Hai altre cattive notizie da darmi?» lo interruppe Soneri.
Juvara scrollò il capo. «Dovremmo parlare del telefonino di Ferrari.»
«Per oggi non accetto più disastri.»
«È un semplice elenco di numeri, nient'altro.»
«Vedi se scopri qualcosa» buttò lì con noncuranza il commissario infilandosi il cappotto.
«Ce n'è uno che risulta composto con più frequenza negli ultimi due mesi: comincerei da lì.»
«Approvo. Dallo anche a me.»
Juvara lo scrisse su un foglietto che poi strappò e glielo porse.
Soneri lo mise in tasca e uscì senza salutare.

18

«Stasera non mi va di giocare» comunicò Angela al telefono. «Ho freddo e forse sto covando un raffreddore.»

Poco prima, quasi non l'aveva riconosciuto.

«Ti parlo con la mascherina» avvertì il commissario. «Ci hanno imposto la museruola.»

«La tua indole anarchica salta sempre fuori. E pensare che sei un poliziotto!»

«Ci limitano la libertà e ci mettono il bavaglio: non è necessario essere anarchici per trovare tutto ciò insopportabile.»

«È a fin di bene. E poi chi ti dice che non mi sia presa anch'io il covid?»

«In quel caso direi che è da un mese che non ci vediamo.»

«Saresti uno stronzo.»

«Mi ci vedi due settimane in casa isolato? Preferirei che mi sparassero un colpo subito.»

«Non fare il tragico. Che intenzioni hai stasera?»

«Zero idee eccetto andare a zonzo. Ma senza di te non ci sarà gusto.»

«Palle! Starai benissimo. Perché non passi da Ferrari? Ha sempre cose da dirti.»

«Te lo ha chiesto lui?»

«No, è un suggerimento, visto che magari ti annoi.»
«Dovrei crederci? Come puoi sapere se ha cose da dirmi?»
«Intuito femminile. Ma fai tu.»
Si salutarono e il commissario si avviò alzandosi il bavero per ripararsi dalla brezza che produceva strane danze della nebbia, figure che comparivano e si dissolvevano come pensieri notturni. Camminò dentro quella pantomima di spettri fino a che intravvide Barriera Bixio, nient'altro che una fotografia sgranata in bianco e nero. Suonò e salì da Ferrari. Artenice gli aprì avvolgendolo nel suo silenzio, mentre il fratello sembrava l'aspettasse. Era seduto in salotto su una poltrona coi braccioli lisi e anneriti che aveva un drappo all'uncinetto sul bordo dello schienale.
«Le strade sono deserte, vero?» domandò l'uomo con rammarico. «La città dev'essere bellissima senza un'anima in giro.»
«La paura trattiene molti in casa» convenne Soneri.
«Mi dispiace per la situazione in cui si trova» proseguì Ferrari.
«La sua è molto peggio» replicò il commissario ancora una volta stupito della serenità con cui l'uomo ignorava i suoi guai.
«Rispetto a lei ho il vantaggio di essere credente e di considerare tutto relativo, in questo mondo.»
«È un bel vantaggio» convenne Soneri. «In effetti è stato salvato dalla Provvidenza, tempo fa.»
Ferrari ci pensò su per qualche istante.
«Allude alla mia malattia?»
«Al trapianto.»

«Quindi avete fatto un'indagine anche sul passato» constatò l'uomo. Che poi cambiò discorso: «Dovrebbe credere più nel prossimo e nella bontà che vive in questo mondo. Non c'è solo la parte cattiva».

«Da omicida lei ne fa parte» osservò crudamente Soneri.

«Già» constatò malinconicamente Ferrari. «Il male e il bene vivono abbracciati dentro di noi. Nessuno è completamente buono né completamente cattivo. Compresi i Santi e i Diavoli.»

«Quando ha subito il trapianto?»

«Dodici anni fa: ero spacciato, una leucemia mi stava divorando.»

«Chi è il donatore?»

«Non lo so. C'è una banca del midollo per questo. Come mai le interessa tanto sapere dei miei trascorsi di salute?»

«Mi hanno sempre affascinato le storie di salvazione.»

«Ci si trova tanta bontà. Persone che spendono un po' di se stesse per gli altri.»

«Qualcuno le ha restituito la vita, ma lei l'ha tolta a un altro» sottolineò il commissario.

«Una reazione istintiva di fronte alla malvagità. Siamo così vulnerabili che basta un attimo. Ma proprio la mia reazione dimostra che la malvagità non ci appartiene davvero. È una frustrazione che la scatena. Lei crede il contrario?»

«Non lo so, ma è utile pensarlo. Così si prendono precauzioni e si sta più sicuri.»

Come fosse una pièce teatrale, Artenice irruppe a un certo punto con il solito cabaret ossidato e sopra un paio di bicchieri. Contenevano un liquore scuro che poteva sembrare Marsala. Tutto in quella casa osservava un rituale tale e quale una messa.

«Ci si mette al riparo dalle delusioni, è vero» riprese Ferrari. «Ma si perde ogni incanto. È come sopprimere il desiderio per non soffrire della disillusione. Invece io dico che è necessario vivere la meraviglia di un dono. Fosse anche uno solo.»

«Chissà che desiderio inseguiva James» buttò lì di proposito Soneri.

«Nessuno. Quello non ne aveva. Sta proprio in questo la sua abiezione.»

«Ne è sicuro? O vuole solo giustificare il suo gesto?»

«Se non hai idealità o anche uno straccio di obbiettivo, rincorri tutto come fanno i bambini coi giocattoli. Lui è rimasto un bambino e gli altri son diventati giocattoli per lui.»

«Lo conosceva così bene?»

Ferrari fece un gesto per dire che ne sapeva anche troppo.

«Le ho detto a cosa servivano i soldi che mi ha rubato, no?»

Il commissario assentì, ma l'uomo proseguì ugualmente.

«Per una scuola e un piccolo ospedale ad Adua» ripeté. «A quei bambini che muoiono per strada basterebbe una pillola da pochi centesimi, capisce? Lui ha sperperato quei soldi per comprarsi qualche puttana, cene lussuose e la cocaina. Avremmo potuto salvare centinaia di vite che sono state sacrificate per futilità» alzò la voce Ferrari.

Soneri si trovò improvvisamente di fronte a un'esplosione di rabbia che lo sorprese. Poteva essere lo stesso sbocco d'ira che l'aveva indotto a sferrare le coltellate a Malvisi. Forse era un caso di bipolarità.

Subito dopo, attratta dal tono di voce, comparve la sorella sulla soglia del salotto. Dava l'idea di un'infermiera che accorre al capezzale di un malato allarmata da un lamento.

«Era il mio desiderio. Ridare la vita a qualcuno come atto di riconoscenza verso chi l'aveva ridata a me. Quello...» Ferrari si interruppe prima di qualificare Malvisi, ma subito dopo riprese saltando l'aggettivo.

«Quello ha ucciso centinaia di bambini. Io ho ucciso lui, ma solo perché ha commesso un delitto molto più grande. Con una bottiglia del suo vino o un tiro del suo naso, avrei salvato dalla morte una classe intera di bimbi di una scuola che non s'è potuta costruire» ribadì Ferrari alzando di nuovo la voce.

Artenice gli si piazzò di fianco e gli pose una mano sulla spalla. Lui sollevò lo sguardo su di lei e solo in quel momento il commissario si rese conto delle lacrime.

«Capisco» disse Soneri, «ma nessuno può diventare giudice e condannare a morte un altro. Nessuno più di un credente deve sapere queste cose. E ancora prima che glielo imponga un codice.»

«Vuole che non lo sappia? So di avere commesso un peccato gravissimo, più grave del reato.»

«Adesso è pentito?»

Ferrari lo fissò con uno sguardo limpido che pareva scaturire da una convinzione definitiva.

«Dovrei esserlo, ma non ci riesco. E il pentimento uno non può imporselo.»

«Non le passa la rabbia...»

«Prego, cerco di redimerla, ma poi riesplode come un fuoco subdolo. Dentro di me c'è una rissa tra ciò che vorrei essere e ciò che sono.»

«Forse ha messo in gabbia per troppo tempo se stesso. Le idealità sono tirannie di fronte alle quali ci si sente sempre inadeguati. Finiscono per far deflagrare gli istinti.»

Ferrari sembrò meditare. Poi riprese a parlare di scatto.

«Malvisi gli istinti non li frenava di certo.»

«Chi nasce ricco è portato a pensare che la sua sia una condizione immutabile.»

«A volte sono sul punto di pentirmi quando penso che in fondo, benché nato ricco, era un povero Cristo fragile e insicuro. Ma poi mi ricordo la sua arroganza e tutte le mie buone intenzioni sfumano» confessò l'uomo.

«Fragile?» si stupì il commissario.

«Ma sì» disse Ferrari annuendo. «Gli è morta la madre a tre anni, lo sapeva?»

«Sì, sapevo che Venanzio era vedovo. È strano che non si sia risposato. Uno col suo patrimonio avrà avuto la fila.»

«In un certo senso si è risposato.»

«Mi è sfuggito qualcosa? Con chi?»

«La sua segretaria, la Mariani.»

Soneri fu dapprima stupito e subito dopo aggredito dalla rabbia. Gli pareva di essere costantemente anticipato e sopraffatto dagli accadimenti. Annaspava ignaro sentendosi trascinare dagli accadimenti come fosse al guinzaglio, quando avrebbe dovuto essere lui a condurre le danze. Cominciava a dubitare di se stesso e a sentirsi fragile, stretto tra un caso che si era risolto già al momento in cui si era rivelato e la beffa di un truffatore seriale.

«Gli è stata fedele per quarant'anni e credo fosse innamorata da subito di lui. Quando la moglie è morta lei ha provato a prendere il suo posto» lo informò Ferrari.

«Però non l'ha mai sposata. Avrebbe potuto.»

«Venanzio aveva mille remore. Non ultima l'appartenenza sociale. Frequentava nobili e industriali, sposare la segretaria era come celebrare un matrimonio morganatico.»

Il commissario ebbe un moto di disapprovazione.

«Così andavano a letto di nascosto? Pensavano che in una città come Parma nessuno lo sapesse?»

«Cosa facessero realmente non lo so. Il loro rapporto era ambiguo e si prestava a tante interpretazioni. Ma mi pareva un po' puerile tentare di salvare l'immagine dandosi del lei in pubblico. Tutti sapevano che James è stato allevato dalla Mariani e per Venanzio ha rappresentato un gran sollievo visto che il suo unico interesse erano gli affari. Da solo non avrebbe mai potuto sfangarsela con un figlio piccolo.»

«Credo che quella donna non ci sia più tanto con la testa» avvertì Soneri.

«Ci ha parlato?»

«No. Per ora credo che mi sia più utile osservare i suoi comportamenti. Sono piuttosto bizzarri. Di sera sale su un autobus e gira tutta notte.»

Questa volta fu Ferrari a mostrarsi stupito.

«Povera donna, ha trascorso una vita da gregaria al

servizio di un uomo che forse non sapeva che farsene del suo affetto.»

Soneri guardò l'ora e nello stesso istante provò il desiderio di ritornare dentro il guscio di nebbia che l'aspettava oltre il portone. Si alzò approfittando di una delle pause meditative di Ferrari, salutò e si avviò in corridoio. Artenice gli fu immediatamente a fianco sbucando dalla cucina con misteriosa sincronia. Lo accompagnò alla porta, stando un passo dietro, e quando fu per uscire parlò ancora: «Mio fratello si è sempre sacrificato per gli altri». Poi chiuse precipitosamente, quasi temesse una replica.

19

Alla Bottiglia azzurra Soneri trovò Sbarazza molto inquieto. Era seduto su uno sgabello al banco e non aveva niente in mano. Il commissario gli lanciò un'occhiata interrogativa.

«Non riesco a stare senza la bellezza» sussurrò affranto.

Restarono in silenzio per un po' senza che Soneri capisse. Ci riuscì solo dopo che l'uomo proseguì.

«Se guarda un campo di grano, un sentiero dentro un bosco o uno scoglio marino, non vedrà solo bellezza, ma qualcosa che le farà pensare ad altra bellezza ancora. Qualcosa che scaturisce dall'immaginazione resuscitata.»

«E qui non ha trovato la bellezza?» domandò il commissario girando lo sguardo tra i tavoli dov'erano sedute ragazze e donne attraenti.

«Oh, bei corpi, non c'è dubbio» esclamò.

«E allora?»

«Sono volgari. Manca il fascino. E io non riesco a provare piacere senza poter immaginare. Solo il fascino lo può permettere. Quell'aura indefinita e inspiegabile che rivitalizza sensi e mente.»

«Immaginare è un processo investigativo» fece notare Soneri. «Forse il più importante.»

«Non so cosa ne direbbe il suo collega, quello della Scientifica» insinuò Sbarazza.

Il commissario sorrise: «Quella è gente che non bada né alla bellezza né al fascino, vede solo molecole e chimica. Mica si godono la vita».

«È riuscito a immaginarsi com'è che Ferrari s'è accanito ferocemente contro James?» domandò improvvisamente Sbarazza.

Sorpreso, Soneri ci pensò per un attimo e disse: «No».

«È una grossa stranezza, non trova?»

Il commissario assentì.

«Nell'atto che ha compiuto, nella sua determinazione feroce, c'è qualcosa di profondamente estetico.»

Soneri aggrottò le sopracciglia.

«Non intendo apprezzare un omicidio, ma la modalità con cui è stato compiuto fa pensare a una grande passione.»

«È stata solo ira, un impulso nemmeno dei più nobili» obbiettò il commissario.

«Sì, sì, d'accordo, non certo nobile, ma molto umano. L'uomo che soccombe travolto dagli affronti e dalle offese che reagisce come una bestia ferita. A suo modo, un eroe tragico sopraffatto dal fato.»

«Lei immagina molto...»

«Trasfiguro la realtà cercando di superarne l'aspetto puramente tecnico. Anche il più rigido degli ingegneri dovrebbe saper immaginare. Un oggetto, prima di essere realizzato, dev'essere immaginato. A meno che non ci si voglia abbandonare alla mera riproducibilità. Siamo stati i primi al mondo quando sapevamo immaginare cose che non esistevano.»

«Mi sta suggerendo di immaginare una soluzione differente al caso Malvisi rispetto a quello che appare evidente?»

«Sarebbe un bell'esercizio intellettuale» commentò Sbarazza. «Leonardo era uno scienziato e un artista. Inventava sia dipingendo che disegnando manufatti o opere pubbliche. Poi sono arrivati questi imbecilli di tecnocrati e manager, la razza più infame della terra. Hanno separato quel che doveva stare unito. Anche lei dovrebbe essere artista e poliziotto. Il male di questo tempo è non saper più immaginare» concluse.

Sbarazza appariva di colpo avvilito. Con lo sguardo osservò di nuovo i clienti tra i tavoli, quindi scosse la testa, scivolò giù dallo sgabello con un piccolo saltello elegante, salutò e uscì. Il commissario uscì a sua volta, abbassò la mascherina, si accese il sigaro e seguì con lo sguardo l'uomo che si allontanava, finché lo vide sparire nella nebbia.

Subito dopo si diresse verso la fermata delle linee notturne di fronte all'Annunziata. Stette defilato finché vide comparire la Mariani vestita con lo stesso paltò di sempre e la borsetta rigida. Dopo pochi minuti arrivò il bus della linea 1, ma lei non salì. Tutto apparve chiaro quando la vide prendere posto sull'altra linea, la 2, che percorreva le periferie a sud della città. Il commissario trascorse i quarantacinque minuti che il mezzo impiegava per compiere l'intera corsa passeggiando sul Lungoparma, quindi salì a sua volta. Lei era al solito posto nella posizione di sempre con la borsetta sulle ginocchia e le mani appoggiate sopra, il capo rivolto al finestrino. Assomigliava a una statuetta del presepe che si ritrova identica ogni Natale. Soneri la tenne d'occhio per un buon tratto, finché il bus non oltrepassò il ponte Dattaro per poi proseguire fino alla svolta in via Montanara. Immediatamente una folla di fantasmi gli si presentò di fronte distraendolo, i volti di quelli che aveva conosciuto, gli scomparsi e i sopravvissuti. Da ogni casa vedeva spuntare una pattuglia di visi senza tempo, le comparse di una vita passata che tornavano a popolare il quartiere che era stato suo. Non resistette e decise di scendere. Giustificò quella sorta di debolezza con la necessità di ricontrollare l'ufficio in cui era stato ucciso Malvisi, ma sapeva che il motivo era altro. La sua memoria riesumava le sembianze di quel che era stato come riportando alla luce un affresco sotto l'intonaco. E allo stesso modo gli comparve dinnanzi il vecchio Tinelli barcollante. La sua andatura, visto da lontano, nella nebbia, lo faceva apparire fluttuante nell'oscurità. Aveva sempre lavorato sottoterra, nei cunicoli fognari, e nessuno conosceva meglio di lui il sottosuolo di Parma. Quando furono a pochi passi, si scrutarono. Il vecchio sembrò sfogliare il catalogo sbiadito dei tanti che aveva conosciuto. Soneri si abbassò la mascherina e a quel punto l'altro lo riconobbe.

«Il tempo ti ha bastonato meno di me» commentò senza salutare.

«Ci è andato leggero anche con te.»

«Non cominciare!» gli intimò Tinelli ruvidamente. «Non sopporto le solite frasi che si dicono ai vecchi. Ti fanno sentire ancora più moribondo.»

Soneri tacque, felice di aver ritrovato il carattere spigoloso dell'uomo. Qualcosa di immutato era rimasto.

«Non ricordi come saltavo dentro e fuori dalle botole della strada? E di quando ci finiva il vostro pallone e io chiedevo il riscatto di un bicchiere di vino per ridarvelo?»

Il commissario naufragò dolcemente tra i ricordi.

«Una cosa crudele» commentò. «Finivano così i nostri giochi nei brevi pomeriggi d'inverno.»

«Non dire cazzate! Vi ho spiegato più cose io di un'enciclopedia. Sul sesso sono stato il vostro manuale. C'era ben di peggio in questo quartiere. E c'è ancora» aggiunse senza fare nomi, ma era evidente che alludeva al delitto. «L'avevi mai vista una cosa così?»

Soneri ritornò indietro nel tempo poi scosse la testa.

«Quando anche tu abitavi qui, c'era meno differenza tra quel che vedevi sopra e ciò che notavi sotto» riprese Tinelli che si era abbassato a sua volta la mascherina tanto da far sentire il suo alito di vino.

«Qui c'erano i popolani, gli immigrati, gli sfigati dei capannoni di via Navetta. Mica se la tiravano» aggiunse.

«Vuoi dire che allora eravamo tutti sotto?»

Tinelli proruppe in una gran risata, la bocca aperta mostrò un panorama di macerie.

«Sotto c'è la merda» quasi gridò, compiaciuto di suscitare scandalo tra un immaginario pubblico che l'ascoltasse. «I popolani e gli ex contadini che abitavano da queste parti sapevano cos'era la merda. La loro e quella degli animali che avevano intorno. Erano nella merda fino al collo in tutti i sensi. Ne avevano l'odore fino in camera da letto, puzzavano della stalla. Adesso questi fanno finta che non esista. Si profumano spruzzandosi addosso litri di roba, fanno la doccia due volte al giorno e un filo di sudore è una vergogna.»

«So com'era: i cessi all'aperto, niente più di un'asse con un buco. Certi giorni d'inverno preferivi tenerti il bisogno piuttosto che tirarti giù le braghe nel gelo di quei bugigattoli pieni di spifferi. Ecco perché si diceva "un freddo cagone".»

«Non è ciò che voglio dire» lo interruppe Tinelli. «Adesso si fa finta che ciò che c'è sotto non esista. Ogni giorno quelli la fanno nella tazza e poi tirano l'acqua pensando che tutto sparisca. È così per ogni cosa. Il cesso è la pulizia della loro coscienza. Ci buttano di tutto. Tutto quello che non vogliono vedere. La merda è il meno, ci sono cose che non t'immagini. Butti e tiri l'acqua, poi dimentichi: fatti, persone, colpe» rise ancora sonoramente Tinelli.

«Malvisi non è riuscito a tirare lo sciacquone» commentò Soneri.

«L'ha fatta troppo dura e gli è rimasta a metà» sghignazzò di nuovo Tinelli che poco dopo si fece improvvisamente serio. «Comunque è una faccenda poco chiara» borbottò.

«Poco chiara?» s'incuriosì Soneri.

Il vecchio mugugnò qualcosa di incomprensibile scrollando la testa con lo sguardo abbassato. Poi, sentendosi osservato, riprese infastidito.

«Malvisi era diventato molto diffidente. Si sentiva braccato e non apriva più a nessuno.»

«Dunque ti sembra strano che abbia accolto nel suo ufficio l'assassino?»

«Dico che doveva fidarsi al cento per cento.»

«In effetti chi l'ha ammazzato non ha certo un aspetto aggressivo» rifletté Soneri pensando a Ferrari.

«Forse è per quello che gli ha aperto. Sarà andata così» tagliò corto Tinelli, dando tuttavia l'impressione di non essere troppo convinto.

L'uomo restò per qualche istante assorto e assente. Doveva essere il vino che faceva effetto: dopo l'euforia, la tristezza.

«Senti da Gastaldi» riprese poco dopo parlando sottovoce. «Lui forse sa qualcosa. Era nel partito, ricordi? Conosce molta gente di quelli che erano i suoi. Almeno chi è rimasto.»

Detto questo s'incamminò lungo via Carmignani, sul marciapiede che un tempo costeggiava il campo sportivo del convitto Vittorio Emanuele. Quando fu a una decina di metri, si volse e urlò: «Ricordati della merda!».

L'ultima eco contro la facciata dei palazzi fu quella di uno sghignazzo.

Gastaldi abitava al quarto piano di fronte al numero 8. Prima di suonare al citofono, il commissario guardò l'ora: mancavano venti minuti a mezzanotte. Indeciso girò lo sguardo attorno. S'immaginò il giornalaio Marchesi, il vecchio Gedeone e il suo negozio di elettrodomestici, la pasticceria Casa del dolce, il bar Claudia, il cinema Olimpico: gli parve la riesumazione di una fossa collettiva. Quando si approssimarono i volti degli amici, soppresse il pensiero rifugiandosi nel presente. Voleva dire salire da Gastaldi.

Gli venne ad aprire un ragazzo che lo squadrò diffidente. Prima che il commissario potesse presentarsi, comparve il vecchio appoggiandosi a un bastone.

«Chi l'avrebbe mai detto?» esclamò riconoscendolo malgrado la mascherina.

Soneri entrò e ritrovò il salotto dove negli anni giovanili si riuniva per discutere di politica con altri universitari del quartiere. Gastaldi era il segretario della sezione locale del partito comunista, ma i suoi ospiti appartenevano a una galassia ideologica molto variegata e per questo i dialoghi erano spesso vivaci.

«Ritorno sul luogo del delitto» affermò con un doppio senso il commissario.

Il vecchio gli fece cenno di sedere e assentì gravemente.

«Qui davanti» confermò sporgendo il mento a indicare l'altro lato della via.

«Conoscevi Malvisi?»

«Non era uno del quartiere, ma mio nipote Piero» disse indicando il ragazzo «lo vedeva spesso nei locali della Parma ricca.»

«E qui si faceva notare?»

«Per niente. Durante il giorno non c'era quasi mai. Arrivava la sera dopocena, e a volte mi è capitato di vederlo uscire ben oltre la mezzanotte.»

«Nessun viavai?»

«Poca roba. Non sto sempre alla finestra, ma in qualche occasione ho visto delle auto ferme con qualcuno dentro ad aspettare. Non so se c'entrassero con quell'uomo, ma mi è venuto il sospetto.»

«C'erano anche la sera dell'omicidio?»

«Non mi pare. Ma le partite di coppa alla TV forse mi hanno distratto.»

«Io ho visto delle persone lì davanti» intervenne il ragazzo. «Quella sera sono stato sveglio fino a tardi per un esame il giorno dopo» precisò.

«Gente di qui?»

«Non so, non li ho visti in faccia. Portavano la mascherina anche se non era ancora obbligatoria. Mi è sembrato strano. Comunque erano due e parlavano sul marciapiede al numero 8.»

«A che ora?»

«Non ricordo. Poteva essere tra mezzanotte e l'una.»

«Ti è sembrato che aspettassero Malvisi?»

Piero allargò le braccia: «Li ho visti, ma non sono stato a controllare. Ho studiato ancora un po' e quando ho abbassato la tapparella non c'erano più».

«Hai notato qualcosa di particolare? Una macchina da cui sono scesi o saliti, per esempio.»

«Non ho visto macchine. Mi è sembrato strano che ci fosse in giro qualcuno a quell'ora con le partite in TV e i bar chiusi. Qui la sera c'è il coprifuoco, vanno tutti a letto presto da sempre senza che glielo imponga il sindaco.»

«Mi sembri perplesso e incuriosito» riprese Gastaldi. «Ho letto che uno ha confessato. C'è dell'altro?»

Il commissario ci pensò per un attimo. «No, non credo.»

«È talmente inusuale che qualcuno si prenda la colpa in questo Paese, che forse la vicenda ti ha sconcertato» disse l'uomo.

Al commissario scappò una risata nervosa.

«Forse» sussurrò.

«Fin da giovane sei sempre stato dubbioso» proseguì il vecchio.

«Adesso devo esserlo più di allora.»
«Non ti accontenti?»
«No.»
«L'inquietudine è sempre l'avanguardia di qualcosa di irrisolto che preme sottopelle.»
«Ti spinge ad agire, ma non è mai chiaro se in bene o in male.»
«Forse lo capirai col tempo» concluse Gastaldi. «L'apparenza del presente è spesso ingannevole.»
«Tu l'hai capito?»
Il vecchio sorrise e scosse la testa negando.
«Credo che sia meglio non capire, così si continua a cercare. Che poi è l'unica salvezza.»

20

Entrando in ufficio, Soneri ignorò volutamente le mazzette dei giornali, ma l'espressione preoccupata di Juvara riassumeva benissimo ciò che avevano scritto. Qualcuno aveva spifferato della nuova truffa e i cronisti c'avevano inzuppato il pane. Oltretutto, il caso era ormai approdato sulle pagine dei quotidiani nazionali e ciò aveva fatto imbestialire ancor più Capuozzo, che sentiva bollirgli la sedia sotto il culo ogni giorno di più. Ci si erano poi messi anche i parlamentari della città a sventagliare interpellanze in faccia al ministro degli Interni. Completavano il quadro alcune insinuazioni secondo le quali l'imprendibile truffatore risultava ben informato. Un giornale parlava di una presunta "talpa" dentro la questura. La Falchieri si era fatta viva poco dopo.

«Cos'è 'sta storia della talpa?»

«Non ne so niente» nicchiò Soneri. «Non nego di avere sospetti e ne ho parlato con Pasquariello. Quello colpisce sempre in zone lontane dai nostri appostamenti. Non può essere solo una coincidenza.»

«Se anche fosse, non si spiega com'è uscita la notizia.»

«Ho già troppe indagini da fare» reagì con lieve fastidio il commissario.

«Ma non veniamo a capo di niente» replicò il magistrato. «Non s'immagina il putiferio che si è scatenato. Capuozzo sente odore di rimozione e sta muovendo il mondo buttandoci la colpa addosso. In pratica va dicendo a tutti che siamo degli incapaci. E non dimentichi che sono io a condurre l'inchiesta.»

«Facciamo che lei scarica la colpa su di me e io a mia volta mi rifarò con gli ispettori e gli agenti.»

«No, no» tagliò corto la Falchieri, «ho già troppi isterici intorno e non mi va di fare la mamma che canta ninnenanne.»

Il commissario avvampò e stava per replicare quando udì il click. La rabbia gli restò in gola e si sentì come una pistola inceppata. Subito dopo cercò di calmarsi. Aprì a spicchio la finestra e si accese il sigaro. La giornata era appena cominciata e le disgrazie erano già quelle che avrebbe subito in una settimana. Il morale era a terra. Bastava guardare la faccia da penitente di Juvara incollata al video come alla grata di un confessionale. Soneri si sentiva impotente, irretito dentro una trappola che stava corrodendo la sua credibilità. Cercò di uscire da quella situazione. Ci voleva un balzo come quelli di Tinelli quando spuntava dalle botole.

«Controlliamo di nuovo i filmati delle telecamere nelle zone in cui quel tipo ha colpito, magari ci è sfuggito qualcosa» ordinò.

Juvara assentì rassegnato. «Proviamo.»

Era una mossa come un'altra, ma in realtà nessuno sapeva cosa fare.

Soneri richiuse la finestra e spense il sigaro. Stava per uscire alzandosi la mascherina sul viso quando dovette riabbassarla per rispondere al telefono. Era il comando dei vigili urbani che gli comunicava di aver rimosso una vettura la cui targa era tra quelle oggetto di ricerca: una Mercedes Classe A vecchio modello.

Il commissario uscì senza dir niente afferrando fiducioso l'indizio. L'entusiasmo svanì quando pensò che anche quello non era frutto della sua indagine, ma gli capitava addosso allo stesso modo in cui gli era capitato tutto, quasi casualmente. L'ispettore dei vigili completò la delusione quando gli riferì le circostanze del ritrovamento. L'auto era ferma a pochi passi dalla questura, in via Ventidue luglio. L'avevano rimossa perché sostava per metà sulla piazzola di carico e scarico impedendo ai furgoni di parcheggiare.

«Da quanto tempo era lì?» domandò Soneri.

«Da ieri, forse» rispose il vigile. «Siamo intervenuti stamattina perché alcuni commercianti hanno protestato.»

A quel punto Soneri pensò che si trattava davvero di una sfida. Lasciare l'auto a due passi dalla questura, in modo da farla notare e rimuovere, non poteva essere un fatto casuale. Telefonò alla Falchieri limitandosi a comunicare la necessità del sequestro dell'auto col tono di chi parla a una segreteria. Poi avvisò Nanetti per l'esame dell'interno con la speranza di trovare qualcosa di utile. Prima di lasciare la sede dei vigili si avvicinò all'ispettore.

«Non divulghi la notizia, almeno per qualche giorno» raccomandò il commissario.

«Mi pare impossibile» rispose l'altro. «C'era un fotografo quando l'abbiamo caricata sul carro attrezzi.»
«L'avete avvisato voi?»
«Non credo, non lo facciamo mai.»
«Dico non ufficialmente.»
«Qui lavorano duecento persone» rispose sibillino l'ispettore.
Soneri previde un'altra sventagliata di ridicolo sverniciare la sua immagine già ammaccata.
Nel cortile del comando dei vigili comparve Nanetti.
«Nemmeno fosse l'auto di Al Capone!» esclamò. «Se chiamate la Scientifica anche per un ladro di polli, in futuro dovrete fare la fila come al CUP.»
«Non sai che casino...» si giustificò il commissario.
«Lo so, ti stanno rosolando. Devi saltar giù dalla graticola prima che ti mettano in tavola e ti affettino.»
«Se mi dai una mano tu...»
«Vorrei, ma cosa vuoi trovare in un'auto usata come un taxi?»
Nel frattempo era arrivato anche il rappresentante della ditta di leasing proprietaria della Mercedes, un tizio di mezz'età dall'aria severa. Quando apprese che non avrebbe potuto ritirarla subito, si indispettì. Giustificò la fretta col fatto che da alcuni mesi non veniva pagata la rata.
«Avevamo perso le tracce dell'auto anche noi» borbottò.
Soneri impiegò pochi minuti a tornare in ufficio, il tempo sufficiente a rendersi conto di essere di nuovo in balia degli accadimenti. Si sforzava di recuperare un ruolo, ma si sentiva come una cartaccia nel vento.

Appena giunto in questura arrivò la telefonata di Pasquariello.

«Un altro colpo?» si mise in guardia.

«Questa volta gli è andata male.»

«È il nostro?»

«Solo sospetti, ma se è lui ha cambiato obbiettivo. Questa volta ci ha provato con una vecchia, però non ci è cascata.»

«E i sospetti?»

«È uno alto e magro, tutto qui. Pare indossasse una divisa, però non si sa di che tipo. Ma visto l'allarme che c'è... D'altro canto è anche possibile che si dedichi a un altro genere di truffe, avrà sentito il fiato sul collo.»

«Dov'è successo?»

«Borgo Lalatta, al 15.»

Il commissario allontanò la cornetta dalla bocca e si rivolse a Juvara: «Controlla le telecamere nella zona di borgo Lalatta» ordinò.

«Non c'è granché» avvertì Pasquariello. «Solo tre locali hanno l'impianto di video sorveglianza, ma credo che inquadrino pochi metri di strada.»

Solo in quel momento Soneri si accorse che anche quella poteva essere vista come una sfida. Borgo Lalatta non era distante dalla questura. Mancava solo che quel tizio venisse a rubare negli spogliatoi degli agenti.

Doveva agire, sfuggire agli strattoni del caso e alle accelerazioni brutali dei fatti. Uscì senza dire niente e si diresse in borgo Lalatta. Al 15 salì dalla vecchia.

«Meno male che non è in divisa, sennò non le avrei aperto» disse lei.

«Brutta esperienza, lo so...» giustificò il commissario.

«Oh, non è per quello» riprese la donna, «a me le divise non mi hanno mai portato bene. Quand'ero operaia, carabinieri e poliziotti me le davano, poi ho sposato un postino che mi ha lasciata sola con due figli... Allora i postini avevano l'uniforme e il berretto.»

«Quindi non ha aperto a quel tizio... Che divisa aveva?»

«Mi è parso da Guardia di finanza, ma potrei sbagliarmi. Quando vedo quei berretti rigidi con la visiera, io giro alla larga. Però quello aveva un fare così gentile e divertente...»

«Cosa diceva? Scherzava?»

«Una roba del genere. Battute. Ne ha sparate una serie.»

«Ma lei non c'è cascata.»

«No, per fortuna. Stavo per farlo, ma poi m'è venuto un dubbio.»

«Che dubbio?»

«Non ha sentito dell'ultima ordinanza del sindaco? Sono vietate le visite, specie in casa di anziani, i più soggetti a buscarsi il covid. Anche le autorità non possono, a parte i medici e i parenti stretti.»

«E quindi s'è chiesta come mai quello volesse entrare?»

«Senta» si fece seria la vecchia, «intanto uno che scherza in quel modo dev'essere fuori posto dentro una caserma. E poi che ignori le disposizioni del sindaco mi pare paradossale. Siete voi che dovete farle rispettare.»

«Non fa una piega. Ma poi lei ha anche chiamato la questura.»

«Per forza» alzò la voce la donna, «se non era un

vero finanziere, come ho sospettato, chi poteva essere se non un ladro?»

«Anche in questo caso non fa una piega» convenne il commissario. «Ha notato qualcosa di particolare in quell'uomo?»

«Che era alto e magro. Poi che aveva una gran parlantina. Anche questo è un po' strano, non trova?»

«A dire il vero no.»

«Chi è abituato a controllare e a chiedere parla poco. Ha mai visto un'intervista in cui le domande sono più lunghe delle risposte?»

«In effetti è difficile.»

«No, impossibile. Voi siete quelli che domandano.»

La vecchia aveva due occhi pungenti, segno di una intelligenza ancora vivissima, un viso scarno e un caschetto di capelli bianchi come la cima di un monte innevato. Guardava il commissario ondeggiando il capo come una maestra che rimprovera l'allievo zuccone.

«Ha visto dove si è diretto andandosene?» domandò Soneri distogliendo gli occhi da quello sguardo.

«Verso via Repubblica. Ho sbirciato dalla finestra e ho visto che era solo, per di più senza macchina. I finanzieri sono come i carabinieri, vanno sempre in due e la macchina ce l'hanno» stabilì la vecchia, che ormai doveva sentirsi come Miss Marple.

«Dovremmo assumerla in questura» disse Soneri.

«Le ho detto che odio le divise.»

«Avrà facoltà di restare in borghese» concluse il commissario congedandosi. Quando fu sul pianerottolo lei disse: «A una mia amica di novantatré anni è successa una cosa simile e ha chiamato i carabinieri».

Soneri si fermò prima di imboccare la rampa.

«Quando?»

«Ieri. Anche lei un finanziere. O forse un vigile. Poveretta, poi s'è confusa e ha avuto un malore, tanto che l'hanno dovuta ricoverare.»

«Uno alto e magro?»

«Non lo so. Mi ha informato la figlia dall'ospedale.»

Quando uscì camminò facendo un giro largo per riflettere. Si rese conto di non aver acquisito niente di nuovo. L'indagine era al palo e forse si era complicata. Se il truffatore era lo stesso che aveva raggirato commercianti e imprenditori, significava che aveva cambiato strategia e tutto avrebbe dovuto ripartire quasi dall'inizio.

Pasquariello aveva stabilito che l'uomo doveva essere sempre più disperato se ora si dedicava agli anziani, con la prospettiva di grattare qualche gioiello o una mesata di pensione. L'unica cosa certa era che la rete predisposta per catturarlo non doveva essere semplicemente rattoppata come diceva la Falchieri, ma rifatta del tutto.

Uscendo dalla casa della vecchia, si immedesimò nei panni del truffatore. Se era andato verso via Repubblica, doveva essere passato sotto l'occhio di qualche telecamera. Gli venne in mente che ce n'era una nel bar quasi in angolo col borgo. Telefonò a Juvara per chiedergli di sequestrare la registrazione.

«Ci è passato Musumeci» rispose l'ispettore, «io sto visionando altri tre obbiettivi.»

«Quali?»

«In via padre Onorio, in borgo Regale e in borgo Onorato.»

«Trovato qualcosa?»
«Solo una stranezza.»
«Spiegati meglio.»
«In borgo Regale, la telecamera ha inquadrato per un attimo un tizio con la nostra divisa, ma con un particolare che la fa sembrare fasulla.»
«Sarebbe?»
«La cintura. L'ho osservata molto bene e non è delle nostre. Questa è più sottile, come quella dei vigili urbani. Ma è solo un fotogramma un po' sfocato perché la telecamera non copriva che per un attimo.»
«Un particolare che poteva notare solo un dandy come te.»
Juvara mugugnò qualcosa che sembrava un riso soffocato.
«E poi» aggiunse, «anche questo dell'immagine mi sembra piuttosto alto e magro.»
Soneri riattaccò e si rifugiò negli uffici della Scientifica. Nanetti lavorava in locali defilati dove i clamori della questura arrivavano attutiti.
«Cosa mi dici dell'auto?» chiese Soneri.
«Ho poco da dire» rispose il collega che ancora indossava i guanti di lattice. «È stata guidata l'ultima volta da un tizio di alta statura, come si può capire dalla posizione del sedile. Ci sono impronte prevalenti di un individuo solo, forse proprio questo che l'ha usata e abbandonata in via Ventidue luglio.»
«Tutto qui?»
«No, stiamo esaminando il navigatore, riporta gli ultimi itinerari. Ce ne sono tre che potrebbero esserti utili.»

«Era così sprovveduto da usare il navigatore per girare in città? O forse è uno in trasferta?»

«No, l'apparecchio non è stato programmato. I navigatori hanno inclusa la geolocalizzazione e, anche se non lo programmi, uno esperto ci cava fuori i percorsi. Quindi abbiamo scoperto che quell'auto una settimana fa è stata in via Carmignani più di una volta.»

«Il luogo dell'omicidio? E dove altro è andata?»

«In un mucchio di posti, ma come tutte le macchine. Via Carmignani non è una via dove ci si va se non con un'intenzione. Non ci sono uffici, solo residenze. Ho controllato: una pasticceria, un fruttivendolo e un negozio di alimentari. E la sera sono chiusi.»

«So bene cosa c'è in via Carmignani» tagliò corto contrariato Soneri.

Subito dopo si pentì di quello scatto e cercò di rimediare con un invito.

«Ti porto da Bruno e dalla tua cameriera preferita.»

Nanetti lo squadrò bonariamente minaccioso, poi prese il cappotto e lo seguì.

«Sapevo che non avresti resistito» disse il commissario quando furono seduti sui soliti sgabelli.

«Dici alla fame o alla cameriera?»

«La fame viene più volte al giorno. Con la cameriera non so se ce la faresti.»

«Morirei volentieri soffocato lì in mezzo» sussurrò sognante Nanetti mentre la ragazza si chinava leggermente per sistemare i piatti nel tavolo di fronte.

Il commissario invece era distratto.

«Devi avere guai grossi se una scollatura così ti lascia indifferente» fece notare il collega.

«Per questo ti ho chiesto aiuto.»

«Potessi fare di più... Credo che quel tizio sfugga perché ha buone entrature.»

«Dici la talpa?»

«Ieri ho portato alla Falchieri alcuni risultati di analisi che mi aveva chiesto. A un certo punto le ha telefonato il procuratore e ho intuito che ragionavano di mettere sotto controllo alcuni numeri. Le è scappato detto che era una faccenda delicata e che riguardava la nostra famiglia. Ha detto proprio così» concluse Nanetti.

«Nostri colleghi di sicuro.»

«Senti, quando mai uno così riesce a farla franca per oltre venti volte? È chiaro che è ben informato.»

«Sì, ma da chi?»

«Io qualche sospetto ce l'ho.»

«Calabritti?»

«Potrebbe essere ma è un pesce piccolo. Conosci Magliaro?»

«Quel fighetto profumato che se la tira? Il vice della Digos?»

«Proprio lui. Gira con auto di lusso e fa la bella vita.»

«Sono tanti in questa città» annotò Soneri.

«Poteva farlo Malvisi, consumando il grano che gli ha lasciato il padre, ma un poliziotto come Magliaro? Tutte le sere è al Copacabana e il menù è donne, alcol e cocaina. Nessuno ci mette il becco perché è il locale della Parma-bene.»

«Il naso ce lo mettono loro» ironizzò Soneri alludendo alla cocaina.

«Calabritti va a rimorchio di Magliaro e altri due colleghi. Uno della Narcotici.»

«Quei due mi hanno sempre fatto schifo, ma cosa c'entra con questa storia?»

«C'entra perché al Copacabana erano di casa Malvisi e i suoi soci.»

Il commissario fu di nuovo sorpreso. Rimase sopra pensiero per qualche istante, al punto che non lo distolsero nemmeno la spalla cotta e la cameriera che si era avvicinata col piatto.

«La stessa ghenga di gaudenti pronta a spendere anche cinquecento euro a serata» continuò Nanetti. «Le voci in questura sono ormai tante.»

Soneri persisteva nel silenzio. Sentiva di pagare la sua vita professionale da cane sciolto e quel vivere appartato che non gli permetteva di conoscere la città del divertimento, quella da bere e ingoiare ogni notte vivendo di pancia. Un poliziotto doveva avvoltolarsi nella melma per sentirne l'odore e capirne la consistenza.

«Quindi pensi che l'informatore sia uno di questi nottambuli?»

Nanetti strinse le spalle: «Tra compagni di merende...».

21

Il commissario si chiese perché tutto capitasse senza che ne fosse protagonista. Si sentiva come la Mariani che ogni notte saliva su un autobus e si lasciava portare in giro per la città. Ma a differenza di Soneri, lei conosceva l'itinerario. Quell'impressione di passività si era ripetuta riflettendo su quel che gli aveva riferito Nanetti. Non era stato capace di collegare i sospetti alla vita disinvolta di certi colleghi. E della possibile talpa gli aveva parlato Pasquariello. Gli mancava sempre l'ultimo metro per arrivare alla conclusione. Doveva reagire, ma si sentiva scarico, perennemente sorpreso dai fatti. Come in quel momento, quando squillò il telefonino.

«Non preoccuparti troppo della mia salute, sto benissimo» esordì Angela caustica con voce nasale.

«Scusami, mi sembra di vivere dentro un incubo» reagì d'istinto Soneri.

«E quello sarei io?»

«Sai quei sogni angoscianti in cui ti trovi in una situazione di rischio, vorresti uscirne e hai l'impressione che sia facile, ma non ce la fai senza capire perché?»

«E io che credevo di stare con un uomo d'azione!»

«Stai con un bel malanno» dedusse Soneri. «Non ti sarai presa il covid?»

«Un banale raffreddore, ma siccome tutti temono il virus, sto in casa. Messa come sono, se esco, va bene se non mi prendono a male parole.»

«Hai bisogno?»

«No. Credo che abbia bisogno tu. Di uno psicologo.»

«I fatti mi sorprendono. Sono loro a trascinare me.»

«Manchi d'iniziativa» stabilì Angela. «Non mi hai nemmeno telefonato per sentire come stavo.»

«Tutto è cominciato quando ho trovato Ferrari su quella panchina.»

«Cosa c'entra?»

«Mi sono stupito, ed è come se avessi scoperto un mondo di cui ignoravo l'esistenza.»

«Stai vaneggiando.»

«No, ti assicuro. Quello è stato l'inizio.»

«Così sei in bambola da allora? Avrei voluto farti lo stesso effetto.»

«Tutto ha iniziato a correre in senso opposto sconvolgendo il senso abituale delle cose.»

«Non ti capisco. Sei in uno stato confusionale e io ho la testa che mi scoppia.»

«Prova a immaginare il mondo che si ribalta: il leone sbranato dalla gazzella, il fiume che risale il monte e svuota il mare, il sole che bagna e l'acqua che asciuga...»

«E il tuo cervello che ha dato di volta» s'intromise Angela spazientita.

«Proprio così. Passi una vita a cercare di incastrare gente che fugge, omicidi che fan finta d'essere angeli e poi ti trovi di fronte uno che ti dice di aver ucciso un uomo e ti spiega tutti i perché e i per come con tanto di prove inoppugnabili da scrivere egli stesso il rinvio a giudizio con i capi d'accusa e tutto il resto meglio di un magistrato. Di fatto è lui che ha incastrato me, rendendomi inutile.»

«Un reo confesso ti inquieta così tanto? Non sarà il primo che incontri.»

«Non mi inquieta tanto la sua confessione, ma la sua serenità.»

Angela sospirò soffiando sul ricevitore e non disse niente.

Il commissario, invece, si aspettava che replicasse e non seppe interpretare quel silenzio. Si salutarono restando appesi a una vaga incompiutezza che aveva le sembianze di un equivoco.

Tornò in ufficio mentre la luce grigia del pomeriggio si spegneva tra i palazzi della città storica. Juvara gli riferì il sospetto che almeno quattro tentativi di truffe ad anziani registrati nei giorni precedenti potevano essere stati compiuti dal tizio che stavano cercando. La descrizione fisica era compatibile ma il cambio di travestimento, una volta da vigile, un'altra da medico, un'altra ancora da poliziotto, era uno stratagemma più recente.

Soneri ascoltò, poi afferrò il telefono e chiamò Musumeci.

«Conosci bene il Copacabana, vero?»

«Non è fra i locali che preferisco e non mi piace chi lo frequenta.»

«Perché non ci passi un po' di tempo queste sere? Vedi chi c'è, ascolti un po' di storie...»

«Abbiamo già chi ci va dei nostri, potrebbe chiederlo a loro» fece l'ispettore lievemente piccato.

«Appunto per quello. Non voglio chiedere a loro.»

«Che sospetti ha? Così, tanto per capire dove devo ravanare.»

«Ci andava Malvisi col suo clan. Vorrei sapere chi ne faceva parte.»

«C'è il rischio che salti fuori qualche nome che già conosce.»

«Non importa. Sarebbe interessante verificare se c'è stato qualche corto circuito, mi capisci?»

«Perfettamente» confermò Musumeci. «In una città come questa, ricca e godereccia, mi sembra molto probabile.»

Quando il commissario riattaccò, Juvara chiese: «Ma noi stiamo indagando sull'omicidio o sul truffatore?».

«Me lo sto chiedendo anch'io» rifletté ad alta voce Soneri. «Potrebbero essere due cose distinte, ma un fatto è certo: Malvisi e questo tizio avevano dei rapporti. È Malvisi che intesta a Nerina Merighi La Ribalta, a nome della quale è registrato il leasing della Mercedes.»

L'ispettore sembrò capirci poco e rimase a osservarlo perplesso.

«A proposito di Malvisi, ho esaminato i tabulati del suo telefono» si riscosse poco dopo. «Nella settimana prima dell'omicidio ha ricevuto otto telefonate da Ferrari.»

«Forse tentava di farsi restituire i soldi.»

«Credo possa dirci qualcosa la durata delle conversazioni: tranne la prima di quattro minuti e mezzo, tutte le altre sono di pochi secondi.»

Il commissario registrò l'informazione ma non seppe collocarla precisamente in un contesto. Aveva l'impressione di accumulare notizie frammentarie buttandole nel mucchio senza un ordine.

Aprì la finestra, si tolse la mascherina e si accese il sigaro. Juvara lo squadrò con severità.

«Non dovrebbe togliersela» disse indicando la protezione.

«Come faccio a fumare?»

«Il fatto è che non si potrebbe nemmeno fumare.»

Soneri tirò un paio di boccate lunghe e, spazientito, spense il sigaro strofinando la brace sul davanzale. Quindi prese il cappotto e uscì senza salutare.

Era consapevole di essere ormai troppo nervoso e per questo rendeva i rapporti con i collaboratori sempre più difficili. La Falchieri non gli telefonava e nemmeno Capuozzo. Quest'ultimo forse perché doveva avere già troppe beghe col ministero, ora che il cancan era risuonato anche tra i velluti di Montecitorio. Camminò oltrepassando il ponte Italia e imboccò viale Caprera. Quando si trovò a destra Barriera Bixio e di fronte l'enorme fungo del deposito dell'acquedotto, proseguì fino in via Stirone. Prima di svoltare, scorse le luci del cimitero della Villetta, dove i parmigiani trascorrevano l'ultima villeggiatura dietro il marmo e il lume. In via Stirone aveva sede il deposito dell'azienda trasporti e il circolo dei tranvieri. Entrò in un grande piazzale con ai bordi file di autobus allineate come soldati in rivista. In fondo, la luce della guardiola e alcune finestre illuminate. Un tranviere sbucò nella penombra.

«Dove deve andare?»

Soneri tirò fuori il tesserino: «Vorrei parlare con chi guida le linee notturne».

L'uomo lo squadrò diffidente e gli fece cenno di seguirlo. Una volta dentro urlò: «Dall'Orto, hai visite!».

Dal fondo della stanza, si alzò un tizio abbandonando la mano di carte che stava giocando e si avvicinò incuriosito. Aveva i capelli a spazzola ritti all'orlo della fronte come una palizzata. Il naso aquilino e gli occhi dal taglio sottile lo facevano assomigliare a un guerriero tartaro. Per un attimo si scrutarono entrambi consapevoli di essersi già visti.

«Lei fa servizio di notte?»

L'uomo assentì.

«Lo fa spesso?»

«Ai miei colleghi non piace, ma io mi trovo meglio che di giorno. Di notte non c'è traffico e i passeggeri sono pochi.»

«Ce n'è di quelli strani.»

«La maggior parte. Basta non farci caso.»

«Le è capitato di trasportare una signora sui settant'anni che resta sul bus per delle ore?»

«La matta dell'Annunciata! Come no!»

«Perché matta?»

«Una che sta sul bus fin quasi al mattino come un bambino su una giostra, pensa che sia normale?»

«Non sarà l'unica stranezza che vede...»

«No di certo! Ne vedo di peggio. Almeno quella non dà fastidio. C'è chi si fa le pere, chi fa a cazzotti e chi scopa.»

«Ci ha mai parlato?»

«Quella non parla. Se le fai una domanda ti guarda che pare sorda.»

«L'ha fatto con lei?»

«Non solo con me. Una volta c'è stato un borseggio verso mezzanotte sulla linea 1. Il tizio derubato ha cominciato a sbraitare, così ho fermato il bus e ho chiamato la polizia. Quando sono arrivati gli agenti hanno interrogato i tre passeggeri presenti compresa lei, ma non sono riusciti a cavarle una parola.»

«Forse aveva paura» ipotizzò il commissario.

«Macché! Mica era più lì, il ladro! No, a ogni domanda lei guardava il poliziotto per qualche istante, poi chinava la testa. Alla fine ci hanno rinunciato.»

«E lei ci ha mai provato a parlarle?»

«M'è capitato, ma s'è comportata allo stesso modo» spiegò l'autista. «Deve avere l'Alzheimer» concluse.

«La vede spesso?»

«Quasi tutte le sere. Io viaggio prevalentemente sulla linea 1, ma i miei colleghi la trovano anche sulla 2.»

«Qualche volta scende e poi risale la corsa dopo?»

«Sì. Qualche volta è scesa e risalita in via Verdi.»

«Anche altrove o solo lì?»

L'uomo si grattò la testa. «Quando avevo il turno sulla linea 2, mi ricordo di averla vista scendere in via Montanara.»

«E in nessun altro posto?»

«Ch'io ricordi no.»

Soneri rimase in silenzio per qualche istante, finché udì dal fondo i colleghi di Dall'Orto urlare: «Ti sei addormentato al capolinea?».

Con un cenno l'uomo chiese l'autorizzazione a congedarsi e il commissario rispose a sua volta con un cenno d'assenso. L'altro ritornò al tavolo e riprese la mano di carte.

Camminando verso il centro, Soneri sentì il bisogno di un cicchetto. Entrò in un bar e chiese un bicchiere di

Malvasia. La voce che gli arrivò dalla TV accesa a lato del bancone parlava di cose che conosceva. Un giornalista leggeva il notiziario serale con le novità sulla vicenda delle truffe. Ebbe la sensazione di un'imboscata preparata appositamente per lui. Alcuni avventori si misero a commentare e il barista lo fissò un attimo prima di indicare lo schermo: «Bella roba, eh!» esclamò. «In che mani siamo?» aggiunse.

Soneri non disse niente ma dentro di sé provò un po' di vergogna. Quelle parole lo riportavano a un'indagine da cui istintivamente fuggiva. S'interrogò sul perché perdeva tempo con un'anziana donna che viaggiava sui bus di notte quando la sua croce era quel truffatore. Ritornava sgradevole la stessa sensazione di eccentricità. Ogni volta era come deragliare lungo un cammino dove di colpo spariva ogni traccia e la terra stessa si faceva soffice fino a dissolversi da fare parere tutto senza peso, fino a volare dentro le nubi.

Pagò e uscì come fuggendo. La città gli parve ostile. Aveva l'impressione che i passanti lo fissassero con rimprovero, riconoscendolo. Un uomo sbucò da un portone e per poco non gli finì addosso. Il commissario scartò di lato e lo fissò. L'altro lo scrutò a sua volta con un leggero sorriso, forse per scusarsi, ma Soneri lo interpretò come un'espressione di scherno. Allora accelerò il passo e si alzò fino agli occhi la mascherina che teneva sul mento. Per la prima volta gli parve un sollievo.

22

«Non so cosa mi abbia preso» confidò il commissario al telefono una volta a casa.

«Sei stressato, ecco cosa ti ha preso» diagnosticò Angela.

Si era chiuso la porta dietro di sé come se l'inseguissero.

«Non mi era mai capitato» balbettò.

«Ti hanno infilato in una trappola. Hai troppi nemici e vogliono farti le scarpe.»

«Adesso? Del tempo ne hanno avuto…»

«Non ti accorgi che si è tutto politicizzato? Con questa destra che aizza, molti si sentono autorizzati a fare le peggiori cose perché hanno le spalle protette. Sai quanti ce n'è in questura? E tu lì sei un randagio senza medaglietta.»

«Non è solo quello. È colpa mia che mi perdo a seguire cose che non c'entrano. Mi tradiscono la curiosità e l'istinto. Stasera sono andato a chiedere della Mariani.»

«Il tuo istinto a volte suggerisce strade giuste. Sulla Mariani posso aiutarti perché ha incuriosito anche me» disse Angela.

«Ho scoperto che non parla, forse ha l'Alzheimer.»

«Il collega che ha lo studio dove l'aveva il vecchio Malvisi in via Affò mi ha parlato di lei.»

«L'hai richiamato?» chiese il commissario stupito.

«Col mal di testa non potevo lavorare né leggere, così per non annoiarmi ho fatto qualche telefonata» giustificò lei.

Soneri non parve convinto della spiegazione, ma non obbiettò nulla.

«Be', cosa ti ha detto?»

«Storie tristi. La Mariani, Venanzio, il figlio... Tutto rimasto a metà, incompiuto e poi impantanato con gli anni nell'acquitrino dell'assuefazione.»

«Dimmi di lei.»

«Era innamorata di Venanzio senza mai riuscire a confessarglielo del tutto. Lui pure, ma entrambi trattenuti da una moralità che li invischiava nei loro ruoli: lui professionista stimato lei segretaria fedele. Amavano apparire in questo fermo immagine di fronte agli altri convincendo anche se stessi, senza mai osare liberarsi dei propri ruoli. Entrambi giudicavano sconveniente uscire da quella pièce che doveva parere loro scritta dal destino e sigillata dalle convenzioni. Il punto d'incontro libero da equivoci nel quale convergere è quindi diventato Giacomo. Veronica l'ha preso come il figlio che avrebbe voluto e Venanzio ha potuto così essere il padre impegnato che ama il figlio per procura. Ma lei non è mai riuscita a essere madre appieno, né Venanzio un padre presente. Infine, nemmeno Giacomo li ha accettati come genitori, sentendosi addosso l'imbarazzo di quei due che avrebbero voluto essere tali senza riuscirci.»

«Forse è per questo che la Mariani è finita fuori di testa» ipotizzò Soneri.

«Non è detto, ma sicuramente non le ha giovato. Lei non si è mai liberata della sua opprimente umiltà. Essere la segretaria di Venanzio Malvisi, un grande professionista, le appariva come un traguardo sufficiente. Non osava chiedere di più. Non avrebbe mai preteso di sposarlo. D'altro canto lui avrebbe ritenuto impropria una richiesta di quel tipo. Perlomeno volgare di fronte ai suoi clienti. Loro avrebbero giustificato un matrimonio con qualche vedova di buona famiglia, non certo con la segretaria.»

«Ma dài! Ancora 'sti pregiudizi?» intervenne incredulo il commissario.

«Dovresti conoscere questa città. È fatta di casati, di dinastie. Era una piccola corte e lo è rimasta.»

Soneri sentì il desiderio di avere accanto la compagna. Stava per chiederle di cenare assieme, ma Angela lo scoraggiò annunciandogli che sarebbe andata a letto. Mentre si congedavano, il telefonino l'avvertì che qualcuno lo stava cercando.

«Sono al Copacabana» lo informò Musumeci con voce annoiata.

«Cos'è? Non hai rimorchiato?»

«Chiederò un rimborso spese, qui costa tutto un botto.»

«Ma ne vale la pena, no? Mi dicono che è pieno di stragnocche.»

«Con tutto il rispetto, io non avrei bisogno di venire qua per quello. Si trova anche a prezzi ragionevoli.»

«Hai notato qualche presenza interessante?»

«Mi sono appena seduto al tavolo. Ho impiegato un quarto d'ora a districarmi da un labirinto di Porsche e Maserati.»

«Almeno sei in compagnia?»

«Crede che qui si possa venire da soli come alla mensa Caritas? Già mi hanno guardato male all'ingresso benché sia vestito come alla cresima. In questo posto annusano il tuo conto in banca e il mio deve avere un cattivo odore.»

«Almeno farai contenta una delle tue fidanzate.»

«Ma quali fidanzate! Sono venuto con la collega Vicini. È lavoro no?»

«Non sapevo che tu e la Vicini... Be', complimenti! Una gran bella ragazza.»

«Dottore, per carità!» abbassò la voce l'ispettore. «È qui vicino, non mi metta in imbarazzo.»

«Giusto» ammise il commissario, «stavo solo invidiandoti. Mi chiamerai più tardi?»

«Qui come minimo si fanno le due.»

«Allora domattina. Puoi venire in ufficio quando ti pare.»

Non aveva voglia di cenare da solo né sentiva fame. Conosceva quell'anomalia: era il sintomo di affanno e preoccupazione. L'inquietudine lo convinse a uscire di nuovo. Si diresse verso La bottiglia azzurra, dove trovò Sbarazza finalmente pervaso da un nuovo idillio.

«Una cantante» mormorò seduto di lato sulla sedia, la schiena appoggiata al muro. «Una creatura meravigliosa! Avesse sentito che voce... La voce di una donna è una delle cose più sensuali. Le esclamazioni, le risate, i gridolini di stupore...»

Mentre parlava, Sbarazza sorseggiava un calice di vino bianco avendo cura di appoggiare le labbra dov'era una traccia di rossetto. Lo fece con la delicatezza di un primo bacio.

«Al Regio è in programma qualche opera?» domandò il commissario pensando alla cantante.

«*L'elisir d'amore*» rispose l'uomo ancora immerso in un rapimento estatico. «E il ticchettare dei suoi tacchi quando se n'è andata...» riprese. «Anche il solo suono dei tacchi evoca la grazia femminile.»

«È quello l'elisir d'amore» stabilì Soneri indicando il bicchiere che teneva in mano Sbarazza. «Andrà all'opera?»

«Ci vado sempre. Non alla prima, non ce la faccio più.»

«I prezzi, certo...»

«No, non per quello. Non mi va di immischiarmi in quella sfilata di arricchiti ignoranti accompagnati da lacchè e cocorite. Ci ha mai fatto caso? Certuni paiono oranghi vestiti da Hermès e a metà del primo atto già si addormenterebbero se le loro petulanti signore non gli ficcassero i gomiti in pancia solo per salvare almeno le apparenze.»

Il commissario rise e ordinò un trancio di erbazzone.

«E poi» riprese Sbarazza, «i miei abiti da sera non sono più impeccabili. No, vanno bene le seconde e terze rappresentazioni per me.»

«E costano meno» insistette il commissario.

«Quello non m'importa, io entro gratis» minimizzò l'uomo. «Conosco la costumista e ho tutti i biglietti che desidero. Anche gli abiti, se volessi.»

«Potrebbe approfittarne.»

«Molti lo fanno, ma a me non importa. L'eleganza non è questione di abbigliamento.»

«Io potrei averne bisogno» buttò lì Soneri d'istinto.

«Lei?» si stupì Sbarazza. «I poliziotti possono sempre indossare l'uniforme» concluse sorridendo.

Il commissario non riusciva a capire da dov'era venuto quel suo oscuro bisogno, ma quando l'uomo gli porse un biglietto da visita con il telefono e l'indirizzo della costumista, lo prese e lo lesse passivamente: LETIZIA SCOGNAMIGLIO, ABITI DI SCENA.

«La conosco fin da quando ero studente» precisò l'uomo. «Gran bella donna, ai tempi!»

«E lavora ancora in teatro?»

«No, ha più di settant'anni! Ma il teatro ha bisogno di lei.»

«In che senso?»

«Possiede una collezione di costumi che occupa un intero laboratorio. È furba. Confezionava gli abiti per l'opera, ma replicava i modelli a casa. Così, negli anni, ha messo da parte tanta di quella roba che oggi vale oro. I produttori fanno la fila e lei i baiocchi. Quelli, poi, li affidava al vecchio Malvisi.»

«Malvisi? Si conoscevano?»

«Venanzio conosceva uno per uno i proprietari dei palchi privati al Regio. Alle prime poteva scegliere dove essere ospite.»

«Quindi anche Giacomo conosceva la Scognamiglio» chiese Soneri a cui si era presentata un'idea vaga.

«Certo!» esclamò Sbarazza che si mise a fissare il commissario. «Intuisco che mi sta dando retta: rintraccio un barlume di immaginazione nel suo argomentare.»

«Intuisce bene, vivo sempre in più mondi.»

«Non c'è niente di meglio, se quello che vediamo ci fa schifo. In questo io non ci metto più piede» rise.

Si alzarono dal tavolo e indossarono le mascherine.

«Queste ci facilitano» disse Sbarazza con la voce soffocata dal bavaglio. «Non ci riconosciamo quasi più. È come a carnevale, dunque si è in diritto di essere altro da sé.»

Soneri uscì. La nebbia piegava lo spazio tra le facciate delle case alla maniera di una lente deformante. Ancor più delle parole di Sbarazza, sospese in quello stagnare sinuoso a mezz'aria che deviava il senso verso un mondo immaginario. Su viale Toscanini, dal greto saliva con lentezza un vapore di pentola che traboccava indolente sul selciato. Il commissario alzò il bavero mentre dall'opalescenza fluttuante compariva il bus notturno. Istintivamente vi salì e subito la vide. Aveva quasi perso interesse nei confronti di quella donna, la cui mente si era sciolta a poco a poco nel solvente dell'abnegazione, ma non aveva voglia di andarsene a dormire alla fine di una giornata in cui il tempo gli era parso irrisolto e sospeso. Così si sedette e cercò di immaginare cosa provava la Mariani guardando la città immersa nella notte, con le sue luci e forse le apparizioni improvvise, sorprendenti in un paesaggio consueto. La nebbia e il suo straniamento cancellavano ogni prevedibilità. Soneri si chiedeva se anche Salimbene de Adam, otto secoli prima, aveva visto quel piccolo nido di case di pietra con la stessa improvvisa consapevolezza.

Il bus transitò di fronte alla stazione ferroviaria, immobile e più scura del cielo nello spazio vuoto dei binari, poi imboccò via Verdi. Allora la Mariani si alzò e si accostò alla porta. Quando il bus si fermò lei scese. Il commissario la seguì, cercando di dissimulare la curiosità che lo rendeva sospetto. Una volta sul marciapiede, lasciò che la donna guadagnasse terreno, poi liberò la bocca dalla mascherina e si accese il sigaro. Lei sembrava non accorgersi di niente. Camminava leggermente curva tenendo la borsetta stretta al fianco. Quando fu una trentina di metri avanti, Soneri si mosse a sua volta. La Mariani percorse la strada in direzione del monumento a Verdi e quando giunse davanti alla Camera di commercio prese via Affò scomparendo alla vista. Il commissario accelerò il passo e alla svolta la vide. Si tenne però ancora distante. La donna dapprima scrutò i nomi sui campanelli come in cerca di quello giusto, poi appoggiò l'indice sul citofono e passò a uno a uno i nomi scendendo dall'alto in basso. Compì quel gesto più volte finché la mano cominciò a tremarle. Alla fine fece un passo indietro perplessa fissando quelle caselle illuminate. Dopo qualche istante tornò a guardare con urgenza febbrile, quindi lasciò cadere la mano lungo il fianco e tutto il suo corpo parve rilassarsi quasi sul punto di cadere. Fu allora che Soneri sentì i primi singhiozzi. Si avvicinò con discrezione, mentre la Mariani si lasciava andare incurante sui gradini. Adesso piangeva di un pianto infantile senza rimedio scuotendo il capo furiosamente alla maniera dei cavalli che rompono il trotto. Soneri si avvicinò chinandosi leggermente verso di lei. Le lacrime cominciavano a inzupparle la mascherina abbassata sul mento.

«Cerca lo studio?» sussurrò.

La Mariani alzò appena lo sguardo, ma non disse niente. Il pianto sul suo viso formava una barriera di vetro.

«Lo studio di Venanzio?» insistette.

Quel nome la fece sussultare. Guardò speranzosa il commissario e smise di singhiozzare.

«Si è trasferito. Non è più qui» spiegò quest'ultimo porgendole la mano per aiutarla a rialzarsi.

Nel farlo la donna sospirò, e fu allora che Soneri sentì il suo alito alcolico.

«Non è più qui» mormorò sognante con un improvviso e improbabile lieve sorriso. «Venanzio ha traslocato» continuò guardando di fronte a sé come se parlasse nel sonno. Restò immobile per pochi secondi, quindi si riscosse, diede un'occhiata indifferente al commissario come se lo scorgesse per la prima volta, scosse l'orlo del paltò, si ravviò i capelli e riprese il cammino fino a che scomparve dietro l'angolo di via Garibaldi.

23

Soneri si svegliò tardi e fu subito colto dall'affanno. L'idea di essere in ritardo su tutto lo riprese assieme a un generico senso di colpa. Vide che la segreteria telefonica lampeggiava. Sospettò che Angela lo avesse chiamato incassando di nuovo il suo silenzio. Così compose precipitosamente il numero della compagna senza ascoltare il messaggio. Lei gli rispose assonnata.

«Stavo bene finché non mi hai svegliata, ma adesso sto di nuovo bene perché mi hai chiamata» disse lei ingarbugliandosi nelle parole. «La stampa ti ha maltrattato anche oggi?» domandò.

«Sai che la evito.»

«Tra voi in questura c'è qualcuno che spiffera.»

«Chi te l'ha detto?»

«Un collega con cui sono in confidenza.»

«Facile che quel truffatore abbia buone fonti.»

«Facile? Mi sembri nel paese delle meraviglie! La questura ha più falle del Titanic. Certi pappagalli parlano con tutti, anche coi miei colleghi. Basta frequentare i posti giusti e concedere qualche favore.»

«Per posti giusti intendi il Copacabana?» suggerì Soneri.

«Quello e altri. Chi parla lo fa per soldi o per avere qualche piccolo privilegio, ma anche per screditare quelli che fanno bene il loro lavoro, perché sono una minaccia.»

«Con me non hanno appigli.»

«Appunto. Se tu avessi qualche scheletro nascosto non esiterebbero a tirarlo fuori, ma in mancanza di ciò l'unica arma che hanno è sputtanarti, farti parere un incapace. Darti questa patente, con un questore come Capuozzo che non ti può vedere, è facile.»

Di colpo gli sembrava tutto chiaro. Angela aveva passato un colpo di spugna sul suo sguardo appannato. Si sentì di nuovo un ingenuo nel non cogliere segnali che agli altri apparivano evidenti.

«Sono troppo vecchio per rintuzzare anche le beghe d'ufficio» reagì Soneri con tono afflitto. «Già non sto dietro alle indagini.»

«Non fare il piagnone!» gli intimò Angela. «Stasera potrò uscire, così ti darò una lezione di spregiudicatezza. O giochiamo ancora a fare i passeggeri notturni?»

«Non è più necessario. Alla Mariani è partita la brocca. Ritorna nei posti che ricorda e, non trovando quel che cerca, si mette a piangere.»

«Da un certo punto di vista è meglio così: almeno non si rende conto di aver sprecato la sua vita.»

Diede appuntamento ad Angela per la sera e riattaccò. Subito dopo premette il pulsante della segreteria per ascoltare il messaggio. La voce di Juvara gli giunse affannata e precipitosa come stesse correndo: "Dottore, un altro colpo stamattina alle 8.20. Un anziano derubato della pensione appena ritirata. È stato un tizio alto e magro travestito da postino. L'anziano ha avuto un malore ed è in ospedale".

Il messaggio si interrompeva bruscamente. Gli accadimenti lo incalzavano senza dargli il tempo di ragionare. Si sentì in colpa per essersi attardato a letto mentre quel tizio si lavorava il vecchio.

Si vestì in fretta e si diresse in ufficio. Questa volta non era stata una truffa, ma una rapina vera e propria. L'anziano, prima di cadere in un deliquio di incoscienza, aveva balbettato qualcosa a un'inquilina del palazzo che l'aveva soccorso e che era stata sentita dagli agenti. Da ciò che aveva detto, si era capito che la vittima stava aprendo il portone della sua casa in borgo Riccio, quando un tipo con la divisa delle Poste l'aveva seguito nell'androne chiedendogli di controllare le banconote, con la scusa che c'era stato un errore nel conteggio. L'anziano si era rifiutato e a quel punto il falso postino l'aveva strattonato, spinto contro il muro e minacciato con un taglierino. Dopo avergli sottratto i soldi era scappato.

«Che fosse o no il nostro uomo, anche questa volta ci è sfuggito» constatò Soneri.

Juvara si limitò ad assentire.

«Telecamere? Testimonianze oltre alla signora? Tracce? Segnali?» elencò il commissario.

«Abbiamo otto secondi di immagini della telecamera di una banca» confermò l'ispettore.

«Si vede qualcosa di significativo?»

«Il viso è quasi completamente coperto dalla mascherina, e la divisa è quella che indossavano i postini fino al '92. Il resto lo sa e ormai è un ritornello.»

«La divisa non è più in uso?»

«I postini oggi non viaggiano quasi più in divisa, e molti hanno le casacche arancioni di aziende di recapiti a cui viene appaltato il lavoro» spiegò Juvara.

Il commissario si ricordò delle parole di Sbarazza e del suo invito a usare l'immaginazione. Obbedendo a un impulso, si alzò, prese il cappotto e si avviò per uscire mentre Juvara lo guardava senza capire. Quando fu sulla soglia lo fermò con un gesto.

«Ho controllato quell'azienda di cui è titolare la Merighi, ricorda?»

«La Ribalta, mica si dimentica un nome a presa di culo come quello.»

«Ecco, sì...» balbettò l'ispettore. «Non so se sia importante, ma ha emesso solo una fattura, finora.»

«A chi?»

«Alla Corale Verdi.»

Soneri si bloccò per qualche istante e si appoggiò allo stipite. Rifletté su quell'informazione, quindi scattò in avanti nel corridoio come se avesse improvvisamente trovato la soluzione.

Sul cartoncino che gli aveva consegnato Sbarazza, lesse l'indirizzo: VIA PO 38. Conosceva bene quella striscia di case di mattoni a vista costruite per i ferrovieri negli anni Venti sul modello inglese: villette monofamiliari con giardino e rimessa a fianco. Sul retro guardavano il greto del torrente Parma là dove si abbracciava col gemello Baganza, appena dopo il ponte Nuovo. Suonò e immediatamente un cane diede l'allarme dall'interno. La porta si aprì e sulla soglia apparve la Scognamiglio. Aveva un vestito lungo molto colorato, i capelli rossi mossi e un piglio da sfilata. Doveva essere stata bellissima e ancora lo si capiva dal portamento. Era quel tipo di donna sicura del proprio fascino che tratta gli uomini timidi con la dimestichezza con cui maneggia uno strumento. La casa aveva stanze colorate con gusto e molti quadri alle pareti. Il commissario si presentò e lei lo condusse in un salotto pieno di drappi e oggetti, ciascuno dei quali aveva l'aria di un ricordo. Soneri osservò le opere appese.

«Alcune sono mie» informò la donna, «se una passa la vita a mettere assieme forme e colori, non può sfuggire alla voglia di dipingere.»

Soneri approvò con un gesto e, visto che si soffermava a guardare, lei indicò uno dei quadri: «Quello è mio».

Era la scena di un carnevale veneziano dall'impronta vagamente surreale.

«Molto attuale» constatò il commissario. E siccome la donna lo fissò perplessa, aggiunse: «Le maschere, dico».

Lei sorrise. «Se dovessi dipingerlo oggi, metterei quelle chirurgiche.»

«Qualcuno si maschera da lei?» chiese bruscamente Soneri.

La Scognamiglio accusò il colpo, poi dissimulò fingendo sorpresa.

«Non capisco.»

«I costumi. Lei noleggia costumi.»

«Anche abiti, se è per quello.»

«A me interessano i costumi. Anzi, le divise.»

La Scognamiglio si fece seria e tacque. Aspettava che

il commissario facesse una mossa pronta a balzare fuori da quella che le pareva una trappola.
«Ha affittato delle divise negli ultimi quindici giorni?»
«Da me viene tanta gente, non ricordo.»
«Un tizio alto, magro...»La donna sporse il mento per dire che non sapeva.
Il commissario mostrò di non essere convinto.
«Perché non controlla se dalla sua collezione manca una vecchia divisa da postino?»
La Scognamiglio capì di non poter più sottrarsi e piegò la testa all'indietro, lasciandosi andare contro lo schienale. Anche nell'arrendersi conservava una gran disinvoltura.
«Immagino che qualunque cosa le dicessi lei vorrebbe controllare. O piantonerebbe la casa per aspettare la riconsegna, magari mettendomi il telefono sotto controllo?»
«Vedo che conosce le procedure» annotò Soneri.
«Ho avuto a che fare con dei poliziotti che le hanno applicate su di me.»
«Lei è un'abile spadaccina, avrà sicuramente rintuzzato le accuse.»
«Lasci stare» disse la donna con un sorriso triste, «quelle erano tutt'altre faccende di competenza di un altro tribunale. Comunque non mi sono mai sentita colpevole.»
«E in questa, di faccenda, come si sente?» insistette il commissario.
«Qui tutt'al più posso essere una testimone.»
«E come tale la tratto» confermò Soneri.
«Su quale argomento vorrebbe che deponessi?»
«A chi ha affittato le divise?» chiese alla fine perentorio il commissario, stanco di quella schermaglia.

«A Renzo Zerbini.»
«Uno alto e magro?»
«Sì, non passa inosservato.»
«Che rapporti ha con lui?»
«Niente di particolare. Da quel che ne so fa l'attore e l'animatore di serate nei locali, quindi viene a prendere abiti in base ai personaggi che interpreta.»
«Non sarà facile trovare le sue taglie.»
«Infatti spesso devo arrangiare i costumi per non farlo apparire improbabile.»
«Quando ha preso la divisa da postino?»
«Due giorni fa.»
«E sa a cosa gli è servita?»
La donna aprì le braccia: «Penso per una parte delle sue».
«Ha rapinato della pensione un anziano.»
Lei rimase colpita. Tirò fuori una sigaretta e se l'accese.
«Quella divisa non è più in uso, e per le altre sono autorizzata» precisò cautelandosi.
«Dove trovo Zerbini?» cambiò discorso Soneri ignorando la preoccupazione della donna.
«Non lo so» rispose la Scognamiglio. «Mica sono in confidenza. Me lo presentò Giacomo Malvisi.»
«Di Malvisi era amica?»
«Per un certo periodo ci siamo frequentati, anche se lui era più giovane. Suo padre gestiva la mia azienda sotto il profilo patrimoniale e finanziario.»
«Poi è stata cliente anche di Giacomo?»
«No, ho cambiato. Allora avevo un uomo che mi consigliava.»
«Solo per quello?»

La donna ondeggiò il capo: «A dire il vero è stato per un altro motivo».

«Quale?»

«Riguarda il privato» spiegò titubante. «Insomma, una sera mi aveva convocata nello studio di via Affò per parlare di affari e invece ci provò pesantemente. Sono scappata e non ho più voluto averci a che fare.»

Soneri fece cenno d'avere capito. Entrambi tacquero per qualche secondo, poi la donna riprese improvvisamente.

«Giacomo non poteva che finire così. Fin da piccolo non ha mai avuto esperienza di un rifiuto e per questo non esitava a calpestare chiunque pur di avere quello che voleva. Non era cattiveria la sua, ma incoscienza del limite. Provocava sofferenza con l'ingenuità di un bambino che gioca con una pistola vera.»

Il commissario si alzò nel momento in cui il fox terrier della costumista entrò nella stanza abbaiando. La donna lo zittì e si mosse a sua volta per accompagnare Soneri all'uscita.

«Non le conviene avvertirlo» l'ammonì lui aprendo la porta. «Se lo facesse, questa volta dovrebbe davvero trovarsi un avvocato.»

La Scognamiglio assentì con un cenno d'intesa.

24

Sentiva di dover ringraziare Sbarazza non tanto per il biglietto da visita, ma soprattutto per l'invito a usare l'immaginazione. Con quella era arrivato a Zerbini. Ma il nome non bastava, bisognava trovarlo. Camminò verso il ponte Nuovo. All'imbocco di via Baganza vide "il palazzone", l'ex alloggio popolare un tempo brulicante ricovero di rissosi poveracci ammassati come cianfrusaglie nel viavai di bimbi smoccolanti e anziani pisciosi. A fianco, l'ospizio di Villa Parma, dove altri poveracci andavano ad attendere la morte a nugoli nelle camerate di brande rigide. Il cimitero della Villetta era lì a pochi passi, oltre il deposito dei bus. Un viaggio breve e sbrigativo con la scorta di un prete frettoloso. Soneri s'incamminò in via Varese costeggiando il torrente con lo stesso passo della sua acqua. Una strada lugubre d'inverno, con i palazzi infrattati tra gli alberi a osservare i passanti come anziane vedove tra gli scuri. Quando giunse al ponte Italia e rilanciò lo sguardo nell'ampio spazio del greto, ritrovò la luce opaca che pioveva sulla città da un cielo basso e gonfio. Fu allora che chiamò Juvara.

«Il nostro uomo si chiama Renzo Zerbini» comunicò. «Cerca tutte le informazioni su di lui.»

«Dottore, ne siamo finalmente venuti a capo» sospirò l'ispettore.

«Sappiamo come si chiama e l'ambiente che bazzica: è già un buon passo» rispose Soneri prudente.

Quando riattaccò si sentì meglio. Finalmente conduceva il gioco e non era più a rimorchio degli accadimenti. Ora i corvi della questura avrebbero smesso di gracchiare.

Comunicò la notizia alla Falchieri con tono freddo e monocorde. Lei lo ascoltò in silenzio poi disse: «Dobbiamo continuare per un pezzo con questa marcia funebre?».

«Non vorrei costringerla a cantare ninnenanne.»

«Ma nemmeno dei *De profundis*» ridacchiò lei. «Non è contento di uscire dal tombino in cui era precipitato?»

«Dobbiamo prima prenderlo» considerò Soneri.

«Sarà solo questione di giorni, forse di ore.»

«Ho messo sotto sorveglianza i luoghi dove potrebbe recarsi.»

«E io ho firmato il mandato di cattura, non ci resta che attendere.»

Subito dopo il commissario chiamò Musumeci.

«Hai smaltito la nottata?»

«Che noia! Sarebbe più allegro un sanatorio.»

«Tu eri con la Vicini...»

«Non faccia allusioni anche lei, mi sono bastate quelle di Magliaro e Calabritti.»

«Proprio di loro due volevo parlare.»

«All'inizio mi hanno guardato male, si capiva che erano infastiditi. Poi hanno cambiato strategia cercando di intortarci. Ci hanno offerto da bere e ci hanno presentato mezzo locale. Volevano farci complici, me e la collega. Insomma, una cosa tipo "se sei dei nostri non potrai che avere vantaggi".»

«Vogliono farti fare cose per le quali poi possono ricattarti.»

«Già frequentare quel posto... Ci sentivamo un po' in colpa solo a essere lì.»

«Magliaro e Calabritti ci stanno benissimo.»

«Non direi» obbiettò l'ispettore, «si capisce che 'sti arricchiti della Parma bene li tollerano perché possono essere utili, ma come un autista o un giardiniere. Tengono molto di più al loro labrador.»

«Eppure anche quei due sono cani da riporto» annotò malignamente il commissario. «Ma hai ottenuto qualcosa?»

«Più che altro impressioni, sensazioni...»

«A volte aiutano.»

«Quel posto sembra una loggia massonica o un circolo esclusivo. Più o meno condividono tutti la stessa vita. Molti sono ricchi, altri fingono di esserlo, ma l'obbiettivo è identico: scopare, bere, divertirsi, fare viaggi, andare in palestra, belle auto, abiti firmati... Ero sul punto di sparare un colpo in aria per farli zittire.»

«Nient'altro che chiacchiere, quindi?»

«Non proprio. Tra una bevuta e l'altra si scambiano favori e li ricevono. Tutti conoscono un pezzetto di città e se li mette assieme salta fuori una rete della quale i nostri colleghi sono una maglia.»

«Non possiamo farci niente» constatò Soneri. «Non è un reato frequentare un locale o un circolo.»

«Possiamo solo stare in guardia e alla prima mossa sbagliata incastrarli.»

«Hanno un grosso vantaggio: conoscono bene la legge e come funziona la questura. Si muovono nella zona grigia» riprese il commissario.

Mentre rifletteva gli tornò in mente quello che diceva Ferrari sulla legge: ce n'è una formale e una sostanziale, molto più umana. Era sulla prima che Calabritti e Magliaro si tenevano a galla.

«Dobbiamo sorvegliare la casa di una costumista, penso che Zerbini prima o poi passerà da lei» cambiò discorso Soneri. «Si chiama Letizia Scognamiglio e abita in via Po 38.»

«Mi spiega? Non ci sto capendo niente» protestò Musumeci.

«È la tipa che fornisce a Zerbini i travestimenti. Ufficialmente per le sue comparsate nei locali, ma lui li ha utilizzati anche per gli ultimi colpi a casa degli anziani. E forse ha agito allo stesso modo ancor prima di fingersi rappresentante. Bisognerebbe fare una ricerca tra le truffe rimaste insolute, ma non c'è tempo adesso. Prima lo catturiamo poi gli metteremo in groppa tutto il carico.»

«E Zerbini dovrebbe andare da lei?»

«Ha la divisa con cui ha messo a segno l'ultimo colpo e cercherà sicuramente di sbarazzarsene. Appena Juvara scopre dove abita gli piomberemo in casa, è questione di poco.»

«Potrebbe buttarla nel torrente o imboscarla da qualche parte» obbiettò l'ispettore.

«La Scognamiglio mi ha detto che ha sempre riconsegnato i costumi, e non vorrà inimicarsela sciupandogliene uno. Gli è troppo utile. Lei crede, o finge di credere, che noleggia gli abiti per i suoi spettacoli. Zerbini non sa che le ho parlato, dunque nemmeno che lo attendiamo in via Po.»

«Magari lo ha avvertito.»

«Le ho detto che avremmo messo il suo telefono sotto controllo. È una donna prudente che tiene alla sua attività e non vorrà correre il rischio di essere incriminata per favoreggiamento.»

«Spero di non addormentarmi» brontolò Musumeci. «Dopo la nottata al Copacabana mi cade la faccia sul volante.»

«È stata la Vicini a ridurti così?»

Per risposta sentì il click di fine chiamata.

Subito dopo Soneri telefonò a Juvara.

«Hai trovato l'indirizzo di Zerbini?»

«Abita in borgo Antini al 17» rispose l'ispettore. «Mando qualcuno?»

«Prima chiedi il mandato alla Falchieri, e poi di' a una pattuglia di farsi trovare lì sotto tra mezz'ora con un apriporta.»

Finalmente tutto aveva preso velocità. Soneri si sentiva come uno sciatore tra i paletti che ha acquisito il passo giusto. S'incamminò verso il centro diretto in borgo Antini, una traversa stretta di via Farini, non lontano da piazza Garibaldi. Nel tragitto squillò il cellulare.

«Allora stai andando a dama?» domandò Angela.

«Sappiamo chi è, ma non sappiamo dove si trova» rispose il commissario.

«Sul sito dei giornali c'è la notizia...»
Angela non riuscì a finire perché un'imprecazione di Soneri si sovrappose interrompendola.
«Cos'hanno detto 'sti stronzi?»
«Che è stato individuato l'uomo autore di truffe e di rapine ai danni degli anziani» rispose lei.
«Hanno fatto il nome?»
«No. Non è vero?»
«Sì che è vero, ma adesso l'avranno messo in guardia. Hanno inquinato l'indagine. Io mi chiedo...» Il commissario non finì la frase che gli si strozzò in gola per la rabbia. «La questura ha più buchi della doccia.»
«Guarda che è stato il questore a dare la notizia, questa volta non c'entrano i corvi.»
Il commissario rifletté e si rese conto che la spiegazione non poteva essere che quella, visto che della notizia erano al corrente solo lui, la Falchieri, Juvara e Musumeci. Il magistrato doveva aver comunicato il tutto a Capuozzo che si era subito venduto l'informazione.
«L'ha fatto per salvarsi il culo!» imprecò Soneri.
«Niente di più facile» commentò Angela.
«Aveva la baionetta alla schiena dopo le interpellanze parlamentari e la carriera a rischio, così ha giocato la sua carta mettendo me nei pasticci.»
«Punta a qualche prefettura per chiudere con la pensione al massimo livello.»
«Ci arriverà» stimò il commissario, «nell'ambiente le promozioni sono per anzianità come per gli asini a scuola.»
«Comincio a sentirmi sola, ci vediamo stasera?»
«Andiamo da Alceste?»

«Meglio di no, mi obbligano a fare il tampone prima di rientrare in tribunale.»

«Hai detto che era un raffreddore» ricordò allarmato Soneri.

«Lo è, ma non si sa mai. E se rientrassi senza tampone, mi girerebbero tutti alla larga. Quindi, se vuoi vedermi, devi sfidare il drago covid e sconfiggerlo come un San Michele.»

«Sono tutt'altro che un santo, io» si schermì il commissario. «Comunque verrò.»

Lei schioccò un bacio sulla cornetta.

Sotto casa di Zerbini lo aspettava la pattuglia. Il fabbro apriporta arrivò poco dopo su un furgone ammaccato. Salirono. L'alloggio era all'ultimo piano. Percorsero le scale fin dove l'ultima rampa moriva contro una porta laccata su un minuscolo ballatoio che quasi faticava a contenere lo zerbino. Il commissario, che era davanti a tutti, dovette scansarsi per far passare il fabbro che lo strusciò, tanto si stava stretti. Non ci mise molto a vincere la resistenza della serratura e quando entrarono si trovarono in una mansarda asfittica e fredda, bassa ai lati da dover chinarsi. Il tutto si componeva di due stanze e il bagno. La prima era una specie di salotto con un lavandino, due fornelli, il tavolo e un divano addossato alla parete più bassa. La camera constava solo di un vecchio armadio sbilenco, un letto a due piazze e un comò di foggia diversa dal resto dell'arredamento. Dal soffitto, attraverso un paio di abbaini, scendeva una luce grigia che rendeva ancora più triste quello spettacolo di precarietà e disordine. La puzza di panni sporchi e cibo riscaldato indusse nel commissario un senso di nausea. Cercò di vincere il rigetto e iniziò a perquisire aiutato dai due agenti. Nel salotto trovarono solo stoviglie incrostate di cibo e un paio di tegamini lasciati sui fornelli, vecchi giornali, mazzi di carte intonsi e qualche provvista. Il piccolo frigorifero conteneva solo una bottiglia d'acqua e una di limoncello a metà. Il bagno era un bugigattolo lurido con la tazza e il bidè di fronte alla porta e un piccolo lavabo a sinistra. Deluso, il commissario passò nella camera da letto che aveva una minuscola finestra sotto il cornicione che guardava verso il borgo. Zerbini aveva pochissimi abiti nell'armadio e solo qualche camicia nel comò. Nel cassetto più in basso la biancheria intima era buttata alla rinfusa in un miscuglio di calze spaiate, mutande e magliette. Soneri frugò tra quell'accozzaglia con un certo ribrezzo, ma nemmeno lì trovò qualcosa di interessante. Stizzito, prese un lembo della coperta che copriva il letto e lo sollevò con uno strattone per scoprire le lenzuola. Udì un tintinnio di metallo rimbalzare più volte sul pavimento. Allora si chinò e raccolse un bottone dorato che gli ricordava qualcosa di familiare. Con quello tra l'indice e il pollice si accostò all'agente più vicino e, come dovesse inserirlo in un incastro, lo confrontò con quelli della fila che chiudeva la giacca. Era uguale. Il poliziotto chinò la testa per verificare se mancasse qualcosa dalla divisa senza capire.

«Usa le nostre uniformi» spiegò il commissario.

I due assentirono, poi tutti insieme scesero. Soneri era soddisfatto e telefonò a Musumeci.

«Ancora niente?»

«Molto meno che niente» borbottò l'ispettore assonnato. «Dovessi dipingere la tristezza ritrarrei questa via: ci sono un ospedale, un greto dove scorre nebbia e un ricovero per vecchi.»

«Abbi pazienza ancora un po', non ci vorrà molto» si congedò Soneri.

Immediatamente dopo telefonò alla Scognamiglio.

«Ho una cosa che le appartiene» annunciò.

«Non ho subito furti» rispose lei.

«Mica si tratta di un furto.»

«E allora?»

«Un bottone. Non vorrà noleggiare la divisa da poliziotto con un bottone mancante proprio sul petto?»

Soneri sentì un sospiro. «È un disgraziato» imprecò la donna. «Ho minacciato di non dargli più niente se non me lo riportava. Bottoni così non si trovano.»

«Deve ringraziarmi, allora.»

La Scognamiglio non disse niente.

«Se glielo riporto lei dovrà ricompensarmi» riprese il commissario.

Altro sospiro.

«Si è fatto vivo» si decise infine la donna.

«Quando?»

«Mezz'ora fa, col primo buio.»

«È venuto di persona?»

«Certo. Non ha detto che ho il telefono sotto controllo? Ve ne sareste accorti.»

Soneri imprecò.

«Non se la prenda con quel ragazzo là fuori» tagliò corto la Scognamiglio, «non poteva vederlo con la nebbia. E poi stava scurendo.»

«Impossibile non vederlo» alzò la voce il commissario.

«È passato dal greto ed è entrato da dietro» spiegò la donna. «È scaltro e fa sempre così. Comunque non l'ho avvertito.»

Soneri imprecò di nuovo, ma questa volta tra sé. Non ce l'aveva più con Musumeci ma con se stesso. Non aveva previsto che Zerbini potesse arrivare dal greto evitando la strada. Eppure conosceva quelle case sull'argine somiglianti all'Oltretorrente che nei giorni di piena apparivano un lungo, gigantesco veliero che galleggiava con l'acqua alta sulle murate. Era stato uno stupido, tutto qui.

25

Dopo una breve euforia, era così ripiombato nel pantano. Entrando in questura si alzò la mascherina ben oltre il naso per nascondersi. Era stato un errore da principiante non pensare al retro della casa esposto a quella piccola prateria del greto. Cominciava a pensare di essere vecchio, di avere amnesie e sbadataggini da vecchio. Questo pensiero lo terrorizzava con la sua ombra di decadenza. Musumeci gli stava di fronte con espressione dolente e gli dava l'idea del bracco fedele che ha fallito una ferma. Juvara, dal canto suo, si riparava dietro lo schermo ogni volta che sentiva la tensione salire.

«Potremmo tener d'occhio borgo Antini» ruppe il silenzio Musumeci.

Il commissario scrollò il capo: «Dovrebbe essere più che fesso a tornare lì» borbottò.

«Magari andrà a chiedere aiuto ai suoi amici del Copacabana» azzardò ancora l'ispettore. «Sono sicuro che lo frequentasse.»

«Ho idea che quelli l'abbiano già liquidato. Non ha né soldi né informazioni da fornire.»

«Dice la stessa cosa la Vicini» convenne Musumeci. «È in gamba la ragazza.»

«Ti ha già addomesticato?»

«Ma no, dico sul serio. Secondo me è una che c'ha stoffa.»

«E tu vorresti toglierle quella che ha addosso.»

«Rischierei la pelle. È capace di tirar fuori la pistola. La prima cosa che mi ha detto appena salita in macchina è di non fare il cretino perché lei gli uomini se li sceglie.»

«Se ha detto così deve essere in gamba davvero. E comunque, non ha scelto te» concluse Soneri. «Se un giorno ti troveranno dentro un fosso con un buco in testa saprò chi è stato.»

Avrebbe voluto che il tono risultasse scherzoso e invece erano uscite parole senza nerbo, così spente che nessuno dei tre sorrise. Ma nemmeno sapevano cosa fare. Pasquariello aveva promesso l'impegno delle volanti ed era stato diramato l'ordine di ricerca anche ai cugini dell'Arma, benché, se Zerbini fosse caduto in mano loro, lo smacco sarebbe stato peggiore della latitanza. Soneri friggeva sciogliendosi nello sconforto. Si sentiva impotente come immaginava lo fosse stato Petrarca quando, proprio a Parma, nella strada col suo nome che si intravvedeva dal portone della questura, apprese della morte di Laura. Nell'istante in cui suonarono le otto dal campanile di San Giovanni, il commissario scattò in piedi e uscì. Appena raggiunse il portico di via Mazzini, avvertì Angela che sarebbe arrivato di lì a poco, quindi accelerò il passo. La vista dell'Oltretorrente gli ricordò di nuovo lo smacco di via Po. Ce l'aveva anche con la Scognamiglio. Le aveva telefonato sfogando la rabbia su di lei, ma aveva dovuto arrendersi di fronte alla sua logica beffarda.

«Mi aveva detto di non avvertire Zerbini, ma non di avvertire lei se si fosse presentato. C'era un suo uomo qui...» si era difesa la costumista con fare infingardo.

Aveva incassato lanciando alcuni avvertimenti minacciosi nei confronti dei quali la donna non aveva replicato, ferma in un silenzio sprezzante.

Angela cercò in ogni modo di irrobustirgli l'umore, ma il commissario non reagiva alla cura arenandosi spesso in pause di apatico silenzio.

«Sono vecchio» sbottò alla fine con voce raschiante di rammarico.

«Ma smettila!« gli ingiunse Angela. «La tua è una sorta di ipocondria da anagrafe. Conti gli anni e ti pare di avere tutti i segnali della vecchiaia, ma è come leggere i sintomi di una malattia e pensare di averla.»

«Sono tutti discorsi consolatori. Forse sono rivolti inconsciamente anche a te stessa.»

«Forse. I cambiamenti di una donna sono molto più profondi, la differenza è che noi li accettiamo come un'altra fase della vita e non come lo scivolare verso la fine» replicò Angela.

Dalla tavola, dove Soneri aveva mangiato senza gusto, si spostarono sul divano. Lei lo abbracciò avendo l'impressione di stringere un intrico di nodi. Poi il commissario iniziò a lasciarsi andare abbracciando a sua volta la compagna. Quando il desiderio li prese il cellulare squillò.

«L'abbiamo trovato» annunciò Pasquariello senza nessuna euforia.

«Dove?» chiese con ansia Soneri.

«Sotto il ponte Bottego. Ci ha avvertito il 118. Uno dei barboni che vivono nelle baracche ha fermato un'ambulanza per avvisare che c'era un uomo messo male nel greto.»

«Era svenuto o cos'altro?»

«Non lo sappiamo» rispose Pasquariello. «Da come me l'hanno descritto ho pensato a uno che s'è preso il covid. Tossiva in continuazione.»

«Dov'è adesso?»

«L'hanno portato al Maggiore, non era del tutto cosciente. La pattuglia che è intervenuta mi ha riferito che balbettava e non si capiva cosa dicesse.»

Soneri chiuse la telefonata e scattò in piedi. Sentì il corpo rinserrarsi e tornare teso. Angela lo fissò delusa e contrariata.

«Se avessi un'altra mi darebbe meno fastidio di quel telefono» ringhiò.

Il commissario non rispose, prese il cappotto e uscì nella nebbia che saliva dal torrente. Vi si immerse e vi sparì dentro come dissolvendosi. Camminò per una decina di minuti con l'impressione di percorrere un tunnel, finché scorse le arcate lugubri del ponte. Passò davanti a un paio di agenti infreddoliti e scese nel fango del greto finché non giunse alle baracche all'asciutto sotto le volte. Un uomo con un cappotto sdrucito e una sciarpa avvolta intorno alla testa si mostrò nella luce stenta che arrivava dai lampioni.

«È venuto da me» sussurrò l'uomo a cui mancavano alcuni incisivi.

Pareva orgoglioso che l'avesse fatto. Infatti subito

dopo ribadì: «È venuto a chiedere aiuto a me» indicando con un rapido gesto delle mani se stesso.

Soneri lanciò un'occhiata alla baracca di legno e cartoni appoggiata sbilenca al muro d'argine come un ubriaco.

«È sceso giù o veniva dal greto?» domandò.

L'uomo rise mostrando una sparuta dentatura gialla.

«Qui non viene nessuno del mondo di sopra» rispose. «Qui è l'inferno e vi discende solo chi ci è costretto: quelli che gli altri non vogliono vedere e quelli che non vogliono essere visti.»

Il commissario osservò di nuovo quella tana di polvere e sporcizia sotto l'arcata che l'acqua poteva prendersi all'improvviso trascinando via tutto.

«Com'era messo?» chiese poi, mentre sopra alle loro teste passava il traffico sporadico della tarda serata e di tanto in tanto si udiva lo stridore di un treno dalla vicina stazione.

«Si reggeva a malapena, mi pareva avesse la febbre. L'ho accolto in casa» sghignazzò l'uomo mostrando la baracca.

Lo lasciò che ancora rideva con ostinata amarezza. Risalì verso viale Piacenza come riemergendo da un fondale. Si ricordò di Tinelli che aveva passato una vita sotto la crosta di apparenza su cui camminano tutti. Invece Soneri, benché camminasse sui marciapiedi tra i lampioni e le insegne luccicanti, si sentiva sprofondare. Zerbini gli era sfuggito un'altra volta e si era consegnato a uno degli ultimi della città. Poco importava che il caso si fosse risolto, il merito non sarebbe stato suo. Ma non era tanto quello a pesargli, quanto la consapevolezza dello scorrere indipendente dei fatti sui quali si affacciava da spettatore. Più in generale, sentiva che tutto ciò era l'immagine riflessa della vita sulla quale si era fino allora illuso di incidere. Pensava ai casi del passato e da quella riflessione uscì la convinzione che la soluzione non fosse mai stata sua, ma una combinazione di casualità. Ciò che accadeva gli pareva irriducibile alla volontà, e il suo marciare circonfuso di una verità imperscrutabile.

Nel cortile della questura incontrò Musumeci che lo informò dell'impossibilità di interrogare Zerbini.

«È semicosciente e farfuglia» precisò l'ispettore.

«Cosa dicono i medici? Pensano che abbia il covid?»

«Potrebbe essere, stanno eseguendo i tamponi, ma per ora non hanno detto niente.»

«È stato perquisito? Aveva appena rapinato la pensione a un anziano...»

«Trecentoquaranta euro, il resto doveva averlo già sputtanato.»

«Quasi mille euro in una giornata?»

«Evidentemente c'ha le mani bucate» rispose Musumeci. «E il naso bruciato dalla coca» aggiunse. «Ne aveva addosso due grammi, ma mi dà l'idea che gli sarebbero bastati per poco.»

«Come Malvisi, stesso vizio» mormorò Soneri.

«Compagni nello sniffo» sottolineò l'ispettore.

«E non solo» aggiunse Soneri lanciando un'occhiata al secondo piano dove tutte le finestre erano ancora illuminate.

Immaginò che Capuozzo fosse già intento a spifferare ogni cosa ai giornalisti amici con telefonate confidenziali, tipo "ti dico tutto ma non ti ho detto niente". Juvara però gli riferì che il questore se n'era andato da un paio d'ore perché stava male e che in ufficio era appena arrivato il suo vice Cantamessa.

«Meglio» stabilì il commissario, «Cantamessa detesta i giornalisti, dunque non avremo sorprese almeno fino a domani.»

«È già tutto sui siti» lo gelò l'ispettore. «Almeno da mezz'ora.»

Soneri ebbe un gesto di stizza gettando il cappotto contro l'asta dell'attaccapanni che vacillò e rischiò di cadere.

«Tanto l'avrebbero saputo comunque» cercò di minimizzare Juvara. «Cosa le importa?»

«M'importa che non si possa muovere un foglio di carta senza che si venga a sapere. Siamo sotto sorveglianza» sbraitò contro il vetro della finestra come se ci fosse qualcuno ad ascoltarlo nel cortile. Ma subito dopo, quando l'ispettore gli lesse i titoli dell'ultim'ora, la sua insofferenza divenne rabbia.

Sfugge alla polizia e si consegna a un barbone titolava il sito del giornale cittadino. Altri riportavano una notizia di agenzia: *La Primula rossa delle truffe individuata da un clochard*. In uno di questi c'era la foto dell'eroe del giorno con sopra il titoletto: *Il poliziotto-clochard*.

Soneri si staccò dal video che gli aveva mostrato Juvara.

«Chiudi 'sta roba, ne ho abbastanza d'esser preso per il culo.»

Aprì uno spiraglio della finestra, abbassò la mascherina e si accese il Toscano.

«Mica ce l'hanno con lei» intervenne timidamente Juvara. «Semmai tutti noi...»

Il commissario lo zittì con un gesto della mano in cui teneva il sigaro. «No, tu e gli altri non c'entrate, sono io il bersaglio» disse pensando a quel titolo che parlava del poliziotto-clochard.

Musumeci si riscosse all'improvviso.

«Al Copacabana bazzicano alcuni giornalisti» ricordò. «Sanno che lì la pesca è sempre fruttuosa.»

«Hai capito perfettamente» approvò il commissario.

«Me l'ha fatto notare la Vicini, che ne conosce parecchi» precisò l'ispettore.

«Dovresti sposarla, quella è davvero in gamba» disse Soneri.

Anche stavolta le parole suonarono morte e nessuno sorrise. Il silenzio s'impadronì della stanza. Nel cortile si udivano i rami del grosso abete sgocciolare sull'asfalto con un suono di disfacimento. Quell'immobilità che precedeva la notte fu interrotta dallo squillo del telefono.

«Finalmente è finita» lo investì la voce della Falchieri.

«Ha dato lei la notizia ai giornali?»

«Dovrebbe sapere che io non ho mai telefonato a un giornalista in tutta la mia carriera.»

«Era solo per verificare.»

«Anch'io ho visto i siti. Ma non è stato il questore?»

«È a casa malato.»

La piemme sospirò.

«Sia io che lei abbiamo dei sospetti, ma nessuna prova. Avviare un'inchiesta in queste condizioni...»

«Lasci stare» la interruppe il commissario. «Adesso è finita.»

«Adesso tocca a me, ma ancora non è possibile interrogare Zerbini: è pieno di cocaina e di alcol. In più gli stanno facendo gli esami per capire se la febbre è da covid o da altro.»

«Esco di scena» annunciò Soneri. «Il poliziotto clochard torna sotto i ponti» aggiunse sarcastico.

«Non se la prenda. Per ora dovrà accontentarsi della mia stima.»

«Grazie, ma lei è il medico che arriva quando il paziente è già spirato.»

26

Zerbini non aveva il covid. Tutto sommato una buona notizia così sarebbero partiti gli interrogatori senza attendere e tutto si sarebbe risolto presto. Almeno così pensava Soneri che non vedeva l'ora di togliersi di dosso quell'inchiesta.

«Era solo pieno di coca e alcol» confermò Musumeci di ritorno dall'ospedale. «Il resto è una banale bronchite.»

«Lo dimetteranno?»

«Alla fine degli esami: questione di ore. Potrebbe andare ai domiciliari o direttamente all'infermeria del carcere. Dipenderà dal parere dei medici e dalle disposizioni del magistrato.»

Il commissario sentì spalancarsi di fronte un improvviso vuoto. I casi che tanto l'avevano preso si erano risolti da soli. Ferrari aveva reso inutile il suo lavoro d'indagine e Zerbini era caduto per sfinimento arrendendosi a un barbone. Guardava il gran trambusto di giornalisti e telecamere nel cortile della questura dove Capuozzo, come un Lazzaro miracolato, era tornato a prendersi la sua ora di gloria marciando solenne e febbricitante nei corridoi. I giornali avrebbero elogiato la sua dedizione al dovere a beneficio della sua carriera.

Soneri, invece, osservava tutto da spettatore. Malgrado le illusioni, il mondo gli pareva solo un grande spettacolo che se ne va per conto suo senza curarsi granché di nessuno. Restavano solo l'affetto e il conforto di altri spettatori. Come Nanetti, che entrava in quel momento.

«È cominciata l'opera» annunciò.

«Questa è la città del melodramma» constatò Soneri. «La musica, però, mica la sento.»

«Colpa di tenori mezzeseghe.»

«Consolati, almeno tu hai scritto il libretto» tagliò corto Nanetti.

«Nemmeno quello. E poi tutti ricordano le note: i librettisti sono niente.»

«Perché non ce ne andiamo a rimirare una vera opera d'arte?» propose il collega.

«A quest'ora i musei sono in pausa pranzo.»

«Dài che hai capito benissimo!» gli allungò una manata Nanetti. «La superdotata dell'enoteca.»

«Sei fissato.»

«Pensare un po' a quello è salutare e segno di attaccamento alla vita. E poi sto parlando solo di contemplazione estetica.»

Soneri lo fissò con sorridente rimprovero.

«Sì, sì...» sussurrò avviandosi.

La ragazza si era tinta i capelli color rame e li aveva raccolti in una voluminosa coda. Sfoggiava un décolleté ancora più generoso del solito e Nanetti la sbirciava ammutolito.

«Se vuoi vi lascio soli» prospettò il commissario. «Magari, vedendoti senza compagnia, si impietosisce e ti consola per una decina di secondi.»

«Messo come sono mi devo accontentare delle signore di mezz'età che vanno alle terme di Salsomaggiore.»

«Vai sul facile.»

«Sono realista» concluse Nanetti. «Tu, piuttosto, adesso di cosa ti occuperai?»

«Qualche casino scoppierà. Lavoro ce n'è sempre.»

«Il caso Malvisi è forse il più interessante da parecchi anni a questa parte» riprese il collega. «Da biologo, dico.»

«Strano lo è» convenne Soneri. E mentre lo diceva ritrovava quell'incredulità che l'aveva tanto assillato di fronte alla serena confessione di Ferrari.

«Non mi era mai capitata una persona con due DNA. Ho pensato di dedicare un piccolo studio a questo caso. Ci sono riviste scientifiche che sarebbero disposte a pubblicarlo» concluse Nanetti.

«Nessuno te lo impedisce.»

«Sono pigro, lo sai. Inoltre devo attendere un esame di conferma sul Ferrari.»

«Vuoi dirmi che non sei sicuro che porti con sé quel doppio patrimonio?»

«Ne sono quasi certo, ma noi scienziati non possiamo lasciare aperto nemmeno un spiffero al dubbio.»

«Quell'esame non è già in corso? Hai spianata davanti la via della gloria.»

«Alla gloria preferirei quella» ridacchiò Nanetti accennando alla ragazza che scuoteva la testa facendo oscillare la coda.

«Ma che dubbi hai? Non ti fidi dei tuoi laboratori?»

«Voglio la certezza per non perdere il sonno. Ci vogliono anni per costruirsi una reputazione, ma bastano cinque minuti per perderla del tutto. E in campo scientifico dagli scivoloni non ci si riprende più.»

«Be', comunque sono fatti tuoi» chiuse la discussione Soneri. «Il caso è ormai in mano agli avvocati e io me ne cavo fuori.»

«Ti resterà comunque in famiglia» insinuò il collega.

«Angela mi ha fatto più volte notare che mantiene la sua veste professionale malgrado la nostra intimità. Come se avessi di fronte due persone diverse: la compagna e l'avvocato.»

«Se tu fai altrettanto, sarà come giocare ai quattro cantoni.»

«Non succederà per il caso Ferrari. Magistrato e questore ci hanno messo una pietra sopra.»

Nanetti lanciò un'altra occhiata alla ragazza e il commissario attese l'ennesimo apprezzamento, ma il collega non disse niente, assorto in un'espressione dubbiosa.

«Per te questo caso è stato strano fin dall'inizio» ruppe poi il silenzio.

«Almeno quanto è strana quella doppiezza genetica.»

«Forse tutti noi abbiamo un doppio. Anche tu e Angela, lo hai appena detto.»

«Sì, ma il nostro caso non è analizzabile in laboratorio. Fra poco le tue certezze si vedranno al microscopio, per noi è tutto molto più sfuggente.»

La ragazza li sorprese servendo loro un vassoio colmo di culaccia. Nanetti non lo degnò di uno sguardo, ma continuò a osservare inebetito la cameriera. Lei se ne accorse e le scappò un mezzo sorriso.

«Aveva l'aria di compatirti» fece notare Soneri.

«La mia è ammirazione pura, lo giuro» fece Nanetti piccato. «Sai che gli scienziati ammirano le proporzioni, e in questa ragazza sono perfette. È una stupenda forma geometrica. Oserei dire che esce fuori da un calcolo matematico come un bozzetto leonardesco.»

Il commissario mosse la mano esortando a lasciar perdere con lo stesso gesto con cui avrebbe scacciato una mosca.

«Le sue proporzioni sono un prodotto inconsapevole di sua madre e suo padre. Anche in questo caso è una questione di DNA» tagliò corto Soneri.

«La genetica racchiude ancora molti misteri» ribatté Nanetti. «La biologia umana è in gran parte oscura, come lo è la nostra mente.»

Avevano terminato di pranzare e saltarono giù dagli sgabelli quasi contemporaneamente. Nanetti cercò invano con lo sguardo la cameriera che doveva essersi ritirata in cucina. Quindi uscirono salutandosi, entrambi un po' delusi, ma per ragioni diverse.

Era la prima volta dopo tanto tempo che il commissario si trovava senza impegni con l'impressione di galleggiare nel pomeriggio come fare il morto in un mare piatto. Circolava poca gente, e quei pochi si schivavano, girando al largo con sguardi diffidenti dietro le mascherine colorate. Solo fuori dai negozi c'erano persone in attesa, mentre le farmacie avevano code lunghe come in tempo di guerra. Se mai ce n'era stata, era sparita l'allegria, persino la sguaiatezza, degli ubriachi davanti ai bar. Soneri passò di fronte all'ospedale vecchio diretto al parco Ducale, ma appena svoltato in vicolo Santa Maria, il telefonino squillò.

«Non è più venuto a trovarci» disse Artenice Ferrari con un tono che rasentava il rimprovero.

Il commissario, infastidito da quell'intrusione, provò a replicare, ma venne subito interrotto.

«Mio fratello vorrebbe parlare con lei» insistette. «Non crede che abbiate qualcosa da dirvi?»

«Non saprei» rispose Soneri. «Forse suo fratello...»

«Non so cos'abbia in mente mio fratello» riprese evasiva la donna. «Ormai con me si è stancato di parlare. Del resto, è inutile.»

In sottofondo si sentivano auto passare. Doveva essere scesa in strada per telefonare da un bar o da uno dei pochi apparecchi pubblici superstiti.

«Venga» concluse poi con un tono che avrebbe voluto essere supplichevole e invece risultò quasi imperativo.

Il commissario stava per replicare quando sentì che la donna aveva riattaccato senza dargli il tempo di parlare. Fu quel restare in sospeso della conversazione che spinse Soneri a dirigersi a Barriera Bixio. L'aveva preso un vago desiderio di rivalsa.

Quando salì, trovò Artenice che l'aspettava scrutando le scale da uno spiraglio della porta. Appena il commissario fu sul ballatoio, lei spalancò l'uscio e si scostò per farlo passare rimanendo in silenzio. Soneri aveva l'impressione di partecipare a un rituale. Ferrari seduto nel salotto di fronte a lui, la presenza silenziosa di Artenice nella parte della sorella protettiva e solerte, il vassoio di peltro opaco posato sul tavolinetto, i bicchieri da vermut poco più grandi di un ditale e l'arredamento, già modesto quarant'anni prima, incutevano l'idea di una triste ripetizione di giornate senza gioia.

«L'ho attesa tanto» esordì Ferrari con il tono che avrebbe usato nei confronti di un parente rimasto lontano a lungo, mentre Artenice si eclissava.

Soneri si sedette e rimase in silenzio, stretto in una morsa d'incredulità.

«Sua sorella è stata molto convincente» affermò poco dopo. «Anche se io non saprei più di cosa parlare con lei.»

«Mia sorella si preoccupa troppo per me e pur di farmi contento diventa persino spregiudicata.»

«Difficile pensarla in quel modo.»

«Si sacrifica. Mi considera molto più di quel che sono. Le ho detto molte volte di pensare più a se stessa, ma non c'è verso: la prende come una missione.»

«Tutt'e due mi date l'idea di missionari. Lei ci ha lavorato, coi missionari.»

«Non ho fatto niente se lo misuro con quel che ci sarebbe da fare. Faccia conto che abbia versato un secchio d'acqua su una duna del deserto.»

«Poteva fare di più?» domandò Soneri immaginando una risposta negativa.

Invece Ferrari scattò in avanti con rabbia sembrando offeso. «Sì!» alzò la voce che prese un tono dolente di pentimento. «Potevo fare molto di più» aggiunse abbandonandosi contro lo schienale.

«Ammesso che abbia fatto poco, se tutti noi facessimo quel poco sarebbe comunque tanto» obbiettò il commissario.

«Tutti...» sorrise amaramente l'uomo. «Sono pochissimi quelli che si dedicano agli altri, e per giunta devono difendersi dagli sciacalli.»

Soneri rifletté per qualche istante.
«Intende Malvisi e quelli come lui?»
«E chi, sennò? Vorrei che lei capisse il mio gesto» riprese Ferrari di nuovo calmo, con quello sguardo sereno che pareva stampato.
«Mi ha fatto venire per dirmi questo?»
«Non so a chi spiegare se non a lei, che fin dal primo momento mi è parso sensibile. Non avrebbe senso che ne parlassi con Artenice e con...» S'interruppe per un attimo, preso dall'imbarazzo. «Con l'avvocatessa Cornelio» concluse guardingo.
«Non deve aver timori» avvertì il commissario, «lo sanno tutti.»
«Insomma» proseguì rinfrancato Ferrari, «ha senso solo se ne parlo con lei che ha fatto le indagini.»
«Ha tutta la mia comprensione umana, ma di fronte alla legge non conta niente e la malvagità di Malvisi può essere tutt'al più un'attenuante.»
Ferrari girò la testa di scatto indispettito verso la parete alla sua destra, dov'era un buffet con due vetrinette, i ripiani di vetro coperti da ricami all'uncinetto, file di tazzine e la zuccheriera al centro. Con lo stesso scatto ritornò a fissare il commissario.
«Voglio che lei sappia alcune delle malvagità di cui è stato capace» disse Ferrari senza nominare Malvisi.
«Non sono un prete e non posso assolverla.»
«Nessun prete potrà mai assolvermi da quel che ho fatto, lei forse sì.»
«Non assolvo, ma cerco di capire l'origine del male. Mi aiuta a decifrare meglio il mondo e spargere un po' di unguento per sopportarlo.»

«Sa che era stato costituito un fondo per garantire un funerale a chi moriva solo e senza niente?» proseguì l'uomo.

Soneri negò con un cenno del capo.

«Era beneficenza. Lo so, una forma ipocrita per lavarsi la coscienza. Sono sempre stato contrario alla beneficenza di chi fa porcate tutti i giorni e poi dona due soldi per mostrarsi munifico, ma il fondo garantiva una dignità a quei poveracci. Mica una gran cosa: una corona di fiori, una cassa d'abete, un carro e due becchini. Be', s'è fottuto anche quello!»

«Dov'era questo fondo?»

«Lo gestiva un notaio nominato curatore, il quale ha pensato bene di affidarlo a Venanzio Malvisi per farlo fruttare. James l'ha fatto sparire come tutti gli altri soldi e adesso chi crepa in povertà viene buttato dentro un buco senza cerimonie e va bene se sopra la tomba c'infilano una croce di latta col nome. La dignità delle persone cancellata, fatta a pezzi con indifferenza, calpestata con disprezzo. Alla sua giustizia sfuggono i veri delinquenti.»

Artenice entrò silenziosa. Depose un paio di tazzine di caffè e sparì in cucina. Il fratello stava davanti a Soneri in preda a una rabbia che faticava a reprimere.

«Perché mi racconta tutto ciò? A cosa serve adesso?» chiese il commissario.

«Mi illudo che possa togliermi di dosso un po' del peso che mi opprime» borbottò l'uomo. «Sono uno strano assassino, non è vero?»

«Molto strano» convenne Soneri.

«Sono sicuro che non le era mai capitato uno come

me» aggiunse non potendo nascondere un larvato orgoglio.

«No, mai. E se rimane un sospetto in questa storia, è proprio per questo» concluse il commissario.

27

«La sa l'ultima?» domandò Juvara appena Soneri entrò in ufficio.

Il commissario gli rivolse un cenno interrogativo.

«Capuozzo s'è preso il covid.»

«Vedi che faccio bene a girargli alla larga.»

«Il fatto è che alla conferenza stampa erano almeno in trenta. I giornalisti per primi sono stati messi in quarantena.»

«Un attentato alla libertà di stampa» sorrise Soneri. «Adesso a chi spiffereranno Magliaro e Calabritti?»

«Anche mezza questura è in isolamento. Negli uffici stamattina non si trovava nessuno.»

«C'è da capirlo, Capuozzo: era il suo momento di gloria e riscatto. Poteva mancarlo? Una foto in prima pagina e un'intervista tossicchiante valgono bene un covid.»

«È a casa anche Pasquariello.»

«Comunque staremo in pace» concluse il commissario pensando alle giornate sgombre che si profilavano. Questa previsione lo allettava e l'angosciava al tempo stesso. Lasciare correre i pensieri come in un adolescenziale ozio estivo lo attraeva, ma il vuoto del disimpegno induceva l'idea dell'inutilità riproponendo lo spettro dello scivolare degli anni simile a un dormiveglia.

«Domani c'è l'interrogatorio di Zerbini» gli rammentò l'ispettore.

Se n'era completamente dimenticato.

«Ha chiamato la Falchieri per ricordarglielo» aggiunse Juvara.

Soneri registrò l'informazione e rimase in silenzio. Firmò alcune carte rimaste ad aspettare dal mattino, poi prese il cappotto e uscì. Faceva già buio. Gli piaceva quell'ora della sera in cui la città brulicava di gente che usciva dal lavoro ed entrava nei negozi ancora aperti per comprarsi la cena o si fermava nei bar per l'aperitivo. Aleggiava un sollievo di vacanza prima dell'assopimento delle notti feriali, dove l'assenza lasciava parlare il silenzio delle pietre, il loro trasudare bellezza.

Angela lo abbracciò prima ancora di chiudere la porta di casa.

«Non avrai il covid anche tu come Capuozzo?»

«Tampone negativo. Domani torno in tribunale e sventolo il risultato in faccia ai miei colleghi.»

«La tua voce ancora nasale li farà girare al largo. Vorrei che fosse sempre così» auspicò Soneri.

All'improvviso, Angela girò alle sue spalle e gli posò entrambe le mani sulla schiena spingendolo in camera. Una volta dentro, gli balzò davanti ponendosi tra lui e il letto. Quindi, con una mossa fulminea, gli si attaccò al collo abbracciandolo in una presa di lotta e col peso del suo corpo se lo tirò addosso sul materasso.

Fecero l'amore con un impeto quasi rabbioso.

«L'astinenza ti fa bene» si complimentò lei alla fine.

«A questa età c'è il rischio che ti faccia appassire.»

«Basta usare spesso gli strumenti» ridacchiò Angela. «Vanno tenuti sempre ben unti.»

In tavola, il commissario trovò lasagne vegetali con ripieno di carote, cicoria ed erbette.

«Sarà, ma i piatti dove non c'è qualcosa di maiale e almeno una sverniciata di burro sanno sempre di ospedale» stabilì.

Si consolò con la Bonarda che aveva il colore del sanguinaccio. L'assaporava godendone il sapore lievemente fruttato. Gli ricordò il corpo solido, caldo e accogliente della compagna, prolungando la sensazione di piacere che aveva provato.

«Sei stato da Ferrari?» chiese improvvisamente Angela.

La domanda troncò quel piacere.

«Nel primo pomeriggio. Ti ha avvertita?»

«No» replicò lei vaga.

«Artenice è una tipa strana, sfuggente.»

«Ho idea che sia innamorata del fratello.»

«Mi chiama da fuori casa, si sentono rumori di strada... Dov'è che se ne va nei pomeriggi?»

Angela alzò le spalle per dire che non lo sapeva, ma risultò evasiva. Soneri la guardò per qualche istante di troppo, al punto da suscitare la sua reazione: «Che c'è?».

«Perché Ferrari insiste nel volermi parlare?» chiese allora il commissario.

«Credo che voglia giustificarsi. Il delitto gli pesa, e raccontarti le ragioni che l'hanno indotto lo allevia.»

«Bazzica coi preti, si scelga un confessore.»

«Non è la stessa cosa. Tu hai condotto l'indagine. Tu

sei l'accusa ed è di fronte a te che vuole giustificare il suo gesto. Fa appello alla tua sensibilità.»

«È tutto strano in questa storia...»

«Se non vuoi più ascoltarlo, declina gli inviti.»

Il commissario rifletté per qualche istante.

«Se ci vado è solo per curiosità» disse.

«Quello che ti incuriosisce è proprio ciò che lui vuole raccontarti.»

«La malvagità? No, la conosco bene.»

«E allora?»

«C'è qualcosa di rituale in questi appuntamenti. Tutto si svolge in una sorta di cerimonia dove io sembro l'accusato. Oppure il latore di un ordine che scambia vittima e carnefice. In definitiva, uno sciocco illuso.»

«Ferrari ha una fede incrollabile e come tutti i radicali pensa che gli altri stiano sbagliando» considerò Angela.

«Sono io a essere convocato in quella casa lugubre come un tribunale» proseguì Soneri, «sono io che ascolto racconti simili a istruttorie. E alla fine vengo licenziato e ricondotto alla porta da quella specie di silenzioso agente che è Artenice.»

Angela rise per quella descrizione.

«E tu non sai niente di tutto questo?» chiese il commissario di colpo sospettoso.

«So come si comportano quei due» reagì sorpresa lei non riuscendo a dissimulare un lieve fastidio.

Il commissario la scrutò e non disse niente, ma il suo sguardo perplesso non sfuggì alla compagna.

«In questo momento stai facendo il commissario con me.»

«E tu l'avvocato?»

«Senti, Franco, stiamo giocando o cosa?» domandò lei indurendo la voce.

Quando Angela lo chiamava per nome, o era per tenerezza o per rimprovero. E questa volta, di tenerezza non c'era nemmeno l'ombra.

«Non faccio il commissario, voglio solo capire» precisò Soneri.

«Abbiamo sempre rispettato i nostri ambiti, no? Dobbiamo essere grati alle nostre professioni che ci hanno fatto conoscere, ma sarebbe reciprocamente irrispettoso se ne forzassimo i confini» spiegò Angela.

«Vuol dire che c'è qualcosa che tu sai e non vuoi dirmi» dedusse il commissario.

«Ma di questo caso sai tutto! L'hai detto tu che Ferrari ti ha spiazzato, tanto che ti è sembrato conducesse lui l'indagine: assassino e inquirente al tempo stesso.»

«Stiamo parlando del lato umano extragiudiziario. O mi sbaglio?»

Angela restò in silenzio troppo a lungo per non parere in imbarazzo.

«Questo caso ci ha portati troppo vicini in tribunale. Avrei dovuto declinare l'incarico. Se ho continuato è perché il mio ruolo era puramente formale. E tu mi hai chiesto di restare.»

«Vicini? Invece ci sta allontanando» constatò Soneri.

«Stai esagerando. Stimeresti un avvocato che venisse meno ai suoi doveri?»

«No, e per questo stimo te tra i tanti colleghi corrotti e marci che hai. Ma questa stima ha il prezzo di renderci parzialmente estranei.»

«Solo in ambito professionale» sussurrò Angela con dolcezza.

«Forse non solo» meditò il commissario. «Rimane sempre un lato imperscrutabile anche nelle persone che si amano.»

«È quello che le rende più attraenti» cercò di convincerlo lei.

Soneri non replicò. Restò insabbiato in un silenzio dubbioso e il resto della serata si trascinò tra discussioni neutre, talvolta superficiali, sulla pandemia e su Capuozzo nei panni dell'untore capace di azzoppare la questura e la stampa cittadina. Prima di mezzanotte, il commissario si alzò da tavola con un gesto che equivaleva a un commiato. Angela si alzò a sua volta senza provare a trattenerlo. Una piccola commedia che manifestava la freddezza tra loro. O forse un lieve rancore.

28

Fin dal mattino, Soneri sentì il peso dell'agire senza motivazioni. E mentre guidava verso il carcere, il cielo grigio appena più alto dei tetti gli sembrava la bandiera a mezz'asta del suo umore. Non capiva cosa andava a fare visto che nessuno gli aveva attribuito un riconoscimento nell'arresto di Zerbini. Gli pareva una grande sceneggiata a cui aveva deciso di partecipare solo per l'insistenza della Falchieri, ma era stato sul punto di mandare Musumeci. Per di più, il carcere si trovava in via Burla, un indirizzo che rendeva ancora più improbabile credere che fosse un impegno serio. Quello che gli risultava insopportabile delle galere non era solo il loro aspetto basso e sgraziato spalmato sull'orizzonte come un orrendo coperchio di pozzo, ma la litania di chiavistelli, il clangore delle cancellate e il continuo rimbombo di urla che accompagnavano il cammino. Non conosceva un preambolo più angosciante.

Lo fecero accomodare nella stanza degli interrogatori raccomandandogli l'uso della mascherina. Dopo qualche minuto comparve un agente per la verbalizzazione che sistemò il portatile sulla scrivania e cominciò a fissare lo schermo in silenzio aggiustandosi il bavaglio. Passò altro tempo prima che la porta si aprisse di nuovo. Sotto la luce neutra dei neon si presentò Zerbini, il fuggiasco alto e magro. Il commissario l'aveva finalmente di fronte. Lo colpì l'aria sciupata e malaticcia evidenziata da un alone livido intorno agli occhi, l'unica parte visibile dietro la grossa maschera. Appena si fu seduto, l'uomo fissò il commissario lanciandogli un cenno di saluto che aveva un che di complice.

«Tutt'altra ribalta, eh!» esclamò Soneri con un gesto della mano a mostrare quella stanza dimessa.

L'altro assentì scuotendo la chioma che gli cadeva ondeggiando davanti agli occhi.

«Comunque anche voi fate ridere» rispose sarcastico riferendosi alla sua attività di cabaret, che evidentemente non riteneva molto diversa da un'indagine.

Continuava a recitare la parte del guascone, ma in quell'atteggiamento si poteva leggere anche un certo sollievo. Provato dalla fuga e allo stremo, forse il carcere gli aveva levato di dosso l'ansia di sentirsi braccato. La Falchieri arrivò poco dopo. Era vestita come un'istitutrice: camicetta abbottonata fino al collo, giacca scura, gonna sotto il ginocchio e scarpa con tacco basso quadrato. Soneri non l'aveva mai vista così castigata nell'abbigliamento, nemmeno al funerale dell'ex procuratore. Il viso parzialmente nascosto accentuava la differenza. Anche nelle formalità di rito appariva più distaccata e fredda. Dopo i preamboli e le schermaglie dell'avvocato difensore, si arrivò alla sostanza con le contestazioni dei reati che il magistrato elencava minuziosamente intervallando domande dirette e precise. Zerbini ammise una decina di truffe. Di molte non ricordava granché e spesso sovrapponeva un fatto a un altro. Appariva molto confuso e dava l'idea di essere in astinenza dalla cocaina. Disse che la sua attività di attore d'avanspettacolo non gli bastava e la dipendenza dallo sniffo lo spingeva a compiere raggiri per procurarsi la droga. In definitiva, un racconto simile ai tanti che Soneri aveva ascoltato mille volte nel corso degli anni. Stava già distraendosi annoiato, quando la Falchieri chiese dell'amicizia con Malvisi. Fu a quel punto che Zerbini disse che era stato proprio l'amico a ideare le truffe una volta rimasto spiantato.

«Tutti lo cercavano per riavere i soldi e lui non sapeva come trovarli. Ogni giorno qualcuno minacciava di far partire una denuncia» spiegò l'uomo.

«E il ricavato delle truffe era sufficiente a tacitarli?» chiese dubbiosa la Falchieri.

Zerbini scosse di nuovo il capo. «No, distribuiva qualcosa ai più insistenti solo per tirarla in lungo. E poi, quando uno è abituato a un certo tenore di vita...»

«Non riusciva a rinunciare a certe spese?»

«Anche lui si faceva, cosa crede? Ci facevamo assieme nei festini con le ragazze e tutto» rispose quasi compiaciuto. Subito dopo fissò il magistrato con sordida malizia. «Ce n'erano vestite come lei e facevano la parte delle irreprensibili» sghignazzò.

«Un'altra frase così e le imputo l'oltraggio» sibilò gelida la Falchieri.

Zerbini sollevò il viso sul quale si attardava uno strascico di risata e ammutolì.

Per rompere l'imbarazzo, intervenne il commissario.

«Tra chi minacciava Malvisi c'era anche Ferrari?»
L'uomo sporse il mento mostrando di non sapere. Poi aggiunse: «Quel mezzo prete?».
«L'ha ammazzato lui, no?»
Di nuovo la stessa smorfia.
«Non me lo immagino James che si fa accoppare da uno così.»
«Crede non ne fosse capace?»
L'uomo sporse il mento per l'ennesima volta. Doveva essere un gesto talmente abituale da sostituire le parole.
«James non aveva paura di nessuno» disse con tono scettico.
«Malvisi le ha mai parlato di Ferrari?»
«No, non mi pare. Perché avrebbe dovuto farlo?»
«È probabile che anche lui minacciasse di denunciarlo.»
«Non ricordo me ne abbia mai parlato.»
«Lo sa che ha confessato, vero?»
«L'ho letto sul giornale.»
«E comunque ha dei dubbi che sia stato lui?»
«Se ha confessato vorrà dire che è stato lui» rispose annoiato Zerbini.
«Ma le sembra strano...»
«Ecchecazzo!» sbottò l'uomo. «Mica c'ero, io! Se l'ha detto, sarà così! Non siete contenti? Caso risolto, no?»
«Va bene» intervenne la Falchieri, «non è la sede per discutere di un argomento che non c'entra granché.»
Zerbini sollevò le mani e le lasciò cadere pesantemente sulle cosce per esprimere sollievo. A quel punto il commissario si sentì ridicolo e di nuovo fuori posto. Anche la Falchieri appariva indispettita per quella che doveva considerare un'inutile divagazione. Sone-

ri stava per giustificarsi. Avrebbe voluto dire che quelle domande servivano a chiarire i rapporti tra Zerbini e l'amico assassinato, ma poi desistette perché lui per primo si era reso conto che l'intenzione non era quella. Ogni volta qualcosa lo attirava nell'orbita di Ferrari, dentro quel vortice di ombre e spiragli dal quale riemergeva incredulo con un'ostinata voglia di capire.

Il seguito dell'interrogatorio lo vide distratto e silenzioso. Lasciò che il magistrato ponesse le domande alle quali Zerbini rispondeva talvolta con sarcasmo, talvolta rassegnato. Di tanto in tanto interveniva il difensore, che doveva essere uno nominato d'ufficio. Soneri immaginò che al suo posto ci fosse Angela, ma in quel caso era sicuro che avrebbe rinunciato per non allargare ancor più quella crepa tra loro che era apparsa improvvisa e subdola a proposito di Ferrari.

Quando l'interrogatorio terminò, la Falchieri si accostò al commissario lungo i corridoi del carcere.

«La sua mi sembra una fissazione» sussurrò per non farsi sentire dai secondini che li accompagnavano.

«Solo curiosità» si limitò a rispondere Soneri.

«Significa che non è convinto e che qualcosa non torna.»

«Converrà che, confessione a parte, non c'è molto altro.»

«Dice poco? Ci sono le impronte digitali, il ritrovamento dell'arma, il DNA... Tutto collima senza dubbi.»

«Appunto.»

«Appunto cosa?» alzò leggermente la voce spazientita la Falchieri.

«Non so. Ogni volta mi viene l'idea che sia tutto troppo perfetto.»

Il magistrato sbuffò. «È il primo caso in cui un inquirente marcia dalla soluzione al suo contrario, dall'ordine al caos.»

«Be', io spesso vado controcorrente: troppe volte si confonde l'ordine con l'apparenza.»

«Stia attento a non essere travolto.»

«Avrà notato che non sono il solo a mettere dei dubbi su quella storia» fece presente il commissario.

«Si riferisce a Zerbini? Ma è in stato confusionale! È sotto terapia per evitare che dia di matto in astinenza.»

«Quelli in astinenza dicono spesso la verità, come gli ubriachi.»

«Sicché continuerà a ficcare il naso in un caso già chiuso?»

«Io lascerei perdere, è Ferrari a volermene parlare.»

«Ferrari?» si stupì il magistrato.

«Mi fa chiamare dalla sorella.»

«E di cosa parlate?»

«È solo lui a parlare. Ogni volta un'omelia in cui mi racconta un episodio della malvagità di Malvisi.»

«È curioso» convenne la Falchieri, «in ogni caso non cambia la sostanza delle cose.»

«No, non la cambia» ammise distratto il commissario.

«Se vuole fare delle chiacchiere lo faccia senza problemi, ma sappia che la sua è un'indagine non autorizzata» sorrise vagamente complice la donna.

Erano arrivati alla guardiola. Il magistrato recuperò la borsa che aveva lasciato in custodia e assieme uscirono nel piazzale.

«Anche questa è fatta» stabilì la Falchieri accomiatandosi.

«Zerbini non si è attribuito tutti i colpi» obbiettò Soneri. «Se non erro ne mancano quattro.»

«È vero, ma intanto abbiamo preso lui. Non credo di sbagliare di molto se penso che gli altri siano di Malvisi. Non pretendevo che tutto collimasse da subito, approfondiremo.»

«Lo vede che c'è sempre qualcosa che sfugge?»

«Lei è troppo attratto da ciò che sfugge» chiosò la Falchieri con tono insinuante salendo in macchina.

Il commissario fece solo un cenno d'intesa, ma finì per pensare ad Angela, al suo lato nascosto da cui veniva respinto.

Salì a sua volta in macchina, ma prima che mettesse in moto gli telefonò Nanetti.

«Ho una buona notizia» esordì. «Almeno per me» si cautelò poco dopo. «Non so se anche per te.»

«Cos'è? La faccenda del DNA?»

«Sembri quasi un investigatore, tanto sei acuto!»

«È doppio, lo so.»

«Posso dirlo solo io con le evidenze di laboratorio. Ora ho la conferma definitiva.»

«I laboratori confermano solo l'ovvio. L'avevo già intuito.»

«Sai cosa me ne faccio delle tue intuizioni?»

«Se tu avessi studiato un po' di filosofia, saresti a conoscenza che l'intuizione è una forma diretta di comprensione che prescinde dai tuoi garbugli dimostrativi.»

«La filosofia non è più la spiegazione del mondo: il suo posto l'ha preso la scienza. Voi che la seguite non fate che girare in ciabatte nel piccolo recinto delle emozioni. Peraltro, anche quelle legate alla chimica.»

«È dalle cattive emozioni che nascono i delitti, dunque sono ben attrezzato.»

«Pensala come vuoi» tagliò corto Nanetti insofferente. «Ho deciso di dedicare uno studio a questo fenomeno.»

«Almeno di ciò puoi essermi grato. Fossi stato a guardare i tuoi microscopi non avresti mai imboccato la strada della gloria.»

«Vaffanculo!» esclamò Nanetti riattaccando.

Non sapeva come e perché, ma si sentì rasserenato. Forse il suo inconscio aveva fatto emergere il desiderio di lasciar perdere e ora si era convinto che era la miglior soluzione. Accettare la realtà, fosse anche posticcia, era una buona ricetta per vivere bene. Mentre passeggiava per la città, Parma gli apparve sotto quella luce. Nel bozzolo di nebbia, il commissario percepiva una generale, indifferente, accettazione. Ciascuno consumava in felice solitudine il tozzo di benessere conquistato. Soneri percepiva l'alito dolce, molle e stagnante che saliva dalle vetrine di via Cavour, dagli abiti griffati e dai gioielli esibiti. "Città con una certa allegria e belle vie colorate" aveva scritto Dickens di Parma, e tutto sommato era rimasta come l'aveva vista lui. Cominciava a sentirsi bene nella rinuncia e nell'abbandono alle ore vuote che gli si erano improvvisamente aperte di fronte, quando il telefonino squillò sotto le arcate della Pilotta.

«Dottore, la chiamo per conto del vicequestore» esordì una voce femminile che lì per lì Soneri non riconobbe.

«Chi parla?» domandò bruscamente il commissario.

«Sono l'agente Vicini.»

«Ah! Vicini, mi dica» riprese addolcito.

«È per un tentato suicidio. Ho l'ordine di fare riferimento a lei.»
«Cos'è successo?»
«Una faccenda brutta. Una donna di settantadue anni è entrata in uno studio di commercialisti e s'è tagliata i polsi. Dev'essere andata con la testa.»
«Quando è successo?»
«Mezz'ora fa. Hanno chiamato me perché c'era bisogno di una donna.»
«Per un suicidio? Perché una donna?»
«Prima di tagliarsi s'è spogliata. L'ho dovuta rivestire alla bell'e meglio prima che la portassero via.»
«Ma dov'è successo?»
«In via Affò.»
Il commissario fu colto di sorpresa e rimase muto per qualche istante.
«Pronto?» fece la Vicini. «La signora si chiama Mariani Veronica.»
«Arrivo subito» annunciò il commissario.

29

Camminando, Soneri venne pervaso dallo stupore per come tutto potesse cambiare in un attimo. Il divenire di ciascuno era legato al caso, a un'imperscrutabile roulette che emetteva sentenze dopo un'infinita sequenza di saltelli. E questa volta, nel ruolo della pallina c'era la Mariani, ferma sulla casella nera e dispari di via Affò. Davanti all'entrata dell'edificio, un gruppo di impiegate fumava sul marciapiede alzando di tanto in tanto gli occhi verso le finestre degli uffici. Quando il commissario passò loro accanto sentì che si stavano raccontando ciò che avevano visto e sentito. Dalla parte opposta della strada una piccola folla di curiosi osservava a distanza attratta dai lampeggianti della polizia. Qualcuno si era affacciato dalle finestre. Entrò e salì al primo piano. Lo accolse la Vicini, mentre un paio di agenti delle volanti si occupava degli ultimi rilievi, scrutandolo di tanto in tanto con l'aria di chiedersi perché il capo della Mobile fosse lì. Anche Soneri se lo chiedeva, nella consapevolezza di svolgere un'indagine non autorizzata, come l'aveva definita la Falchieri.

«Non è più in sé» ribadì la Vicini.

Il commissario, invece, pensava al significato di quel gesto e mentre meditava ebbe la consapevolezza di essere il solo a sapere. Stava per informare l'agente, ma si rese conto che, raccontando, forse avrebbe solo acuito la propria solitudine. «Lei è fissato» gli aveva detto la Falchieri, incredula nei confronti di un investigatore che non si dava pace davanti a un caso così chiaro.

Dunque si limitò ad ascoltare la Vicini ricostruire l'accaduto. Verso le 11.40, la Mariani si era presentata come una cliente nello studio Montanari, lo stesso occupato per anni da Venanzio Malvisi. Dall'agenda risultava che avesse preso appuntamento due giorni prima. Dopo un quarto d'ora di anticamera, durante il quale la donna non aveva mostrato segni di stranezza, era stata fatta entrare nella stanza del commercialista. Per qualche minuto aveva raccontato sorridendo la disposizione dell'ufficio quando lo occupava Venanzio, poi, improvvisamente, si era tolta i vestiti e con un taglierino si era incisa i polsi.

«Montanari non ha provato a fermarla?» domandò Soneri.

«Pare di sì, ma dice che lei lo ha minacciato con la lama. Dopo essersi ferita, si è sentita male ed è crollata su una sedia.»

«Non ha detto nient'altro?»

«Alcune frasi confuse» spiegò la Vicini estraendo il telefonino. «Per non dimenticarmele le ho trascritte negli appunti sul cellulare. Eccole qua. Ha urlato: "Guarda come sono, non mi puoi più avere". E poi: "Non mi è rimasto più niente". Tutto qui. Poi è svenuta.»

Soneri rimuginò per qualche istante con aria assente. La Vicini lo scrutava e con intuito femminile percepì qualcosa perché chiese: «Crede anche lei che sia matta o c'è altro?».

Il commissario le sorrise e si convinse del tutto che era una ragazza sveglia.

«Credo che sia solo una matta» la rassicurò.

«Non me ne intendo di pazzi, ma certo è un po' strano. Sembrerebbe una sceneggiata, però mi sfugge il senso.»

«Appena puoi, mandami il rapporto» raccomandò lasciando cadere il discorso mentre già si allontanava.

Avrebbe appreso i particolari leggendo. Si fidava di quella ragazza. Del resto lui aveva già tutto in testa. Il gesto in sé non gli importava più di tanto. Più della profondità dei tagli, del nome delle vene recise e del tipo di lama, avrebbe voluto conoscere la regia di quel breve atto unico. «Non mi è rimasto più niente» aveva detto la Mariani. Quella frase gli si era conficcata nel cervello. Vi erano concentrati l'amarezza e il fallimento di una donna che era invecchiata nella speranza di essere vera: una vera amante, una vera madre e una vera professionista in quello studio dove passava la città dei ricchi. Invece era rimasta ferma a metà strada nella metamorfosi che avrebbe desiderato compiere: non era più bruco, ma nemmeno aveva mai volato da farfalla.

Pensare a lei lo riempiva di tristezza. Era il destino di molti vivere rammaricandosi della propria incompletezza. Improvvisamente sentì il bisogno di sapere come stava la Mariani. Non sapeva cosa augurarle, se la serenità che aveva cercato tagliandosi le vene o una vita trascinata nella frustrazione. Sperò che davvero fosse andata con la testa, le avrebbe risparmiato molte sofferenze. Perciò si diresse all'ospedale Maggiore, ostinandosi ad attraversare il centro intasato per non prendere la tangenziale. Odiava le tangenziali. Percorrerle significava inoltrarsi in un mondo tutto uguale lambendo una città senza più nome né volto. Un itinerario nel cuore vuoto dell'amnesia dove si smarriva perdendo l'orientamento come i gatti in un trasloco.

Arrivò in via Abbeveratoia, l'ingresso che aveva soppiantato lo storico accesso di via Gramsci verso cui guardavano ancora i vecchi edifici che Margherita di Savoia aveva accarezzato freschi di calce tra le due guerre.

Cercò del dottor Antonio Bocchi dopo aver superato la misurazione della febbre all'ingresso. Con un po' di fortuna l'avrebbe trovato al lavoro. Poco dopo si presentò la figura un po' curva e dinoccolata del medico, uno con cui aveva giocato a pallone nelle file del Minerva calcio. Entrambi avevano sempre riso di quel nome. Era buffo chiamare come la dea della sapienza una cosa fatta coi piedi. Anche se erano passati anni, Bocchi aveva la stessa risata di allora. Il commissario la riconobbe da una specie di sibilo sfuggito da sotto la mascherina. I capelli no, quelli erano scomparsi lasciandogli un cranio lucido che quasi rifletteva. Soneri ricordava i suoi goal di testa con la chioma che, nel gesto, frullava di lato da sembrare una bandiera.

«Sarai mica malato?» chiese il medico.

«Sono qui per servizio. Anzi, no» si corresse, «diciamo per curiosità.»

«C'è poco da curiosare in questo posto. Eccetto la maternità, ci sono solo sofferenze.»

«Appunto. Hanno portato dentro un'anziana che si è tagliata le vene. Volevo sapere come stava. Si chiama Veronica Mariani.»

«Sento dal primario del pronto soccorso, sarà passata per forza da lì.»

Dopo un breve dialogo, Bocchi disse: «L'hanno spedita in chirurgia. Vuoi che chiami il collega?».

«Mi basta sapere se se la caverà o no.»

«Ce la farà. È un codice giallo. Si vede che i tagli non sono profondi abbastanza. Avrà perso un po' di sangue, ma gliene è rimasto a sufficienza.»

«Col pallone hai chiuso?» cambiò argomento Soneri.

«Qualche volta vado a calcetto. Il campo è piccolo e c'è meno da correre. E tu come sei messo?»

«Io corro dietro ai delinquenti e lì il campo è molto più grande.»

«Giusto così, eri un mediano o no?»

Passò la caposala e consegnò alcuni fogli al medico.

«Devo andare» si congedò Bocchi, «qui si corre più che a calcetto.»

Uscì dall'ospedale e poté finalmente fumarsi il sigaro respirando senza bavaglio. Lungo la rampa dell'ingresso scorse arrivare la Vicini. La guardò camminare, sembrava una studentessa. L'aveva colpito. Ammirava quell'impasto di grazia e fermezza. S'immaginò di corteggiarla, ma la freschezza che emanava dalla giovane agente spense precocemente quel pensiero proprio perché era ciò che l'età gli aveva sottratto. Diventare anziani era censurare se stessi per una forma di prudenza evitando di inciampare nell'azzardo.

«Il magistrato vuole che interroghiamo la Mariani»

annunciò l'agente. «Vado ad accertarmi che sia in grado, sennò tornerò.»

«Dovrebbe, è un codice giallo. Se è sveglia sarà cosciente. Per quel che può esserlo» dubitò Soneri.

«Vedremo» disse la ragazza. «Potrei essere sua figlia. Forse a me dirà qualcosa proprio per questo. Lei si è fatto un'idea?»

«Vaga» rispose evasivo il commissario. «Troppo vaga, dunque poco utile.»

L'agente lo fissò perplessa.

«Adesso vado» si mosse. «Se riesco a farle dire qualcosa di sensato, le riferirò.»

Soneri rientrò in questura. Dalla porta aperta sul corridoio vide Musumeci nella stanza degli ispettori che telefonava e rideva con i piedi sul tavolo. Nel suo ufficio, invece, Juvara smanettava sulla tastiera con l'aria di divertirsi.

«Cos'è? Una sala Bingo con le macchinette?» rampognò poco convinto.

Poi aprì la finestra di fessura e si mise a fumare, improvvisamente disinteressato a tutto, fissando il cortile dove ogni tanto arrivava o partiva una volante.

«Ho l'esame definitivo del tabulato telefonico di Ferrari» avvisò svogliato Juvara. «Se le serve ancora…» aggiunse.

Il commissario alzò le spalle. «C'è qualcosa di interessante?»

«Solo una stranezza» precisò l'ispettore.

«Sarebbe a dire?»

«Le telefonate dirette a Malvisi sono agganciate alla cella TIM di via Po.»

Il nome di quella strada risvegliò il ricordo di una beffa dolorosa.

«Che area copre?»

«Una parte del quartiere Montebello, la zona del Centro contabile ex Banca Commerciale, una parte di via Langhirano e un grosso settore del quartiere Montanara.»

«Non c'entra niente con via Bixio» constatò Soneri.

«Sta qui la stranezza» convenne Juvara. «Tutti noi ci spostiamo e telefoniamo stando in giro, ma possibile che tutte le chiamate a Malvisi venissero da lì?»

«Hai esaminato anche il resto del traffico?»

«Non c'era granché nel tabulato della settimana per la quale il magistrato ha concesso l'autorizzazione. Un paio di telefonate si sono agganciate alla cella tra il campus universitario e la zona del Cinghio.»

«Stesso territorio, più o meno.»

«Sì, le facoltà dell'ateneo in via Langhirano, il Montanara e le frazioni di Gaione e Antognano.»

«Hai ragione: è molto strano.»

«Se avesse telefonato dalla sua casa di via Bixio o dai dintorni, il telefono si sarebbe agganciato alla cella del cimitero della Villetta, oppure a quella della torre piezometrica dell'acquedotto, che è lì vicino» stimò l'ispettore.

Soneri cercò una spiegazione invano. Quell'informazione lo inquietava e lo rendeva felice al tempo stesso. Era paradossale che, in quel groviglio senza logica, scorgesse un appiglio al quale agganciare il suo accanimento. Avrebbe potuto dire alla Falchieri che finalmente non era tutto chiaro.

«Cerchiamo di allargare l'indagine sui tabulati almeno all'ultimo mese. Se risulta che quel telefono è stato usato prevalentemente in quella zona, un chiarimento si impone, non credi?»

Juvara assentì con un'espressione soddisfatta mentre il cellulare di Soneri prese a squillare. Fece un cenno di approvazione all'ispettore prima di rispondere.

«Passi da noi oggi pomeriggio, mio fratello l'aspetta» sentì dire da Artenice con il tono neutro e definitivo di un annuncio d'altoparlante. Poi riattaccò senza dargli il tempo di replicare.

Soneri mangiò in solitudine all'enoteca da Bruno sotto i portici cupi di via Farini. Doveva essere il giorno di riposo per la cameriera grandi forme e forse per quello Nanetti aveva declinato l'invito a pranzo. A giudicare dai tavoli vuoti, il locale doveva subire un calo di fatturato quando mancava l'attrazione principale. Se la sbrigò alla svelta e uscì nel momento del giorno in cui la luce d'autunno oscillava in equilibrio tra la fine della mattinata e la precoce discesa verso il buio. Dentro la nebbia era spuntato anche un mezzo sole, come una flebile speranza. Si fermò in piazza per godere di quella pausa simile a una breve domenica, ma dopo qualche minuto, una folata di nebbia richiuse il cielo, la piazza cambiò colore e la città riprese ad ansimare. Il commissario allora si diresse a Barriera Bixio. Passò da piazza Ghiaia, l'ex mercato popolare trasformato in una pretenziosa sfilata di boutique. Dal ponte Caprazucca scese in piazzale Rondani e sfociò in via Bixio. Prima di giungere alla barriera, scorse da lontano Artenice che rincasava con passo veloce. Soneri si fermò dietro una fila di auto finché la vide scomparire dentro il portone. Attese qualche istante prima di muoversi. Poi suonò il campanello e salì le scale velocemente. Quando giunse sul ballatoio gli parve di udire la coda di una discussione. Era sicuro che i due fratelli si fossero detti qualcosa nel lasso di tempo tra l'arrivo di Artenice e quello del commissario. Il silenzio era però tornato assoluto quando la donna aprì la porta. Soneri la scrutò attentamente, stupefatto che non fosse rimasta traccia della fretta con cui era rincasata. Lei gli fece strada precedendolo e, una volta giunta sulla soglia del salotto, si scostò per farlo passare invitandolo a sedersi con un cenno.

«Desideravo vederla» lo accolse Ferrari. «E dopo quel che è successo avrei da raccontare tante storie...»

«A cosa si riferisce?»

«Come? Non se lo immagina? Alla Mariani, no? Ne ha parlato il notiziario di TV Parma. Appena ho saputo ho immaginato tutto. D'altra parte anche lei si sarà fatto un'idea.»

«Vaga» fece Soneri.

«Avrei voluto parlare d'altro, ma questo fatto...»

«Ha colpito molto anche me. Perlomeno per la bizzarria con cui è avvenuto. E tutte le cose bizzarre è come se ci sfidassero.»

«Quella donna ha molto sofferto» spiegò con tono grave Ferrari. «Venanzio l'ha sempre tenuta a distanza e il figlio l'ha ridotta in miseria.»

«Ha derubato anche lei?»

«Tutta la liquidazione e la casa di famiglia, una villetta in via Guicciardini che valeva un milione di euro. L'ha convinta a ipotecarla per avere soldi dalle banche e le banche se la sono mangiata con tutti i mobili e i lasciti della famiglia.»

«Non credo che la Mariani fosse una sprovveduta. Facile che ci sia stato dietro dell'altro. Un affare per esempio.»

«I sentimenti!» sbarrò gli occhi Ferrari. «Sempre quelli ci fregano. Lei avrebbe dato un braccio per ingraziarsi Giacomo e fargli da madre. Avrebbe fatto di tutto. E poi c'era di mezzo lo studio. Se fosse fallito sarebbe finita nella polvere anche la memoria dell'altro suo amore: Venanzio. Capisce?»

Il commissario assentì. «Spesso capita di innamorarsi delle persone sbagliate. E più ti fanno del male, più le si insegue per sfida o per una stupida ripicca.»

«Credo che sia stato così, per la Mariani. Lo sa che aveva cominciato a studiare economia? Voleva laurearsi e avvicinarsi al ruolo di Venanzio. Una laurea l'avrebbe fatta sentire meno inferiore e forse più attraente.»

«E com'è andata a finire?»

«Venanzio la considerava un'impresa velleitaria, ne sorrideva, convinto che non ce l'avrebbe mai fatta, ma non la ostacolava. Giacomo, invece, l'ha sempre osteggiata. Per lui era solo una segretaria. Le faceva saltare apposta gli esami con la scusa di lavori urgenti.»

«E per quale motivo?»

«Perché era una serpe» rispose sprezzante. «Ha sempre pensato di appartenere alla razza che comanda. È così per chi nasce col culo nel cotone.»

Arrivò Artenice a servire il caffè. Prima di porgere la tazza al fratello versò un cucchiaino di zucchero e mescolò come avrebbe fatto con un vecchio o con un bambino.

«Sua sorella esce spesso?» cambiò discorso il commissario parlando sottovoce quando la donna fu uscita.

Ferrari ammutolì per un istante.

«Quand'è necessario, come fanno tutti» rispose con tono improvvisamente incerto, quasi si scusasse.

Seguì una pausa di silenzio in cui gli sguardi si incrociarono carichi di imbarazzo e di sospetto. Era come se improvvisamente entrambi avessero scoperto un doppio fondo nei loro pensieri. Sia Soneri che Ferrari avevano da spiegare qualcosa che tuttavia non potevano dire. Furono istanti così intensi da valere un discorso e molti sottintesi. Poi il commissario decise di chiudere la conversazione nello stesso modo: senza dire una parola, si alzò e uscì. Aveva qualcosa di urgente da sbrigare, anche se non sapeva bene a che scopo e dove portasse. Scese in strada e fu sul punto di telefonare a Musumeci. Poi ci ripensò e chiamò la Vicini.

«Vorrei che tenessi d'occhio una persona.»

«E chi sarebbe?»

«Si chiama Artenice Ferrari, abita in via Bixio.»

30

L'agente sedette di fronte al commissario tradendo un lieve nervosismo per l'incarico fiduciario che si apprestava a svolgere. Con meticolosità da accademia, volle sapere tutto. Il commissario le spiegò chi era Artenice, le sue abitudini, la dedizione al fratello e quell'aura da suora che le conferiva un aspetto arcigno e freddo. La ragazza ascoltò il racconto, quindi chiese: «Che sospetti ha su questa donna?».

Soneri non seppe rispondere immediatamente. Avrebbe dovuto riferire di sensazioni, sguardi imbarazzati, intuizioni... Tutte cose che era impossibile spiegare e non avevano niente a che fare con i consueti motivi per cui si fa pedinare qualcuno. Per questo fu costretto a confessare che si trattava solo di verifiche. La ragazza lo fissò poco convinta, ma sembrò intuire quel groviglio di sensazioni che covava nella testa del commissario e non indagò oltre.

«Il dirigente è avvertito? Dovrò rendere conto» obbiettò timidamente la Vicini.

«A Pasquariello penserò io e il questore è malato.

D'altro canto credo che basteranno un paio di giorni» la rassicurò Soneri.

«Un'indagine non autorizzata?» sorrise d'intesa l'agente.

«Proprio così» confermò il commissario sorridendo a sua volta pensando alla stessa espressione usata dalla Falchieri. «La mascherina e il tuo aspetto giovanile non dovrebbero destare sospetti.»

«Sarebbe utile per me sapere cosa dovrò notare» insistette la Vicini.

«Solo dove va nei pomeriggi, l'ora in cui esce e ritorna, se incontra qualcuno e se va a casa di qualcuno.»

«Un pedinamento ordinario» concluse la Vicini rassicurata.

Mentre stava uscendo, il commissario la fermò: «Se qualcuno ti chiede informazioni, di' che ti ho affidato un incarico e che se vogliono sapere di cosa si tratta si rivolgano a me».

La ragazza assentì e si avviò in silenzio.

Faceva già quasi buio. Soneri restò solo in ufficio assorto in pensieri vaganti e bizzarri come voli di storni. Gradatamente l'oscurità conquistò anche la stanza della Mobile e lui vi si lasciò sprofondare. Bussarono alla porta e un agente entrò senza aspettare la risposta. Aveva in mano un fascicolo che depositò sulla scrivania di Juvara e uscì rapidamente. Allo scuro non si accorse della presenza di Soneri, che invece aveva visto tutto nello spiraglio di luce del corridoio. Gli sembrava di essere invisibile come lo è una vetrata per un uccello. La differenza era che il commissario non si sentiva per nulla solido. Al contrario, gli pareva di sciogliersi dentro l'oscurità allo stesso modo in cui si dissolvevano i lineamenti delle cose col crescere del buio. Tutto era solubile nel buio: la geometria del mondo, i colori, il movimento delle cose e, da ultima, la ragione che si ostina a cercare di capire. Ma proprio la ragione, in un ultimo guizzo prima di arrendersi, continuava a mostrargli il caso Malvisi subdolamente liscio e lucente. Troppo per un uomo tragicamente consapevole dell'imperfezione del mondo. Così, suo malgrado, la vicenda continuava a essere renitente al buio come la brace del sigaro che si stava fumando, una spia rossa davanti ai suoi occhi a indicargli un'anomalia.

Improvvisamente la porta si spalancò e la luce abbagliante dell'ufficio gli fece lo stesso effetto di una secchiata d'acqua.

«Cosa fa al buio?» domandò Musumeci sorpreso.

«Mi ero addormentato» mentì il commissario. «Non tutti si presentano in ufficio alle dieci come te.»

«Spesso faccio il notturno» ridacchiò l'ispettore.

Subito dopo divenne serio. «Volevo dirle che mi dispiace» riprese.

«Per cosa?»

«Per Zerbini. Mi sono fatto gabbare come un pivello.»

Soneri capì che si riferiva alla beffa di via Po.

«Ne parlano, vero?»

L'altro scosse la testa imbarazzato. «Mi sono preso la colpa.»

«Non importa» disse il commissario, «sono io il responsabile. E poi ce l'hanno con me, non con te.»

«Calabritti e Magliaro sono due serpi.»

«Li hai sentiti?»

«Non direttamente. Sanno bene che lavoro con lei. Sono scaltri. Lo so da colleghi che ogni tanto li frequentano.»

«Tanto è inutile farsi il sangue marcio. Potrei compiere gesta eroiche ma ai loro occhi resterei un cretino.»

«Lo consideri un onore. Dovrebbe preoccuparsi se la stimassero.»

«C'è chi, per giustificare la propria insipienza, getta discredito sugli altri nel tentativo di renderli uguali a se stessi. Fanno più danni dei delinquenti.»

Soneri cercava di restare calmo ma la voce vibrava a tratti tradendo la rabbia. Per il genere di gente a cui appartenevano Magliaro e Calabritti non era affatto invisibile. Sapevano sempre dove trovarlo.

«L'agente Vicini mi ha telefonato poco fa per pregarmi di riferirle che la Mariani non è attendibile. Delira. Parla di un marito che non ha mai avuto e a un certo punto si è convinta che lei fosse sua figlia Monica. Si scusa, ma l'apprensione per l'incarico che le ha affidato le ha fatto passare di mente di dirglielo.»

«Ti risulta che abbia una figlia?»

«No, sarà come il marito: se l'immagina.»

«Povera donna» disse Soneri, «a forza di vivere di sogni ha finito per affogarci.»

Musumeci si abbottonò la giacca a vento e si accomiatò. Quando ebbe la maniglia in mano, il commissario lo richiamò, indirizzandogli uno sguardo in tralice.

«Certo che tu e la Vicini...» disse unendo e allontanando i due indici più volte.

«È solo lavoro» spiegò sogghignando l'ispettore.

«Non fare il cretino, eh! Quella è una brava. Forse un po' troppo emotiva, ma s'indurirà col tempo.»

«Sarei un pazzo» rispose Musumeci, «le ho già spiegato che ha la pistola facile.»

«Ci hai già provato, allora?»

«Macché! Scusi, sa, ma una certa esperienza ce l'ho in questo campo.»

«Be', allora sii prudente.»

Aveva acceso la lampada da tavolo che illuminava giusto la scrivania. Il tutto assunse un'aria intima mentre si preparava a chiamare Angela. Ma lo squillo del cellulare lo precedette.

«A mio fratello è dispiaciuto che se ne sia andato così presto» irruppe la voce di Artenice, come sempre dura e priva di emozioni.

«Avevo un affare urgente da sbrigare» rispose il commissario con indifferenza.

«Pensa di averla offesa.»

«No, le ho spiegato perché.»

«Lui ha sempre paura. È troppo sensibile.»

«Tanto da aprire la pancia a un uomo per soldi!» sbottò Soneri insofferente di fronte all'atteggiamento della donna.

«Domani torni a trovarlo» continuò lei senza tradire il minimo turbamento.

«Magari vengo quando lei è fuori» insinuò Soneri.

«Esco solo per fare la spesa, per andare a messa e al cimitero dai miei» replicò imperturbabile Artenice.

Indispettito, il commissario si apprestava a salutare, quando la donna aggiunse improvvisamente implorante: «Venga, non se la prenda».

Quel tono sorprendente suggerì a Soneri il pensiero che in tutte le persone pervase da fedi profonde coesistessero comprensione e disprezzo. Forse era quella la chiave per capire Ferrari e il suo gesto.

«Se avrò tempo verrò» tagliò corto il commissario riattaccando.

Più tardi, già di fronte ad Angela al Milord, tornò sull'argomento, ma lei sviò infastidita.

«Siamo qui per festeggiare la mia guarigione» precisò. «Ho schivato il covid e mi sento bene: non ti basta?»

Il commissario si affrettò ad assentire. Non aveva scelta. Insistere avrebbe voluto dire mostrarsi indifferente nei confronti della compagna, così attuò una ritirata che al tempo stesso tornava a battere il chiodo.

«Non so perché ti infastidisce così tanto parlarne. Non ci siamo sempre detti tutto?»

«Sai bene perché. Ne abbiamo discusso. Non avrei mai dovuto accettare il patrocinio di Ferrari, te l'ho detto.»

«Rinuncia. Tanto ormai...»

«Non servirebbe a niente. Sono coinvolta in questa vicenda e tu continueresti a chiedermi e io non potrei comunque risponderti.»

«È pazzesco che qualcosa di estraneo a noi ci divida. Un assurdo gioco delle parti.»

Angela scosse la testa senza dire niente. Appariva turbata.

«O forse non è solo il gioco delle parti?» insinuò Soneri.

Lei guardava il piatto sul quale fumavano i tortelli di zucca sciogliendo il burro. Il commissario lesse in quel silenzio un'ammissione. Sapeva tutto fin dall'inizio, ma si era sempre rifugiato nella rimozione per evitarne la conferma. Non era possibile scalfire quel nucleo di intimità, talvolta inconfessabile, che resta blindato dentro ciascuno. Ma in questo caso si trattava di altro. Qualcosa che Soneri equiparava a un tradimento. A un margine di esclusività dal quale era cordialmente tagliato fuori.

«Vogliamo guastarci la serata restando imbronciati?» ruppe il silenzio Angela. «Adesso siamo io e te, non l'avvocato e il commissario.»

Forse era bene così. Lasciarsi andare, ecco cosa ci voleva.

«Pensare può dare grandi soddisfazioni, ma non aiuta a vivere bene» concluse Soneri. «Se almeno ci togliessero questa maledetta curiosità!»

«Nel tuo caso è come estirpare la gramigna dall'orto» affermò Angela.

«Si può sempre far finta di non vederla» ribatté Soneri alzando il bicchiere di Gutturnio riserva. «La medicina migliore» concluse.

Inseguiva quello stato di incosciente allegria che il vino e il pasto sapevano conferirgli. Un'anestesia dei sentimenti e una visionarietà che ottundeva gli spigoli colorando tutto di momentanea speranza.

Il ristorante era semivuoto. In tanti rinunciavano ai luoghi chiusi per via del contagio. Alceste la prendeva come sempre con candida rassegnazione. «Ci accontentiamo» disse presentandosi al tavolo con la consueta casacca bianca a doppia fila di bottoni. «Per fortuna abbiamo messo da parte un po' di grano» aggiunse.

Poi, con un briciolo di vergogna confessò: «Ci siamo ridotti a consegnare cibo da asporto come una pizzeria».

Viveva tutto ciò come una sorta di degrado. Detestava quel mangiar frettoloso da ladri, appollaiati su sgabelli a masticare contro un muro al pari di vacche alla greppia.

«E dobbiamo portare la maschera come se avessimo paura degli altri» continuò.

Bastò quello a ricordare la discussione precedente. Quel celarsi l'un l'altro che impediva l'intimità totale, quella fusione fetale di cui in fondo ognuno è orfano. E lì, in quell'angolo oscuro, nascosto, Soneri sapeva che stava acquattato un veleno pronto a schizzare per un urto improvviso o per la pressione ripetuta e prolungata del frequentarsi. Quando Alceste tornò in cucina, tra lui e Angela s'insinuò il silenzio. Uno spessore sempre più ingombrante tra le parole diradò la conversazione finché non decisero di uscire. Cambiando lo scenario, s'illudevano di poter recitare un secondo atto differente. Così non avvenne. Camminarono sospesi tra i loro discorsi irrisolti finché non si separarono di fronte al portone di Angela.

«Non vedo l'ora che tutto finisca» disse infine lei. «Questo è un caso maledetto.»

«Quando sarà passato un po' di tempo forse ce ne dimenticheremo» auspicò Soneri.

«Be', credo che si chiarirà tutto molto prima» affermò lei. E senza dargli il tempo di riflettere, lo salutò sparendo dietro il battente.

31

Appena sveglio non ricordava niente. Poi tutto si delineò a poco a poco come un negativo fotografico. Gli era tornata in mente quella frase di Angela in cui gli annunciava che si sarebbe chiarito tutto molto prima. Molto prima che loro dimenticassero Ferrari e quel caso, ma non riusciva a capire cosa intendesse, né avrebbe potuto chiederglielo. Riprovò la sensazione di essere strattonato e spinto, sbattuto avanti da folate di vento. Parma invece, sotto il cielo grigio e la nebbia a mezz'aria, appariva immobile quanto una fotografia.

Juvara era già in ufficio con sul viso una vistosa mascherina filtrante da cui emergevano solo gli occhi.

«Ha saputo le ultime disposizioni? Dopo le dieci tutti a letto: coprifuoco.»

«Siamo in guerra?»

«Col covid. I contagi sono cresciuti del 30 per cento in tre giorni.»

«Lo stop vale anche per ladri, spacciatori e assassini?»

«Per noi e loro c'è la deroga» ribatté Juvara con insospettabile senso dell'umorismo.

«Vorrà dire che troverò meno ubriachi sotto casa» valutò Soneri.

«Ho i tabulati completi dell'ultimo mese di telefonate fatte da Ferrari. Quello antecedente l'arresto» annunciò l'ispettore.

«Cosa salta fuori?»

«Una conferma. A parte un paio, le altre si sono agganciate alle celle che coprono prevalentemente la zona del quartiere Montanara.»

«Ci possono essere spiegazioni tecniche per cui un telefonino di Barriera Bixio si agganci a quelle celle?»

«No» rispose Juvara convinto. «A meno che mezza dozzina di impianti a sud della città siano guasti, cosa impossibile. Ferrari doveva essere lì quando ha telefonato. Non è per caso che lavora in quel quartiere?»

«È in pensione.»

L'ispettore fece una smorfia d'impotenza: «Allora non capisco».

«La scheda e il contratto sono intestati a Ferrari?»

«Sì, ho controllato.»

Non c'era via d'uscita. Eppure il commissario sapeva che doveva esserci. Bisognava soltanto allargare il campo visivo, acquisire altri dati. Fu così che gli venne in mente Artenice. Era la persona più vicina a Ferrari, la sua devota badante.

Compose il numero della Falchieri e attese almeno dieci squilli prima che il magistrato rispondesse.

«Se la sta godendo ora che questa città è ritornata in sonno?»

«Sto procurandomi qualche passatempo.»

«Squash anche lei? Non si sarà ammalato di quell'assurdo sport per esagitati?»

«Mi ci vede a tirare palle contro il muro? Mi attraggono molto di più i giochi intellettuali. Coltivo le mie curiosità come orchidee.»

«Ancora non è convinto, eh?» indovinò la donna. «Non ho mai avuto a che fare con un uomo così testardo. Fossi sua moglie...»

«Ne ho avuta una ma non ha fatto in tempo a stancarsi di me.»

«Mi scusi» intervenne la Falchieri dispiaciuta. Non si era ricordata del lutto della moglie Ada. «Le ho già spiegato l'assurdità di rimestare in un caso come quello» riprese con dolcezza.

«Le chiedo di poter mettere sotto controllo il telefono di Artenice Ferrari» insistette il commissario.

Ci fu un attimo di silenzio in cui la Falchieri meditò.

«No, non glielo concedo.»

«Per quale motivo? Sarebbe la prova definitiva che aveva ragione lei. Che ha sempre avuto ragione. Mi espongo al rischio.»

«Non è una sfida tra me e lei, non ci sono i presupposti, mi dispiace. Per quale motivo dovremmo controllare il telefono di quella donna? Il fratello ha confessato, le prove sono schiaccianti. E anche la faccenda del doppio DNA è stata brillantemente chiarita dal dottor Nanetti. A proposito: sa che sta producendo uno studio sul caso?»

Il commissario non rispose. Aveva voglia di sbattere il telefono sul supporto, ma si trattenne. In fondo la Falchieri non aveva scelta: si trattava di una richiesta senza ragione. Almeno per la legge. Il resto era affar suo, il solito groviglio di sensazioni, sospetti, incongruenze e domande irrisolte. Lo prese la voglia di mollare. Si sentiva senza forze e privo di motivazioni. Il caso andava chiuso dentro la sua testa più che in un tribunale, ma la decisone non arrivava. Doveva imporselo, e forse era giunto il momento. Poi però squillò il telefono.

«La Mariani ci ha riprovato» annunciò la voce concitata di Musumeci.

«Si è tagliata di nuovo?»

«No, stavolta ha tentato dalla finestra. La caposala ha fatto appena in tempo a tirarla giù dalla sedia su cui era salita per buttarsi.»

«Dove l'hanno messa, adesso?»

«È sedata, ma è rimasta lì. Non hanno letti a disposizione nei reparti con le grate. Il primario ha chiesto l'autorizzazione a legarla al letto, ma ci vorrebbe un familiare.»

«Eh, una famiglia!» esclamò Soneri. «È quella che ha cercato sempre.»

«È sola?» domandò Musumeci con l'ingenuità di un adolescente.

«A meno che non te la voglia sposare tu, sì» commentò il commissario.

«Le hanno fatto un'iniezione e adesso dorme» informò l'ispettore. «Cosa devo rispondere al primario?»

«Chiami il magistrato» tagliò corto Soneri.

Pasquariello, invece, chiamò lui.

«Ti sei messo a comandare a casa mia?» domandò il capo delle volanti.

«Ho preso in prestito un'agente molto sveglia. Ma solo per un paio di giorni.»

«Potevi dirmelo.»

«Scusa, ma so che sei a casa.»
«Non hai Juvara o Musumeci?»
«Non sono adatti al compito che ho richiesto.»
«Ma che roba è?»
«Stare al pelo a una donna.»
«È un caso nuovo?»
«No. Secondo la Falchieri è una mia ossessione.»
«Non ci sto capendo niente.»
«L'omicidio Malvisi, hai presente?»
«Non è già tutto a posto?»
«Spero di convincermi che sia così.»
«Non lo sei?»
«Non del tutto. Ma forse ha ragione la Falchieri, sono io che vaneggio e vedo cose che non esistono.»
«In che modo la Vicini può aiutarti?»
«È giovane e passa per essere una studentessa. Non dà nell'occhio. Inoltre è sveglia come pochi. Sono convinto che solo una donna può seguire i movimenti di una donna.»
«Stai diventando sempre più cervellotico. Comunque» sintetizzò Pasquariello «non farò storie. Io e te c'intendiamo.»
«Ti ringrazio.»
«Senti» lo trattenne il collega, «non azzardare troppo con le tue ossessioni. Non lo dico per me, ma in questura qualcuno potrebbe adombrarsi.»
«Lo so, girano voci... Le avrai sentite anche tu.»
«Ma no...» disse Pasquariello con così poca convinzione da parere una lampante conferma. «Lo dico per prevenire. Sai quanto sono sgradevoli certi colloqui coi caporioni.»

Quella conversazione lasciò a Soneri uno sgradevole retrogusto. Si stava inoltrando in un territorio pericoloso. Un capo della Mobile che inseguiva un'indagine in gran parte personale, quasi un interesse privato in atti d'ufficio. Aprì il giornale e scorse i titoli. Lesse l'articolo in cui si parlava di Zerbini e il giornalista si soffermava sui particolari dei colpi raccontati al magistrato nel corso dell'interrogatorio. Un campionario di vanterie compiaciute, goliardate da smargiassi di balordi viziati. Una volta aveva persino corteggiato e dato appuntamento alla proprietaria di mezz'età di una fonderia pur di strapparle un contratto per una fornitura fasulla. In tutto quel racconto non si faceva mai menzione del commissario e solo un paio di volte si leggeva delle "indagini della Mobile".

Chiuse il giornale e chiamò Nanetti.

«Mi hai preceduto» lo investì il collega con tono trionfante. «Stavo proprio per invitarti a pranzo.»

«Questa è una delle stranezze che mi insospettiscono» s'incuriosì Soneri. «Vuoi rivedere la giunonica cameriera?»

«No, basta sgabelli. E poi ho capito che non mi ama. Ti porto in un posto che ci va a pennello: I du matt.»

«E saremmo noi?»

«Hai dei dubbi? Siamo entrambi un po' folli e visionari, no?»

«Se lo dici tu...»

«Un'ora fa mi ha scritto una rivista scientifica accettando di pubblicare il mio studio sul doppio DNA di Ferrari.»

«E io cosa c'entro?»

«Mi hai fornito l'opportunità. Ferrari aveva già confessato, c'erano le impronte: bastava quello. Merito del tuo sguardo sghembo.»

«Infatti vado a sbattere.»

«Be', sì, corri questo rischio. È come se guidando, anziché la strada, tu ti guardassi sempre intorno. Però spesso è lì che trovi le cose più interessanti.»

«Mi sembra una buona sintesi» disse il commissario. «A proposito di ciò che sta intorno: paghi tu.»

Soneri guardò l'orologio. Fra poco Artenice sarebbe uscita. La Vicini doveva essere già appostata da qualche parte a Barriera Bixio, dove poteva tenere d'occhio il portone del palazzo in cui abitavano i fratelli Ferrari. Aveva un motorino, nel caso la donna avesse preso un autobus. Nel frattempo, al ristorante, il commissario si dedicava agli anolini in brodo di terza, perfetti per una giornata fredda e nebbiosa. Ancor più a San Leonardo, il quartiere a nord della città proteso verso quella Bassa percorsa dal fiato lungo del Po.

Col viso immerso nei vapori del brodo come in un fumento, sentì trillare il telefonino.

«Venga oggi nel pomeriggio» parlò Artenice con la consueta voce senza passione.

Il commissario stava per replicare, ma non fece in tempo. Sentì il click dall'altra parte che trasformava quella frase in un ordine.

«Ha sbagliato numero?» domandò Nanetti notando l'espressione di Soneri tra sorpresa e disappunto.

Il commissario negò col capo. «Se manca Capuozzo, c'è sempre qualcuno che lo sostituisce nel dare gli ordini.»Il collega sorrise strizzandogli l'occhio: «Le donne!».

«Si tratta proprio di una donna» ammise Soneri.

Furono interrotti dal cameriere che servì loro la tartara di cavallo. Avevano scelto quel piatto a cui era legata la Parma popolana dell'Oltretorrente: botteghe con al muro la testa equina, teli bianchi esposti e l'indimenticabile macellaia Olga, con gli avambracci nudi da vogatore.

«Dunque sei pronto a spedire l'articolo?»

«Quasi» rispose Nanetti. «Sarebbe di grande interesse scientifico conoscere il donatore.»

Soneri, lì per lì, non ricollegò. «Quale donatore?»

«Il doppio DNA non può essere che il frutto di un trapianto. Molto probabilmente di midollo. Si fa nel caso di alcuni tipi di leucemie.»

«Solitamente resta anonimo. Se è stato preso dalla banca del midollo sarà difficile.»

«Anche per un'indagine?»

«Parli di scienza o di polizia?»

«Io riassumo entrambi i ruoli» sorrise Nanetti. «E tu potresti seguirmi. Ho l'impressione che in questo modo ti restituirei il favore.»

Prima di spargere olio, limone e sale sulla tartara, allungarono le braccia sopra la tavola e si diedero un cinque sbattendo i palmi come due calciatori dopo un goal.

32

L'agente Vicini stupì il commissario presentandosi per la prima volta in divisa.

«Stai bene» apprezzò quest'ultimo.

Lei reagì un po' stizzita: «Mi sento un oggetto da esposizione, come i corazzieri e le guardie svizzere. Il prefetto mi ha reclutata per un ricevimento, pare che le donne in polizia servano ad arredare».

«Questo non è il miglior ambiente per chi detesta l'ipocrisia» disse il commissario facendo roteare la mano con l'indice alzato.

«Comunque la divisa è un buon rifugio. Ti ci metti dentro e sei al riparo dalle raffiche di equivoci e situazioni spiacevoli» spiegò la Vicini sollevando un bordo del bavero.

«So a cosa alludi. Una ragazza...» Voleva dire bella, ma si fermò per un improvviso eccesso di pudore.

«L'avevo messo in conto» spiegò lei sbrigativa, con durezza.

«Allora, cosa mi racconta di Artenice?» domandò passando senza volere al lei, temendo a sua volta di essere irrispettoso.

La Vicini sorrise e sembrò apprezzare, quindi estrasse un taccuino dove aveva annotato i movimenti della donna e gli orari.

«È uscita di casa poco dopo le 14. Se vuole le dico anche il minuto preciso» s'interruppe cominciando a sfogliare il taccuino.

Il commissario le fece cenno di proseguire e lasciare perdere.

«Ha preso l'autobus alla barriera, la linea 7, ed è scesa in via Langhirano. Si è recata al bar Lux, ha bevuto un caffè, poi si è avviata a piedi in via Montanara. Quindi ha svoltato in via Carmignani ed è entrata in un grande condominio al numero 1, proprio all'angolo.»

«Ah! Via Carmignani!» sottolineò Soneri.

L'agente si interruppe e sembrò imbarazzata. Fissò negli occhi il commissario dando l'idea di essere sul punto di confessare qualcosa di cui vergognarsi.

«Qui l'ho un po' persa» ammise. «Si è diretta alla scala B, l'ho vista entrare nell'ascensore che si è fermato al primo piano. Anch'io sono salita fin lì, ma di lei non ho trovato traccia. C'erano quattro appartamenti: uno era occupato da una famiglia straniera, un altro da un vecchio avvocato e i restanti da studenti.»

«E non è andata in nessuno di questi?» domandò Soneri.

«No.»

«Come se lo spiega? Sparita?»

«L'ho capito dopo» riprese la Vicini. «È scesa dall'ascensore e ha proseguito salendo a piedi.»

«Sicura?»

«Sono rimasta in fondo alle scale tutto il tempo cercando di non dare nell'occhio, scendendo una rampa verso la cantina quando sentivo arrivare qualcuno. Dopo un paio d'ore, ho udito un battere di tacchi provenire da un piano superiore al primo e poco dopo la Ferrari è comparsa nell'atrio. Ha ripreso l'autobus ed è rincasata.»

«Non sa in quale appartamento si è infilata?»

«No, ma domani cercherò di scoprirlo.»

Il commissario abbozzò alcune ipotesi senza concludere nulla.

«Sicura che non abbia notato niente? Quella donna mi sembra molto sospettosa.»

«Non credo. Sono stata molto attenta e mi ero vestita...» La Vicini s'interruppe imbarazzata, come si vergognasse. «Insomma, un po' sbarazzina» ammise infine. «Ma l'ho fatto per ragioni di servizio» precisò poi.

A Soneri scappò da ridere.

«Non penserà che la rimproveri? Io che sono considerato strambo.»

«Lo so» confermò l'agente avallando implicitamente quel giudizio.

«Be', evidentemente, ammesso che la Ferrari non si sia accorta di nulla, tutto ciò significa che ha qualcosa da nascondere» sviò Soneri.

«E la cosa diventa ancora più intrigante» aggiunse la Vicini. «Comunque, sono sicura che non si è accorta di nulla» ribadì puntigliosa.

«Una cosa che ho imparato è non escludere mai niente, comprese le ipotesi più assurde» l'ammonì il commissario.

Lei lo fissò in silenzio, dando l'impressione di essere stata scalfita nell'orgoglio.

«Ho parlato con il dottor Pasquariello e per ciò che riguarda il suo momentaneo distacco, diciamo, "non ufficiale", non ha posto problemi: ha firmato la giustificazione» la rassicurò sorridendo Soneri.

«Bene, mi sento più a posto così. Visto che la Ferrari è imprevedibile, domani converrà che la tenga d'occhio fin dal mattino» suggerì l'agente.

«Non vorrei abusare del suo tempo.»

«Per questo tipo di lavoro, i turni non contano» affermò lei. «Mi faccio un giro e guardo le vetrine. Sa una cosa?» aggiunse. «A quella donna piacciono molto i negozi di intimo. Va matta per mutandine di pizzo, reggiseni, culotte e négligé.»

Soneri fu sorpreso. Era la conferma della contraddittorietà dell'animo umano. Un vero ring dove combattevano l'amore e l'odio, la sincerità e il sotterfugio, il benefattore e l'assassino.

«Ne ha guardati più d'uno?»

«Tutti quelli che ha trovato sul percorso. E solo una donna può capire i desideri negli sguardi di una donna» aggiunse la Vicini con una punta di malizia.

«Vediamo se anche domani tornerà a guardare i pizzi o se avrà l'aria da suora come di solito» concluse Soneri alzandosi.

Uscì tra la folla mascherata. Il bavaglio era stato imposto anche all'aperto, e tutto sommato diventava utile con la nebbia umida che attraversava la città come un'impalpabile alluvione. La barriera si vedeva appena dal portone di casa Ferrari, niente più di un fantasma di metallo. Suonò e, allo scatto della serratura, salì.

Artenice era quella di sempre: rigida, seria, taciturna. Ma questa volta non scortò il commissario in salotto.

«La strada la sa» si limitò a dire.

Ferrari gli fece cenno di sedersi. Anche questa volta, dai gesti e dall'atteggiamento dei due fratelli, Soneri si sentì trattato come un cliente. Trovò persino arrogante che l'uomo lo interrogasse ribaltando i ruoli.

«Che si dice in città?» domandò.

«È lei che mi deve dire» replicò un po' stizzito il commissario. «Mi ha chiamato qui per cosa?»

«Ha ragione» reagì l'altro scusandosi. «Il fatto è che mi manca passeggiare per Parma. Specie adesso con la nebbia. Mi è sempre piaciuto camminare immerso nell'odore della nebbia. Ci ha mai fatto caso che ha un odore? Sa dei prati fradici della Bassa e dei tetti di città.»

«Sintetizza quel che siamo: un piede sul selciato e uno tra le zolle.»

Ferrari sospirò, mentre Soneri lo fissava interrogativo.

«Quello Zerbini che avete preso è un coglione. Glielo volevo dire. Un'altra vittima di Malvisi. Il meccanismo delle truffe l'ha inventato James. Questo era la sua spalla e campava con le briciole che gli lasciava lui. Malvisi aveva bisogno di una corte perché si sentiva re.»

«Lei ci ha tolto lo sfizio di inchiodarlo. Tutto qui ciò che voleva riferirmi?»

«Vorrei che capisse...» provò a dire Ferrari inceppandosi in qualcosa di inesprimibile.

«Sa cos'ha detto Zerbini? Che non crede sia stato lei a uccidere Malvisi.»

L'uomo rise.

«Non crederà a quello? Nella corte di Malvisi lui era il buffone.»

«Malvisi non si sarebbe lasciato uccidere da uno come lei. Sono le sue parole.»

L'altro lo fissò, questa volta serio.

«Non mi crede capace? Trascura come la rabbia e l'indignazione possano trasformare un uomo.»

«A essere sinceri, anch'io ho dei dubbi» giocò d'azzardo Soneri.

Sul viso di Ferrari comparve un'espressione indecifrabile, tra l'allarmato e la sorpresa.

«Proprio lei!» cercò di dissimulare l'uomo sforzandosi di ridere. «Non mi crede sincero? Mi ferisce un po'. Credevo...» s'interruppe a metà rabbuiato Ferrari. «In ogni caso perde tempo: non potrà mai provare il contrario di quel che ho confessato.»

«Ha ragione, ma mi tengo i dubbi.»

«Quindi siamo nemici dentro un paradosso: il poliziotto che si mette contro un assassino non per accusarlo ma per smontare la sua confessione? Si rende conto?»

«Non verrebbe meno l'originalità.»

Soneri era sul punto di spiegare anche i motivi dei suoi dubbi, ma si trattenne.

«Tutti direbbero che lei è pazzo» disse Ferrari.

«Anche questo è vero» replicò calmo il commissario notando che la sua imperturbabilità cominciava a inquietare l'uomo.

«Come fa a sostenere che ho mentito? Come può pensare che uno come me si tiri addosso un'accusa così tremenda?»

«Ci sono cose che non si possono spiegare: sensazioni, esperienza, intuizione… E dopo aver ascoltato Zerbini tutto questo si è rafforzato.»

«Ma insomma, quello straparla! Ciò che dice dipende dalla qualità di coca che si sniffa.»

«Anche ascoltando lei qualcosa vacilla.»

Nuova risata nervosa.

«Ho fornito le prove di quel che ho detto.»

«Appunto» replicò calmo il commissario. «Si è assunto il mio compito. Non le sembra che anche questo sia paradossale?»

Furono interrotti da Artenice che entrò silenziosamente fermandosi accanto al fratello. Aveva di certo ascoltato la conversazione e sembrava pronta a difenderlo.

«Si ferma da noi a cena?» chiese.

Soneri guardò l'orologio: non si era accorto che erano quasi le otto.

Rifiutò. L'idea di mangiare in quella casa che aveva l'aria di una sagrestia gli metteva tristezza. Ancor peggio immaginare il menù.

Colse l'occasione per alzarsi e andarsene. Ferrari parve molto deluso per quella conversazione rimasta sospesa, ma era ciò che Soneri desiderava. Voleva che restasse nel dubbio, col sospetto. Sperava che la tensione alla fine aprisse una crepa nelle sue certezze.

Non aveva voglia di rincasare e nemmeno di affrontare il residuo di malintesi con Angela. Aspettava che si sopissero guarendo col tempo. Si diresse alla Bottiglia azzurra, dove trovò Sbarazza. Era seduto accanto al banco e fissava una donna sui quaranta dall'aspetto florido accompagnata da un uomo all'apparenza molto più vecchio.

«Ha visto che meraviglia!» sussurrò Sbarazza quando il commissario si avvicinò. «Lo vede il pizzo del reggiseno che le spunta dalla spalla?»

«Lei è rimasto un adolescente» bisbigliò di rimando Soneri.

«È vero. Ho una sensualità eminentemente estetica più che tattile. Immagino, e alla mia età basta.»

«O si accontenta?»

«Mi creda, la soddisfazione può essere anche maggiore.»

«Lei guarda le donne come osserverebbe un quadro» constatò Soneri.

«È la curiosità a muovermi. Quella degli artisti, e io lo sono. Nell'animo, intendo. Mi manca però la cosa fondamentale, la capacità di tradurre in atto il mio mondo interiore. Non so scrivere abbastanza bene, né dipingere, né comporre musica. Allora immagino. Mi innamoro più volte al giorno guardando meravigliose creature come questa» spiegò accennando col mento alla donna seduta al tavolo.

Parlava con naturale eleganza, senza mai sfiorare la volgarità.

«Osservi come muove le mani, il gesto con cui si aggiusta i capelli dietro le orecchie. Un cigno non saprebbe fare di meglio.»

Appariva completamente preso dall'osservare la donna, finché questa si alzò assieme al suo compagno. Sbarazza aspettò che la coppia uscisse, poi, previo un gesto d'intesa al cameriere, si accomodò al tavolo. Il commissario sedette di fronte. Stava per parlare quando l'altro gli fece cenno di attendere. Sembrava ipnotizzato. Annusò il tovagliolo, accostò le labbra al bicchiere sull'orlo del quale era rimasta una traccia di rossetto e assaporò quel che restava della torta della duchessa. Emerse da quell'estasi turbato.

«Con l'epidemia che galoppa, lei azzarda» stabilì Soneri.

«Non può venire niente di cattivo da un angelo come quello» replicò.

Finì la torta e centellinò il vino nel bicchiere a piccoli sorsi, ognuno dei quali appariva un momento d'intimità.

«Lei è un dongiovanni che conquista e tradisce all'insaputa delle sue amanti» ridacchiò il commissario.

«Vorrei amare tutte le donne che ammiro» ammise trasognato Sbarazza. «Provo per loro la stessa curiosità che ho per il mondo.»

«La maggioranza lo trova monotono.»

«Non sanno guardare. Io mi rammarico di morire perché vorrei vedere come va a finire. Osservo la realtà come fosse un film, e trovo assurdo che uno lo interrompa a metà.»

«La proiezione è troppo lunga e temo che non sia a lieto fine» ipotizzò il commissario.

«Sa quante donne potrei conoscere? Chissà come saranno fra duecento anni? Io vorrei esserci. Magari troveranno il modo per raddoppiare la vita media: non è ingiusto? Uno ha avuto la sfortuna di nascere in questo momento in cui si campa meno di un secolo, mentre chi è venuto al mondo più tardi potrà godere di più tempo.»

«Si consideri comunque fortunato. In passato a quarant'anni eri già pronto per abbracciare i santi.»

«Mi fa rabbia. Come da piccolo quando mi mandavano a letto presto e mi perdevo il resto della serata.»

«Lei è la persona più innamorata di questo mondo che conosca.»

«Perché vivo in un altrove» sorrise Sbarazza annusando di nuovo il tovagliolo.

33

«Ho sentito Ferrari molto agitato» irruppe nella cornetta la voce di Angela. «Dice che ti sei fatto strane idee sull'omicidio Malvisi e dai credito alle parole di quel balordo di Zerbini.»

Il commissario s'irrigidì. Sentì riaffiorare le scorie del discorso del giorno precedente con lo stesso effetto di un cespuglio di ortiche.

«Ci eravamo ripromessi di non affrontare più questo argomento, o sbaglio?» rammentò Soneri.

«Non l'avrei tirato in ballo se non avessi percepito in Ferrari una grande preoccupazione. Per di più alla vigilia del processo.»

«Il rischio che corre è di essere assolto.»

«Questa storia è tutta un paradosso.»

«Sarebbe un trionfo per te. Ti attribuirei i meriti. Direi che l'avvocato della difesa ha portato prove schiaccianti a favore dell'imputato.»

«Non prendermi per il culo» lo ammonì lei.

«Non ci penso nemmeno. Mi consentirebbe di salvare la faccia. Una sconfitta giudiziaria è di gran lunga meglio di un poliziotto che indaga a rovescio tentando di smontare casi risolti. Agli occhi di Capuozzo e della Falchieri sarebbe come parteggiare per l'assassino.»

«Non farti venire strane idee. Almeno non ora» disse Angela.

Quell'ultima frase restò impressa nella mente del commissario per un po'. Conosceva la compagna, le sue sottigliezze, e sapeva che non diceva mai nulla che non avesse un significato.

Poco dopo si fece vivo Nanetti.

«Ho annusato la preda» spiegò.

«Hai sotto il naso un piatto di spalla cotta?»

«Il donatore, dico» alzò la voce il collega. «Alla banca del midollo hanno promesso di darmi una risposta a breve. Potrei così completare lo studio e consegnarlo alla rivista.»

«Quando te lo dicono?»

«Non so, ma nel frattempo ho saputo che il trapianto è avvenuto undici anni fa all'ospedale di Brescia.»

«Perché Brescia?»

«Non ne ho idea. Forse il donatore è di quella città.»

«E verrebbero meno alla riservatezza?»

«Per una motivazione scientifica sì. Inoltre sono pur sempre un poliziotto. E poi mica voglio sapere nome e cognome.»

«E cosa allora?» fece Soneri un po' deluso.

«Dati scientifici, parametri biologici, condizioni del trapianto... Tutte cose di cui non capisci niente.»

«Non ho mai sopportato gli scienziati» ribatté il commissario, «maneggiano le molecole, si districano tra le cellule e poi non sanno prenotare un treno.»

«Se fosse per voi, il treno non l'avrebbero nemmeno inventato. Sareste ancora a strologare sotto i portici dell'Accademia.»

«Perché non andiamo a esaminare la composizione chimica di un vassoio di salumi e grana?» propose Soneri.

«A quest'ora? Si vede che sei di estrazione contadina e vai a mangiare presto» cantilenò Nanetti.

«A quest'ora faccio colazione. Mica vado a letto con le galline, io.»

«Succedeva quando facevi il turno di notte: vent'anni fa» concluse Nanetti.

Soneri valutò con improvviso sgomento la considerazione del collega e non replicò. Cercò di non pensarci, riattaccò e si mise in attesa. Si lasciò trascinare da un'insolita smania. Forse era semplice curiosità, come quella di Sbarazza per il mondo. O forse aspettava una rivelazione dal pedinamento di Artenice. A un certo punto non resistette più e chiamò la Vicini: «L'ha vista uscire?».

«Sì, ma stamattina non si è allontanata troppo da casa» rispose.

«È scesa solo per fare la spesa intorno a Barriera Bixio. Pane, carne, verdura e frutta: quel che ci vuole per mangiare. Nessun incontro in particolare.»

«Se fa spesa al mattino, significa che al pomeriggio ha altro da sbrigare» rifletté Soneri.

«È quello che dovrò scoprire.»

«Ha bisogno di una sostituzione? Mando qualcuno?»

«Almeno per due ore all'ora di pranzo: dovrei cambiarmi d'abito.»

Il commissario lì per lì non comprese.

«Se stamattina quella donna mi ha notata, avrà memorizzato come sono vestita e nel caso al pomeriggio mi vedesse ancora con la stessa mise... Noi donne facciamo molto caso a queste cose.»

Soneri sorrise tra sé sentendo affiorare un'ammirazione che fu costretto a censurare. Si accontentò di pensare che avrebbe voluto avere una figlia così.

«Manderò Musumeci a darle il cambio.»

«Commissario, mi pare ridicolo questo lei. Anche considerando l'età...»

Incassò a fatica la conferma di una distanza impossibile da colmare. E dopo un attimo di sbandamento, emerse dalla delusione.

«Se tu vuoi...» disse con tono affettuoso in cui era racchiuso tutto il suo rammarico.

Riattaccò per sfuggire a pensieri di cui si vergognava un po' e chiamò Musumeci.

«Puoi fare un salto a Barriera Bixio un paio d'ore?»

«Un altro pedinamento? Lei mi vuole male. Dopo quel che è successo l'altra volta, il bis mi farebbe radiare dalla polizia.»

Il commissario lo tranquillizzò e gli spiegò di cosa si trattava.

«Se non fosse che così potrò vedere la Vicini, riterrei l'incarico offensivo: un ispettore che sostituisce un agente non si è mai visto» finse di scandalizzarsi Musumeci.

«Qui c'è l'incentivo.»

«Potremmo attuare il pedinamento in coppia. Non è la mia specialità, ma con lei...»

«Finiresti per distrarti e distrarre anche lei» bocciò la proposta Soneri.

«Per non dare nell'occhio potremmo fingere di essere fidanzati» ghignò Musumeci.

«Non sono sicuro che le andrebbe bene la parte.»

«Per me fa solo la sostenuta» affermò l'ispettore con sufficienza.

«È una ragazza di carattere che sa il fatto suo» stabilì puntigliosamente il commissario.

«Se è una di quelle tutto lavoro e nient'altro che se la tenga» tagliò corto Musumeci ostentando indifferenza.

Camminando poco dopo tra i borghi, ritrovando la Parma labirintica che tanto ricordava il sogno di Borges, ripensò al rammarico di Sbarazza per ciò che non avrebbe potuto conoscere né vivere. Era la stessa sensazione di atroce rimpianto che aveva provato poco prima durante la conversazione con la Vicini. In quei momenti prendeva coscienza di un'anagrafe impietosa, che contrastava e sconfiggeva uno spirito recalcitrante al tempo che passa. Cercò di scacciare quegli scherzi della mente nell'età di mezzo, quella in cui si sta più o meno equidistanti tra l'ostetrica e il becchino.

Entrò in un bar di Borgo Paggeria che non conosceva. Ce n'erano sempre di nuovi nei luoghi più appartati della città vecchia. Completavano la sorpresa che ogni volta si palesava in quei recessi silenziosi stretti e bui d'inverno quanto freschi di muri in ombra d'estate. Parma era una città cangiante, in accordo con la luce che la mutava costantemente e la vita che vi scorreva: un palcoscenico dove si alternavano in continuazione attori diversi.

Mangiò solo e in silenzio. L'arredamento del bar era un trionfo di candore e geometria, il contrario del mondo opaco di nebbia, volteggiante e senza perimetro al di là della vetrina. A un certo punto squillò il telefonino.

«È uscita in questo momento» comunicò Musumeci quasi sottovoce.

«La Vicini è già lì con te?»

«Stavamo dandoci il cambio.»

«Bene. Vieni via, lasciala proseguire da sola.»

L'ispettore rimase muto per qualche istante che il commissario interpretò come disappunto. Alla fine borbottò «va bene» di malavoglia.

Soneri si rese conto che si stava comportando in modo troppo protettivo con quella ragazza. Considerò l'involontaria invadenza dopo che ebbe chiuso la telefonata con Musumeci. Così, quando la Vicini si fece di nuovo viva, si ripromise di non impicciarsi più di fatti che la riguardavano.

«È strano, la Ferrari stavolta ha preso una direzione diversa dal solito» informò l'agente.

«Dove va?»

«Ha imboccato viale Vittoria e si dirige verso piazzale Santa Croce.»

Le cose si complicavano e Soneri ci capiva sempre meno.

«Non mi resta che seguirla. Forse va all'ospedale.»

«Potrebbe essere.»

Un quarto d'ora dopo la Vicini richiamò. «È davvero in ospedale» confermò l'agente.

«In che reparto?»

«Nei poliambulatori.»

«Ti pare che abbia una visita?»
«Forse. Ho parlato in confidenza con l'infermiera dell'accettazione, mostrando il tesserino. Mi ha detto che aveva un appuntamento con il professor Giovanni Bassi, un oncologo.»
«Una visita, allora?»
«Probabile. Anche se non mi pare malata da come cammina svelta» considerò la Vicini.
«Continua a starle dietro» ordinò il commissario mettendo giù.
«Juvara, mi controlli Giovanni Bassi, oncologo del Maggiore?»
L'ispettore manovrò sulla tastiera.
«È il primario. Vuole che le legga la biografia e il curriculum? Ci vorrà un quarto d'ora. Questo è un barone.»
«Non importa. Vai a farti un giro all'ospedale e chiedigli di Artenice Ferrari. Se è una sua paziente, da quando e se la vede spesso per consulto. Oppure se va per conto di altri, magari un parente.»
«Tutto questo in via confidenziale o in veste ufficiale?» chiese l'ispettore.
«Juvara, devo insegnarti il mestiere? Ufficiale, confidenziale... Lo sai com'è, no? Sono accertamenti, mica un mandato di comparizione. A un poliziotto le cose si dicono. Anche se magari si fa qualche strappo... Mi spiego? Sta poi a noi usare le informazioni con discrezione.»
«No, è che è diverso trovarsi di fronte un informatore che spaccia sul marciapiede rispetto a un primario potente.»
«Eh, lo so. Sarà più difficile, ma ce la puoi fare.»

Juvara uscì poco convinto.
Subito dopo ritelefonò la Vicini.
«Ha preso un autobus in via Volturno e credo stia dirigendosi al Montanara.»
«Ritorna dov'è solita andare» disse sollevato Soneri.
Era rimasto al tavolino del bar senza avventori intorno. Poco lontano si apriva lo slargo di piazza Ghiaia, ma la città dei borghi appariva morta in quel primo pomeriggio di un giovedì coi negozi chiusi e la paura del contagio. Soneri se ne stava acquattato dentro quel ventre di vicoli ad aspettare che un sospetto prendesse corpo. Doveva far presto. Più il tempo passava, più era probabile che gli chiedessero conto dell'impiego di un'agente e di due ispettori per qualcosa che sarebbe passata come una fisima o un'ossessione personale. Poi successe l'imprevedibile. Squillò il telefonino e sentì la voce di Artenice.
«Se n'è andato un'altra volta» cominciò con il consueto tono da annuncio ferroviario. «Mio fratello è molto rammaricato.»
«Da dove chiama?» la interruppe bruscamente il commissario che sentiva rumori in sottofondo.
«Che importanza ha?» chiese.
«Nessuna» mentì il commissario. «Vengo solo se suo fratello ha qualcosa di rilevante da dirmi. Lei sa a cosa mi riferisco» aggiunse volutamente ambiguo Soneri.
Sentì una sorta di sospiro dall'altra parte. Artenice dovette pensarci un attimo, poi disse: «Alla sua vicenda, certo» anche lei vaga.
Un dialogo fatto di sottintesi, senza che l'uno sapesse il riferimento dell'altra.

«Venga stasera verso le sei» disse infine la donna riattaccando senza aspettare la risposta.

Appena chiuse la telefonata, il commissario vide apparire un messaggio.

"Ha fatto una telefonata dal bar Lux di via Langhirano" aveva scritto la Vicini.

Gli sembrava di sbirciare la donna da un buco di serratura. Nel caso di Artenice voleva dire sperimentare il fascino magnetico e maledetto dell'ambiguità. Quel suo parlare da sibilla, quel ritrarsi nell'ombra e quegli strani appuntamenti nel Montanara rivelavano un lato oscuro.

Un altro messaggio comparve sul video: "È scesa dall'autobus e si incammina verso via Carmignani". Dopo poco ancora: "Sta entrando nel condominio all'1, scala B". Seguirono altri messaggi come tanti fotogrammi, poi il flusso s'interruppe. Soneri spedì a sua volta un messaggio con tre punti interrogativi, ma non ottenne risposta. Dopo un po' la Vicini chiamò. Respirava forte, in affanno.

«Ho corso» si giustificò. «Quella donna sembra voglia divertirsi. Ha preso l'ascensore e io le scale. Ho seguito la cabina che saliva tra le rampe. È arrivata fino all'ottavo. Mi sono fatta centottanta gradini di corsa, ma quando sono arrivata in cima, l'ascensore ha cominciato a scendere al sesto. Ero stremata ma mi sono buttata di nuovo giù e quando sono arrivata non c'era più nessuno. Dev'essere scesa a piedi o è entrata in un appartamento a quel piano.»

«È evidente che ti ha stanata e voleva seminarti» stabilì il commissario.

«Sono stata attenta, glielo giuro» implorò la ragazza che pareva sull'orlo del pianto.

«Non è colpa tua. Non dovevo mandarti due giorni di seguito.»

«Dove ho sbagliato?» chiese lei disperata.

«Te l'ho detto: avrei dovuto cambiare. Non si fa un pedinamento di due giorni con la stessa persona. Il rischio è alto. Non ho valutato quanto fosse scaltra la Ferrari.»

«Può essere stato qualcuno che l'ha messa in allarme in quel condominio. Ci ho passato due ore ieri.»

«Magari non è un tuo errore» ipotizzò Soneri, «può essere che sia stata istruita a comportarsi così.»

Gli era venuto un sospetto.

«Da chi?» domandò la Vicini.

«Da chi non desidera attenzioni.»

«E sarebbe la persona da cui si reca la Ferrari?»

«Vien da pensare a quello.»

«Purtroppo non sono riuscita a capire qual è l'appartamento» si rammaricò l'agente. «Ci sono otto piani con quattro porte ciascuno, trentadue possibilità... Ho solo un sospetto, niente più.»

«Certe volte è utile averne.»

«Al quarto piano. Dovessi puntare direi che è entrata lì.»

«Quindi la scelta si restringerebbe a quattro possibilità. Non stiamo facendo un'indagine autorizzata e mica si può andare a chiedere a caso.»

«Lo so» ammise la Vicini. «Però al quarto piano uno degli appartamenti non ha il nome sulla porta. M'è venuto in mente quando lei ha detto che forse la Ferrari va da uno che vuole restare nell'ombra.»

«Può anche non voler dire niente. Magari è un appartamento vuoto o occupato da studenti.»

Salutò l'agente che rispose con un filo di voce. Uscì dal bar con la sensazione di un fallimento. Gli restava addosso solo un grumo di sospetti. In definitiva, niente.

Rientrò in ufficio e trovò Juvara indispettito.

«Mi ha trattato come un mendicante. Che pezzo di merda!»

«Cosa ti ha detto?»

«Niente! Non mi ha voluto dire niente» ringhiò l'ispettore. «Ha citato la deontologia, la riservatezza e la protezione dei dati personali trattandomi come uno scolaretto e quando l'ho messa sul confidenziale si è infuriato, iniziando una reprimenda sui metodi della polizia e i suoi abusi. Dottore, quello deve avercela con le forze dell'ordine, sembra uno dei centri sociali. Ci ha chiamati persino "sbirri".»

Soneri sospirò.

«Lasciamo perdere» concluse. «Mi dispiace della partaccia, ma siamo *sbirri*, come ha detto quello, e affrontiamo ben di peggio.»

«È solo uno stronzo col camice. Chissà quante ne fanno loro coi concorsi truccati» maledisse infine Juvara.

Il commissario non replicò. Sapeva che il medico poteva fare resistenza per una richiesta informale come quella. E se avessero forzato, si sarebbe rivolto a Capuozzo o al prefetto denunciando metodi poco ortodossi. Rischiava di mettersi in moto l'intera trafila dei legami tra papaveri. Annusò il pericolo e il rosario di reprimende. Più di questi, quel che soprattutto temeva erano la noia dei rituali e la prevedibile sventagliata di fango che gli avrebbero indirizzato Magliaro e Calabritti.

Alzò lo sguardo verso Juvara e con tutta la forza di persuasione che conosceva ribadì: «Lasciamo perdere».

34

Alle sei in punto suonò dai Ferrari. Salì la scala nella luce rugginosa che si spandeva dai pianerottoli e affrontò la mesta cerimonia all'ingresso. Trovò l'uomo ad attenderlo in piedi con i palmi appoggiati sul tavolo e il busto in avanti come per reggersi.

«Voglio mettere subito in chiaro una cosa» cominciò dopo un saluto sbrigativo. «Io ho ucciso Giacomo Malvisi. L'ho confessato e lo ribadirò al processo.»

Il tono era perentorio, quasi arrogante, e le parole scandite con una fastidiosa cadenza didattica.

«Non può permettersi di parlarmi così» replicò infastidito Soneri.

«Mi scusi, ma sono molto agitato. Non le pare assurdo che non si creda a un reo confesso?»

«Io le credo. Chi è che non le crede? Dirà tutto in tribunale e la prenderanno in parola.»

«E invece penso che lei abbia dei dubbi. Non li ha nemmeno il mio avvocato difensore! Non le pare assurdo?»

«Non voglio fare il mestiere del suo avvocato e non tento di scagionarla» intervenne il commissario pensando ad Angela. «Semmai trovo strana la sua agitazione» insinuò infine.

Comparve Artenice col vassoio e fissò il commissario un po' più a lungo del consueto.

Il fratello risedette sulla poltrona timoroso come se posasse le natiche su un mucchio di ghiaia.

«Non c'è posto per le persone sincere. Se lo sei, non ti credono» borbottò.

«Se tutti mentono, chi non lo fa suscita sospetti» spiegò Soneri. «D'altro canto, generalmente chi uccide cerca in tutti i modi di sfuggire all'accusa.»

«Le ho già spiegato le motivazioni e com'è successo: non sono un assassino come quelli che intende lei.»

«Lo so, lo so... E farà bene a spiegarle anche alla Corte. Ma sicuramente il suo avvocato saprà consigliarle la condotta al processo.»

Il commissario accennò ad alzarsi.

«Non se ne vada subito» lo pregò Ferrari sporgendosi dalla poltrona. Artenice posò una mano sulla spalla di Soneri: «Resti, ci fa piacere» aggiunse sforzandosi di mettere un po' di calore in quella sua voce asettica. Ma il gesto della donna, anziché suadente, risultò minaccioso.

«Sarei rasserenato se mi dicesse che l'ho convinta» fece Ferrari apprensivo.

«Non c'è mai qualcosa di talmente netto da non suscitare dubbi» rispose Soneri. «Tutto sta nell'interpretarne la fondatezza.»

«E nel mio caso lei come la interpreta?»

«Se guardo l'istruttoria direi che è tendente a zero.»

«C'è dell'altro allora?»

«L'ha detto lei: è un caso paradossale. Se seguissi i

miei sospetti, mi troverei a fare il lavoro del suo difensore, mentre quest'ultimo si trasformerebbe in un sostenitore dell'accusa. Non è curioso?»

«Parecchio» ammise perplesso Ferrari. «Dunque che cosa ne trae? Cosa intende fare?»

«Niente» affermò il commissario assumendo un'aria disarmata. «Lascerò perdere tenendomi i dubbi.»

«Non sono per niente contento» mugugnò l'uomo.

«Di che?»

«Vorrei convincerla del tutto che è andata come le ho detto, ma mi rendo conto che lei non mi crede.»

«E cosa le importa? Cosa ci importa di quello che pensano gli altri? Non si faccia di queste domande, c'è da uscirne pazzi.»

Questa volta il commissario si alzò senza più esitazioni e si diresse alla porta. Nel corridoio vide Artenice nella penombra, gli occhi vividi che lo scrutavano come quelli di un gatto. Le fece un cenno di saluto e uscì.

S'incamminò seguendo l'andamento sghembo di via Bixio, poi quello rettilineo di viale Mariotti ascoltando, in basso, oltre la spalletta, la corrente quieta del torrente. Oltrepassò il ponte Verdi, la cui prospettiva sembrava chiusa dalla cancellata del parco Ducale, e imboccò via delle Fonderie. Angela lo accolse in silenzio. Tra loro aleggiava ancora una lieve tensione.

«Sei stato da Ferrari?» chiese.

«Come lo sai?»

«Mi ha chiamato la sorella poco fa.»

«Sono stanco di essere preso in mezzo» sbottò Soneri. «Quella che mi convoca come un domestico, tu che vieni informata, quell'altro in preda ai sospetti...»

«Non mi ha informata, mi ha telefonato per altri motivi. Semmai sei tu ad avere sospetti.»

«Se anche li avessi...» s'interruppe il commissario alzando le spalle.

«Vedi? Tu stesso lo ammetti. E questo agita Ferrari perché non si sente creduto.»

«Digli anche tu che stia tranquillo» riprese Soneri, «ho deciso di lasciar perdere. Non voglio più interessarmi di questa vicenda.»

Angela lo fissò perplessa: «Non sono sicura che mollerai».

«Sta scavando un fosso tra me e te.»

«Il fatto è che non sei convinto.»

«È vero, non lo sono» s'inalberò definitivamente il commissario. «Sento puzza di laboratorio, di impasto ben preparato. Ma saranno dubbi nati e morti nella mia testa. Ciò che mi ferisce sono le tue ombre. Da quando ti occupi di Ferrari sei diventata sfuggente.»

«Lo sai perché. Mettiti nei miei panni.»

«Se ho deciso di mollare è anche per questo.»

Angela restò in silenzio, guardò per alcuni istanti nel vuoto, poi si alzò e si diresse in cucina. Tornò con un vassoio colmo di gnocchi al pomodoro su cui cominciò a spargere uno strato di Parmigiano.

«Vediamo se ti calmi» disse riempiendo il piatto del commissario.

«Mi hai preso per il tuo gatto a cui riempi la ciotola?»

«Se andiamo avanti così finisce che volano gli stracci» riprese Angela con minacciosa diplomazia. «Ripeto che non avrei mai dovuto accettare questo incarico, ma visto che ormai non posso tornare indietro devi rassegnarti che io faccia la mia parte fino in fondo. Preferiresti che venissi meno e cominciassi a spifferare a te tutto quanto? Franco, se stiamo assieme è anche perché ci stimiamo. Non continueresti a farlo se dessi prova di scarsa serietà.»

«E se la tua intransigenza mi mettesse in difficoltà esponendomi al ridicolo? Non mi sembra una gran prova d'affetto.»

«Nessuno metterebbe mai in dubbio che le cose siano andate diversamente da quel che ha raccontato Ferrari» precisò Angela. «E comunque sei tu a chiedermi scorciatoie per cui dovrei venire meno ai miei doveri.»

«Hai ragione, non dovrei farlo, avvocato Cornelio!» ammise rancoroso Soneri.

«Ancora un po' e mi scappa la pazienza» alzò la voce lei minacciosa.

«Anche adesso sei ambigua» riprese il commissario per niente intimidito. «Mi vuoi far credere che Ferrari è completamente sincero, ma poi mi fai implicitamente capire che ci sono cose che non puoi dirmi.»

Angela sospirò. «Ci siamo messi in un groviglio. Ci rinfacciamo il nostro comportamento pubblico sulla base di motivazioni private e viceversa. È un corto circuito da cui dobbiamo uscire al più presto.»

«Devi scegliere se essere avvocato o compagna» stabilì il commissario.

«Questo vale anche per te nella stessa misura.»

«Lasciando perdere ho scelto di essere il tuo compagno.»

«Non voglio che tu lasci perdere. Ti voglio intero e non dimezzato. Comunque non è corretto mettere le persone di fronte a scelte così radicali. Sia che scelgano una parte o l'altra il risultato è devastante. L'esperimento distrugge ciò che è sperimentato.»

«Allora dimmi tu qual è la linea di galleggiamento per non devastarci» propose Soneri.

«Non sei tu quello che sostiene che la realtà è sempre troppo complessa, che non è mai tutto bianco e tutto nero...?»

«Vuoi dire trovare un compromesso?»

«Qualcosa di simile. Forse non sarà niente di perfetto, ma per salvarci ne vale la pena.»

«E in che cosa consisterebbe?»

«Nella differenza che c'è tra il dire esplicito e il suggerire. Non ti svelo quel che cerchi, ma ti indico la strada per arrivarci.»

«E quale sarebbe?»

«Quella che già percorri.»

«È come dire niente.»

«Credo di averti già detto abbastanza.»

«Che c'è dell'altro, questo l'ho capito.»

«È già molto. Ma adesso basta, discorso chiuso.»

«Così è ancora più frustrante. Era meglio non chiedere niente» sussurrò sconfitto Soneri. Nonostante Angela gli avesse confermato i sospetti, non riusciva a sopprimere un senso di rancore. Restarono in silenzio per un po'. Quindi Angela gli si avvicinò e lo baciò. Nel fare l'amore sfogarono la tensione con gesti anche troppo decisi. Mezz'ora dopo, distesi l'uno accanto all'altra, fu Angela a rompere la pausa estatica del dopo.

«Lo sai che saresti tu a mettermi in ridicolo se scoprissi dell'altro?»

Il commissario si rese conto che esisteva quel rischio e si rammaricò di non averci pensato. Stava per parlare quando lei lo precedette.

«Ma per me sarebbe meno grave. Un avvocato deve assecondare la volontà del suo cliente» disse.

Anche quello era vero. Angela aveva una giustificazione che a lui mancava del tutto.

«Vedi che è meglio lasciar perdere» spiegò il commissario. «Lasciamo che tutto scorra e sarà il male minore.»

«Non dipende solo da te o da noi. Succedono cose che ci cambiano la prospettiva.»

«Anche questo fa parte della casualità. Se capiterà non sarà certo perché lo voglio io.»

«Il destino?» ironizzò Angela.

«Il destino.»

35

«Era destino che finisse così» balbettò mortificata l'agente Vicini in piedi di fronte al commissario che invece appariva del tutto rilassato.

«Per favore, non cominciamo coi fatalismi» dichiarò pensando alla discussione con Angela della sera prima.

«Vuol dire che è ancora peggio» disse la ragazza. «Significa che è colpa mia.»

«Se quella si è insospettita, è perché qualcuno le ha riempito la testa di raccomandazioni» spiegò Soneri.

«Se fossi riuscita a capire dov'è entrata...»

«Dove non sono gradite le visite di estranei» chiosò il commissario.

La Vicini assentì con aria contrita.

«Non te la prendere» la consolò Soneri, «anche le leonesse il più delle volte corrono a vuoto.»

«Io la preda l'avevo annusata» protestò l'agente. «Se posso essere ancora della partita...»

«Per ora no» rispose il commissario. «La carta è stata giocata e due volte non si può.»

Dopo qualche minuto entrò Musumeci.

«Cosa è successo alla Vicini?»

«Niente, è stata seminata e c'è rimasta male. Scommetto che sei intenzionato a consolarla.»

«Mi ha schivato come una pozzanghera.»

«Colpa mia. Ho sottovalutato Artenice Ferrari» ammise il commissario. «La pensavo un'innocua governante e invece è una faina. Non credo che ci abbia messo molto a capire che la Vicini la seguiva. Cosa poteva fare una con quella faccia da ragazzina sempre nei paraggi?»

«E così la traccia si è persa» concluse Musumeci.

«Non so» valutò pensoso Soneri. «Artenice potrebbe sospendere le visite. Oppure chi l'accoglie in via Carmignani potrebbe sloggiare sentendosi scoperto. Ma anche restare lì.»

«Dottore, ma lei vuole andarci in fondo o no?»

«No» rispose il commissario tranquillo. «In questa storia ci sono stato trascinato e i fatti mi hanno sempre preceduto. Proprio per quello aspetto che si facciano vivi loro. E se non lo fanno, non me la prenderò più di tanto.»

L'ispettore lo fissò incredulo. Non l'aveva mai visto così rinunciatario e disinteressato. Ma lo stupore lasciò presto il posto al sospetto.

«Dica la verità» sogghignò, «lei ha in mente qualcosa che non vuole dirmi. Intende stupire tutti?»

«Macché, lascio che sia il destino a decidere» ribatté pensando di nuovo alla discussione con Angela. Musumeci, di nuovo stupito, non disse niente e uscì. A quel punto il commissario indossò la mascherina e si preparò per uscire a sua volta. Il covid aveva steso Capuozzo, mentre Cantamessa si guardava bene dal prendere iniziative con la scusa che le riunioni in presenza non si potevano fare e quelle in video si scontravano con la cronica inefficienza dei computer della questura. Così, l'inerzia del questore vicario, in una città anestetizzata dal contagio, aveva indotto una provvidenziale bonaccia. E in quel mare piatto Soneri si apprestava a fare il morto.

Stava azzerando ogni incombenza cancellandola dalla lista, quando il destino si fece vivo nelle vesti di Nanetti che irruppe in ufficio con insospettata spavalderia.

«Posso completare lo studio» annunciò trionfante. «Dalla banca del midollo mi hanno mandato tutte le informazioni che ho chiesto.»

«Stavolta il Nobel non te lo leva nessuno» disse Soneri già in piedi pronto per uscire.

«Potresti provarci anche tu, se tirassi fuori le poesie che tieni nel cassetto» ribatté Nanetti.

«Scrivo solo verbali e relazioni, ma in buona prosa.»

Nanetti mostrò un CD: «La stampante del mio ufficio s'è inceppata, voi ne avete una qui o pagate un amanuense a ore?».

«Grazie a Juvara potremmo anche riprodurti in 3D, ma ne abbiamo già abbastanza di uno» sibilò il commissario.

«Ah! 3D! Complimenti! Stai facendo un corso serale?»

Soneri lasciò perdere, mentre Juvara, dopo aver inserito il CD, mise in moto la stampante che già sputava fuori i primi fogli.

«Ti costerà un tantino più della copisteria» avvertì il commissario.

Nanetti non lo ascoltava e verificava la stampata.

«Hanno fatto le fotocopie delle schede e non hanno nemmeno cancellato il nome» si stupì.

Il commissario si accostò: in alto a destra c'era scritto: "Donatore volontario esterno: Masetti Alfredo".

«Cosa vuol dire "volontario esterno"?» domandò Soneri.

«Presumo che significhi uno che si offre per donare senza essere compreso nella lista della banca.»

«Forse per affinità genetica?» azzardò il commissario.

«È necessaria per il buon risultato del trapianto» confermò Nanetti.

«Dunque dev'essere uno della famiglia.»

«Non è detto. A volte si trova la compatibilità in soggetti lontani dalla cerchia dei parenti.»

«Juvara, vedi se trovi qualcosa su questo Masetti» ordinò Soneri.

L'ispettore si scatenò battendo sui tasti con una velocità che lasciava sempre stupito il commissario.

«Su Facebook ci sono tre profili omonimi» annunciò Juvara, mentre Soneri si avvicinava per guardare lo schermo. «Direi di provare con questo che è di Parma» aggiunse.

Nemmeno il tempo di un "sì" e già comparve il viso dell'uomo. La voce "informazioni" riportava solo l'indicazione della città accanto alla foto che ritraeva un tipo robusto dal viso squadrato e l'aspetto tranquillo. Juvara aprì la pagina delle foto. Ce n'erano una ventina, compresi un paio di primi piani. Poi cani, una casa di campagna, alcuni scorci di città visitate, un rifugio in montagna e un banco di caldarroste. La penultima foto ritraeva un gruppo di persone. Quando Juvara l'aprì, Soneri sussultò: al centro, Masetti sorrideva in tutta la sua stazza a stento contenuta da una gran camicia a quadrettoni, ma il terzo alla sua sinistra era Ferrari.

«Ingrandisci per favore» ordinò all'ispettore.

L'operazione sgranò leggermente la foto senza però lasciare dubbi.

«Forse è un parente, o un amico stretto» rifletté tra sé Soneri che immediatamente dopo chiese a Juvara di scoprirne il grado.

Nanetti sollevò lo sguardo dai fogli. «Pensi che possa c'entrare con...» disse interrompendosi subito senza riuscire a concludere.

«Penso che tu sia l'uomo del destino» ridacchiò il commissario battendogli le mani sulle spalle e lasciandolo impalato in mezzo alla stanza avviandosi in corridoio.

Appena fuori si accese il sigaro e camminò placidamente sul Lungoparma osservando l'andirivieni di nutrie nel greto. Tra i pioppi si udiva ogni tanto un grido di fagiano. Un percorso familiare che si mostrava a poco a poco, tanto consentiva la nebbia. Arrivato al ponte Dattaro, svoltò in via Langhirano ed entrò nel quartiere Montanara. Pochi minuti dopo suonava a Gastaldi.

«Stai ancora interessandoti al caso di quello là?» fece l'uomo con un cenno in direzione dell'altra parte della via dov'era l'ufficio di Malvisi.

«M'informo» rispose distrattamente Soneri. «Conosci un tal Masetti che abita all'1?» domandò di rimando scostando le tende per osservare il pianterreno dov'era avvenuto l'omicidio.

«Non mi dice niente quel nome» rispose scuotendo

il capo l'uomo. «E poi all'1 ci abita un mucchio di gente che cambia in continuazione.»
«Se non lo sai tu non lo sa nessuno.»
«Una volta sì. Adesso non c'è più il partito. Tutto finito. Sai che fino agli anni Ottanta avevamo un compagno in ogni palazzo che ci raccontava ogni avvenimento? Non c'erano fermento, disagio o inquietudine che non venissero registrati.»
«Forse è un parente dell'assassino di Malvisi.»
«Questo è un quartiere che ogni anno sbiadisce un po'. I vecchi muoiono, bambini ne nascono pochi, molti vanno ad abitare in campagna per avere la villetta e tutto tende ad assomigliare al palazzone dell'1: un gran mischione.»
«Speravo che lo conoscessi» si rammaricò Soneri.
«Provo a telefonare a una persona che abita lì, uno dei pochi che conosco» promise Gastaldi avviandosi in corridoio con passo ciondolante. Quando tornò aveva un foglietto in mano.
«Abita nella scala B al quarto piano. Il mio conoscente dice che è venuto ad abitare lì da poco, forse un anno, e che prima stava a Calestano. Da quel che ne sa vive da solo.»
L'uomo porse il biglietto al commissario. Era tutto segnato con ordine come fosse la scheda anagrafica di una tessera di partito.
«Sei stato molto utile» lo ringraziò Soneri. «Tu e il prete siete rimasti gli unici a conoscere quel che vi sta intorno.»
«Il prete no» rise Gastaldi, «hanno mandato un angolano che appena mastica la nostra lingua.»

Il commissario lo salutò: «Tieni botta, eh!».

L'altro scosse la testa incredulo. «Sto in piedi ed è già molto» disse nel vano della porta mentre Soneri già scendeva la prima rampa.

Attraversando la via lo colse il presentimento che fosse l'ultima volta che vedeva Gastaldi. Poi quel pensiero si dissolse per lasciare il posto alla tentazione di salire al quarto piano del palazzo all'1. Non era sicuro che fosse il momento giusto. Mentre rifletteva, telefonò Juvara.

«È il cugino» annunciò. «Precisamente, è il figlio del fratello della madre di Ferrari. Vuole sapere altro?»

«No, è sufficiente» ringraziò Soneri. «Un affare di famiglia» aggiunse.

«Come ha detto?»

«No, niente» tagliò corto il commissario riprendendo a camminare.

36

Nel pomeriggio telefonò la Falchieri.

«Si annoierà in questa morta gora» cominciò a dire.

«La mia mente non rispetta i turni di riposo.»

«Meno male! Di insonnoliti, tra voi e noi, ne abbiamo anche troppi. Proprio per questo la chiamo. Volevo che fosse presente al nuovo interrogatorio di Zerbini. Sa, per quegli episodi poco chiari...»

«Non potrei esserle granché utile...» cercò di svicolare Soneri.

«Non importa, vorrei che ci fosse» insistette il magistrato.

«Non le basta Musumeci?»

«Con lei mi sento più sicura. So che saprebbe intervenire nel caso il difensore si appigliasse a fatti che conosce molto meglio di me.»

Il commissario accettò controvoglia. La Falchieri lo percepì ma si accontentò.

Salì in macchina e si diresse in via Burla. Attraversando le sezioni del carcere, fu costretto ad ascoltare di nuovo l'oscena cacofonia di chiavistelli e porte sbattute prima di giungere all'aula degli interrogatori. Zerbini era già arrivato e aspettava con aria annoiata e sprezzante. Quando lo vide alzò pigramente lo sguardo accennando un sorriso. Poi la Falchieri cominciò con le domande. Lui la ascoltò distratto. A tratti il suo viso si contraeva in un'espressione piena di rancore. L'interrogatorio si trascinò per mezz'ora, scandito dalla voce tagliente del magistrato e dalle risposte neghittose di Zerbini, che si mostrava al solito smemorato e impreciso. Assieme a Malvisi, avevano ideato il sistema delle truffe per soddisfare il bisogno di soldi e rintuzzare le minacce che arrivavano a James.

«Ricorda chi lo minacciava?» domandò la Falchieri.

L'uomo scosse la chioma e fece un gesto circolare con entrambe le mani.

«Erano tanti...»

«Qualche nome...» lo incalzò.

Zerbini balbettò qualcosa di incomprensibile frugando nella memoria. Poi ne buttò lì qualcuno. Di certi ricordava solo il cognome, di altri solo il nome: un elenco scompaginato.

«Masetti?» intervenne Soneri. «Alfredo Masetti, l'ha mai sentito?» ripeté.

L'altro si riscosse e corrugò la fronte.

«Sì, mi pare. Negli ultimi tempi se n'erano aggiunti un mucchio.»

Non si capiva se aveva confermato per liberarsi da quello sforzo di ricordare o se effettivamente aveva presente quel nome.

«Uno grosso vestito come un guardiacaccia?» domandò però poco dopo come colto da un bagliore di memoria.

«Sì, uno così» confermò il commissario, pensando alle immagini che aveva visto sui social.

«È venuto a cercarlo al Barnaby.»

«Quando?»

«Sarà stato un mese prima che lo uccidessero.»

«Cos'è il Barnaby? Un locale?» intervenne la Falchieri.

«Un night. Non c'è mai stata? L'avrei potuta portare» rispose Zerbini con impertinenza.

«Meglio di no. Non vorrei che mi vomitasse in macchina» replicò lei con ironia.

«Cosa successe al Barnaby?» s'intromise Soneri interrompendo il duetto.

«Che ne so! Un cameriere venne a chiamare James dicendo che lo cercavano, e all'entrata della sala ho visto quel tipo che stava lì come un cane in chiesa.»

«E non ha notato se discutevano?»

«Si sono ritirati in una saletta e quando James è tornato ha impiegato un po' a rimettersi in palla.»

«Le è sembrato scosso?»

«Piuttosto incazzato. C'è voluta una bottiglia di Krug e un paio di ragazze per sistemare le cose.»

Quando tutto finì, la Falchieri inchiodò di nuovo il commissario.

«Chi è questo Masetti? Perché non compare nel fascicolo?»

«Perché ho saputo della sua esistenza oggi.»

«Allora mi informi» ordinò lei indispettita.

«È il cugino di Ferrari, e credo che anche lui avesse un conto in sospeso con Malvisi.»

«È tornato a ravanare in quella storia? Non c'è verso, vero?»

«Come vede è stato utile a chiarire almeno un aspetto.»

«Sta tirando un po' troppo la corda: stia attento.»

«Mi ha voluto qui per essere più sicura e ora mi vede come una minaccia?» si difese Soneri.

«Ha capito benissimo» rispose la Falchieri tranciante. «Non si assuma un ruolo che non le compete. Stia al suo posto!» esortò andandosene.

Il commissario uscì a sua volta e salì in macchina. Ritornando in città mentre scuriva, ripensò alle parole del magistrato e sentì riacutizzarsi un dolore rimasto in sonno dalla sera in cui aveva discusso con Angela. Doveva stare al suo posto, gli aveva detto la Falchieri, e tutto sommato era ciò che l'aveva invitato a fare anche la compagna. Ma se per il magistrato era un invito di natura professionale, nel caso di Angela era qualcosa di più. E il limite che si era profilato lo relegava in una dolorosa solitudine. C'è sempre un momento in cui si tocca il confine invalicabile dell'altro. Quel momento era arrivato subdolamente, mimetizzato da un innocuo scontro professionale.

Non volle tornare in questura. Aveva preso una decisione definitiva: sarebbe stato al suo posto. Per la prima volta cedeva a una motivazione personale. Ma prima doveva fare ordine. Per analogia pensò che capitava la stessa cosa ai suicidi che aveva conosciuto: prima di congedarsi sistemavano tutto: la casa, la rata del mutuo, le spese condominiali, il tagliando dell'auto. Si era sempre chiesto il senso di tutto ciò e solo ora lo capiva. Mettere tutto a posto significava dare un senso ancor più definitivo all'addio. Lui voleva fare la stessa cosa con quell'ossessione.

Guardò l'orologio pensando che avrebbe fatto in tempo. Parcheggiò in via Carmignani, entrò al numero 1 e salì al quarto piano della scala B. Come gli aveva riferito la Vicini, c'erano quattro porte e una era senza nome. Si appostò sul ballatoio in penombra e aspettò. Valeva la pena provare ad affidarsi all'azzardo seguendo quel labile sospetto suggerito dalla ragazza. Si udivano rumori sfuggire dagli appartamenti attraverso le porte. Grida di donne, strilli di bambini, la televisione di qualche anziano sordo, un motivetto cantato in bagno: un coro di vita normale. Dopo un po' cominciò a spandersi l'odore del cibo. Il commissario distinse il profumo del minestrone, quello delle patate al forno e della carne arrosto, ma resistette in attesa. Più della fame, lo assillava quell'ultimo atto che sentiva di dover compiere. Per se stesso, prima di tutto.

Finalmente la porta si aprì proiettando un fascio di luce sul ballatoio. Era quella senza il nome. Una donna uscì silenziosa e premette il pulsante della luce sulle scale. Fu allora che si trovarono di fronte lui e Artenice. Lei ebbe un sobbalzo, ma subito dopo fece un gran respiro recuperando la freddezza di sempre.

«Prima o poi me l'aspettavo» sussurrò.

«Lei e suo fratello m'avete lanciato molte esche.»

La donna abbassò gli occhi: «C'è arrivato prima del previsto. Fosse durata ancora per un po'...».

«Per un po' quanto?»

«Oh, non lo so. Lo sa Dio!»

«Non capisco.»

«Venga dentro e capirà» lo invitò lei rassegnata a bassa voce.

Nell'appartamento c'era odore di chiuso, di cibo e medicinali. Artenice lo precedette. Giunta sulla soglia della cucina, si scostò per far passare il commissario che si trovò davanti un uomo pallidissimo col viso che pareva una maschera di cera sul punto di sciogliersi. Si intuiva ancora la traccia di un fisico imponente, ma adesso appariva appassito come un grappolo lasciato al gelo. Gli occhi davano l'idea di essere l'unica cosa viva e balenavano pieni di interesse. Fece cenno a Soneri di sedersi.

«Io so chi è lei» disse poi. «Immagino che lei sappia chi sono io.»

«Credo di saperlo, sì.»

«Alfredo Masetti, il cugino di Ferrari» spiegò con calma.

Il commissario assentì.

«Artenice è costretta a venire ogni giorno, ormai. A metà settimana ho avuto una crisi. Mi vede no?» indicò con un po' di stizza se stesso. «Supponevo che si sarebbe incuriosito. Mi hanno riferito dei suoi dubbi.»

«Se suo cugino non m'avesse invitato con tanta insistenza...»

«Roberto ha scelto la persona sbagliata, uno che s'arrovella il cervello. Che diffida delle apparenze.»

«Se avessi tirato dritto di fronte a un uomo abbandonato su una panchina fradicia...»

«Non capisco.»

«Niente» si scusò Soneri, «riflettevo sulla casualità di quel che ci accade. Ci sono fatti che sembrano insignificanti e invece ci inciampi e ti imbratti.»

«Però non è casuale che lei sia qui. Ha seguito Artenice, ma adesso cosa vuole da me?»

«Sa benissimo cosa voglio.»
«Mi sopravvaluta. Non so nemmeno come faccia a conoscere il mio nome.»
«Dalla sua carta d'identità biologica.»
Masetti apparve sorpreso e spiazzato.
«Ha lasciato un'impronta inconfondibile in via Carmignani 8.»
L'uomo rise nervosamente e si mosse sulla sedia. Artenice gli si accostò, ma lui le fece cenno di fermarsi.
«Non riesco a seguirla.»
«Lei e suo cugino» riprese calmo il commissario con un gesto che significava vicinanza. «Il trapianto, ricorda?»
L'uomo assentì allarmato e curioso.
«Il suo DNA è rimasto in eredità a Ferrari. Così il cugino l'ha involontariamente tirata in ballo. È rarissimo che succeda, una lotteria. Il caso, il destino, lo chiami come vuole.»
«E allora?»
«Niente» proseguì Soneri. «Le ho spiegato come sono arrivato al suo nome.»
«Avevo chiesto l'anonimato. Questa cosa doveva restare tra me, Roberto e Artenice» precisò lanciando un'occhiata alla cugina.
«Purtroppo il doppio DNA di suo cugino è diventato un caso. Il mio collega della Scientifica ha voluto ricavarci uno studio e l'ospedale ha mandato i documenti senza tante precauzioni visto che a chiederli era un poliziotto.»
Masetti abbassò lo sguardo con disapprovazione.
«E adesso che lo sa? Cos'è, s'è tolto una soddisfazione? Ha seguito Artenice fin qui per venirmelo a dire?»

«Ha ragione, potevo telefonarle. Ma non conosco il suo numero» disse il commissario accennando al cordless sul tavolo. «E il telefonino che usava lei per chiamare Malvisi è sotto sequestro.»

«Non ho mai avuto un cellulare. Sono uno dei pochi.»

«Infatti è quello di Ferrari che usava.»

Masetti si mosse di nuovo sulla sedia. Malgrado l'aspetto sofferente, era ancora intuibile la sua forza. Strinse forte i braccioli con le mani in preda a inquietudine e rabbia. Artenice gli si avvicinò di nuovo mettendogli una mano sulla spalla per calmarlo.

«Non lo faccia inquietare!» ingiunse la donna.

«Sono venuto per chiarire i fatti» continuò con calma il commissario. «E per rispetto a me stesso» aggiunse.

«Rispetto a se stesso?» si stupì Artenice mentre Masetti taceva con aria torva.

«In questa vicenda sono stato tirato in mezzo e preso per il culo. Un attore non protagonista di una commedia che avete messo in piedi voi. Be', sono qui per dirvi che ho capito tutto e che il gioco è finito. Lascerò che la conclusione sia quella che avete voluto.»

Nella stanza nessuno parlò per un tempo che sembrò lunghissimo. Tutto rimase immobile, come in un ritratto. Poi il commissario riprese con voce lenta e pacata.

«Ferrari le ha dato il suo cellulare per far sembrare che fosse lui a telefonare a Malvisi. Uno dei tanti che lo minacciavano. D'altro canto è vero che un movente l'aveva: quello dei soldi spariti. Tutto pareva credibile, sennonché le telefonate si sono agganciate a ripetitori di questa zona e ciò significa che a chiamare era lei. Ne abbiamo contate diciassette.»

Masetti chinò la testa e non disse niente. Fu Soneri a proseguire.

«Malvisi era uno sbruffone prepotente con la sfrontatezza di chi non teme niente. Ferrari non l'avrebbe mai sopraffatto infilzandogli la pancia più volte in quel modo con un semplice tagliacarte. Forse gli avrebbe potuto sferrare una coltellata di sorpresa, ma poi l'altro avrebbe reagito. Lei, invece, con la sua forza, poteva averla vinta facilmente.»

L'uomo continuava a restare in silenzio, mentre Soneri attendeva paziente che tutto precipitasse. Sapeva che doveva essere così. Se lo era prefigurato e ne era sicuro. Solo adesso si sentiva protagonista al centro della scena.

A un certo punto fu Artenice a dar sfogo alla pressione che si era creata.

«Dài! Cosa importa ormai!» esortò rivolta al cugino che stava chino e corrucciato con entrambe le mani tra le ginocchia.

«C'era in ballo più di una vita in questa storia» parlò infine Masetti, con una voce che pareva provenire dalla stanza accanto. «Io ho salvato la pelle a Roberto, lui ha poi cercato di salvare quel che restava della mia. Non voleva che il poco tempo che mi rimaneva venisse sprecato nel rito straziante dell'inchiesta, con gli interrogatori, le foto sul giornale, il disprezzo della gente. Tanto la condanna l'avevo già avuta. E non da un tribunale.»

«Condanna?» lo interruppe Soneri.

«È stato Malvisi a decretarla e l'esecuzione sarà a breve. Mi ha fottuto i soldi che servivano per un intervento negli Stati Uniti. Ho il cancro, credo che si veda.»

Il commissario fu colpito da quella rivelazione e la sua espressione indusse Masetti a continuare.

«Avevo dei risparmi ma non bastavano. Roberto ha organizzato una colletta e siamo arrivati alla somma necessaria. Purtroppo il denaro raccolto l'ho aggiunto a quello che avevo in gestione da Malvisi. Sono andato a chiederglielo più volte implorandolo. Allora stavo ancora relativamente bene ma i medici mi dicevano che bisognava fare presto, che era questione di mesi... Lui mi rassicurava e prendeva tempo. Poi ha cominciato a farsi di nebbia, così una sera sono andato a trovarlo al Barnaby. Era seduto al tavolo a bere circondato da puttane. Ecco dov'erano finiti i miei soldi. Lei cosa avrebbe fatto? Non è come se ti rubassero la macchina. Cosa può fare un uomo a cui rubano la vita?»

Questa volta fu Soneri a restare muto. Non sapeva cosa replicare, né avrebbe saputo immaginare la propria reazione in una situazione di quel tipo. A certe questioni è impossibile dare una risposta se non agendo. Appare necessario quando non ci sono più parole né ragionamenti. È così che si diventa violenti.

«Mi è capitato qualche volta di capire chi uccide» ammise il commissario. «E persino di convenire che aveva in buona parte ragione. La giustizia che si applica è spesso poca cosa di fronte all'irreparabile.»

«Lui ha sempre fatto del bene» intervenne Artenice. «E anche Roberto. Perché tutto questo male contro di noi?»

«Non c'è una spiegazione. Almeno, io non so darla. Mi limito a constatare che coabitiamo con l'ingiustizia e la vendetta e che tutto ciò è molto umano» considerò Soneri.

«Commissario...» disse di colpo solenne Masetti. Poi

fece una pausa, come per sottolineare ciò che stava per aggiungere. «L'ho ucciso io» confessò con insospettabile calma. «Se avesse tardato ancora un po' ci saremmo risparmiati questa manfrina. Però non cambia niente. Ha di fronte un assassino che non comparirà mai di fronte a un giudice. Commissario» ripeté, «scappo in un luogo dove né lei né nessun altro potrà più arrestarmi» concluse con una risata di scherno. «Ho fatto giustizia e resterò impunito. Celebrate pure il processo, io riderò nella tomba.»

Detto questo, rovesciò la testa all'indietro mentre due lacrime gli scendevano seguendo le pieghe del suo viso rugoso.

Soneri sentiva che si avvicinava il finale di quella pièce così umana da essere assurda quanto la vita.

«Quando tutto sarà finito, andrò a dire al magistrato come sono andate le cose e lei sarà testimone» stabilì Artenice.

Di colpo Soneri capì. Era lei la vera regista di tutto. Aveva in testa un piano quasi perfetto per salvare se stessa e il fratello.

Il commissario scosse la testa. «No, io rimarrò al mio posto» la smentì.

La donna restò sorpresa.

«Sono solo uno spettatore e come tale rimango.»

«Ma adesso sa la verità.»

«La verità, quella che appare, l'ha costruita lei, e forse suo fratello. Vuole rinnegarla? Sono venuto qui a dire che ho capito tutto. Per riguardo a me stesso, semmai pensaste di usarmi ancora. Lei, Masetti, ha ucciso Malvisi, ma Ferrari si è assunto la responsabilità. Poi proprio Ferrari mi ha lanciato segnali nel corso di quegli strani appuntamenti a Barriera Bixio, indirizzandomi fin qui. Ora mirate alla riapertura delle indagini, che si concluderebbero con l'assoluzione di Ferrari e l'impossibilità di condannare un uomo...» Soneri s'interruppe in tempo ma si comprese benissimo che stava per dire morto. «La vendetta perfetta senza pagare dazio.»

«Non pensa che sia giusto?» disse con freddezza Artenice.

«Forse. Ciascuno risponde al proprio tribunale. Io mi cavo fuori. Starò al mio posto: mi è stato ordinato e lo farò.»

«Ha fatto l'indagine... È l'unico a sapere...» balbettò Artenice.

«È stata un'indagine non autorizzata. Non vale. Nessuna prova sarebbe ammessa. Suo fratello può sempre ritrattare e far riaprire l'inchiesta. Di confessioni se ne intende. Ma se lo facesse si assumerebbe l'onere di aver detto falsità e depistato gli inquirenti. Cosa che accadrebbe comunque se venisse tutto a galla. Ma forse sarebbe il male minore.»

«E poi dovreste far presto» intervenne Masetti. «Io non la tirerò per le lunghe. E senza la mia, di confessione...»

«Lei è un poliziotto e non può sottrarsi» ringhiò Artenice con una voce che pareva un graffio di artigli.

«In questo momento non sono un poliziotto. Sono solo venuto a congedarmi lasciando a voi di scrivere il finale.»

Nella quiete che subentrò, Soneri uscì ritrovando il suo quartiere. Passeggiò a lungo nelle vie dove aveva corso fin da bambino. Pensò ad Angela, che sapeva tutto dall'inizio, al suo silenzio, alla distanza che si era scavata tra loro. Toccava anche a lei scrivere un finale a quella storia. E Soneri era molto curioso di capire quale ruolo gli avrebbe attribuito. Se quello di compagno o di commissario. Lui aveva deciso il suo cavandosi fuori. Insistendo in quell'indagine avrebbe esasperato il conflitto con lei fino al punto di rottura. Restava l'amarezza dell'inganno dietro l'alibi del ruolo professionale. Angela si era mostrata seria, questo sì. Ma il commissario in quel momento non sapeva che farsene, di una fredda integrità. Avrebbe preferito il caldo abbraccio di un'umana deroga al dovere. Per quello era contento di aver fallito. Aveva incrinato la sua integrità e forse parte della sua reputazione di poliziotto, ma non gli importava più di tanto. Certe volte era opportuno non opporsi all'abbrivio dei fatti. Tutto sommato, lasciando le cose come stavano, forse Ferrari avrebbe potuto soddisfare il suo desiderio di espiare per riconoscenza e Masetti sarebbe fuggito là dove Soneri non l'avrebbe mai catturato. Presto sarebbe diventato impalpabile come la nebbia fitta sull'argine del torrente che accompagnava il commissario verso casa.

Ringraziamenti

Ringrazio l'amica Monica Pedretti per le pazienti letture e i preziosi consigli che mi hanno permesso di superare alcuni problemi di trama.

«Reo confesso»
di Valerio Varesi
Mondadori Libri

Questo volume è stato stampato
presso ELCOGRAF S.p.A.
Stabilimento - Cles (TN)
Stampato in Italia. Printed in Italy